EDUCANDO MENINAS

JAMES DOBSON

EDUCANDO MENINAS

Traduzido por SUSANA KLASSEN

Copyright © 2010 por James Dobson
Publicado originalmente por Tyndale House Publishers, Illinois, EUA.

Os textos das referências bíblicas foram extraídos da *Nova Versão Internacional* (NVI), da Sociedade Bíblica do Brasil, salvo indicação específica.

Todos os direitos reservados e protegidos pela Lei nº 9.610, de 19/02/1998.

É expressamente proibida a reprodução total ou parcial deste livro, por quaisquer meios (eletrônicos, mecânicos, fotográficos, gravação e outros), sem prévia autorização, por escrito, da editora.

Dados Internacionais de Catalogação na Publicação (CIP)
(Câmara Brasileira do Livro, SP, Brasil)

Dobson, James C.
Educando meninas / James Dobson; traduzido por Susana Klassen. — São Paulo: Mundo Cristão, 2012.

Título original: Bringing Up Girls.

1. Meninas — Vida religiosa 2. Papel dos pais — Aspectos religiosos — Cristianismo I. Título.

11-07847   CDD-248.845

Índice para catálogo sistemático:
1. Meninas: Educação cristã: Papel dos pais: Cristianismo 248.845
Categoria: Educação

Publicado no Brasil com todos os direitos reservados por:
Editora Mundo Cristão
Rua Antônio Carlos Tacconi, 69, São Paulo, SP, Brasil, CEP 04810-020
Telefone: (11) 2127-4147
www.mundocristao.com.br

1ª edição: janeiro de 2012
14ª reimpressão: 2024

Esta obra é dedicada a minha única filha, Danae Ann Dobson, fonte de alegria e amor imensos em minha vida. Como escrevi no primeiro capítulo do livro que você está prestes a ler, "minha paixão pelo assunto em pauta tem a ver com a filha que ainda me chama de papai. Agora ela é adulta, mas eu a amo tanto quanto em nosso primeiro encontro na sala de parto. Algo vibrante ocorreu entre nós naquela noite mágica, algo que permanece até hoje".

Agradeço a Deus pelo privilégio de ser pai dessa mulher extraordinária!

Sumário

Agradecimentos   9

1. O mundo maravilhoso das meninas   13
2. Meninas em perigo   19
3. O belo sexo   29
4. Por que ela é quem ela é   43
5. Como ensinar meninas a serem mulheres distintas   57
6. Coisas que deixam os anjos constrangidos   75
7. As meninas e as mães   81
8. Moças falam sobre os pais   97
9. Por que os papais são importantes   113
10. De pai para filha   127
11. Cinderela no baile   135
12. A obsessão com a beleza   145
13. Perguntas e respostas sobre a infância   165
14. O rio da cultura   187
15. Consequências   207
16. Boas notícias sobre as meninas   225

17. Encante sua filha   239

18. Puberdade e adolescência   245

19. Inimigas, colegas ou melhores amigas   257

20. Perguntas e respostas sobre puberdade e adolescência   279

21 Como proteger sua filha da tecnologia invasiva   297

22. Palavra final   309

Notas   323

Bibliografia   345

Agradecimentos

Inúmeros colegas, amigos e colaboradores foram de grande ajuda na elaboração deste livro. No topo da lista, encontra-se Paul Batura, cuja cooperação foi fundamental para localizar e condensar dezenas de pesquisas relevantes para os tópicos dos quais tratamos. Sempre que eu terminava uma seção, Paul era o primeiro a lê-la, e eu contava com seu *feedback*. Paul e eu trabalhamos lado a lado neste projeto durante três anos, muitas vezes à noite, nos finais de semana e em outros horários inconvenientes. Em inúmeras ocasiões, telefonei-lhe para dizer: "Paul, procure algo para mim, preciso da informação com urgência". Ele ia direto à fonte e colocava em minhas mãos (ou em meu computador) exatamente aquilo de que eu precisava. Sou muito grato por seu apoio enquanto o livro gradualmente tomava forma.

Becky Lane, minha assistente pessoal e mulher de grande inteligência, também ofereceu uma contribuição importante. Graças a seu temperamento, Becky é detalhista e não deixa passar quase nada. E, como era de esperar, havia inúmeros detalhes a serem verificados na hora de finalizar *Educando meninas*. Se não fosse pela supervisão de Becky, o livro ainda não estaria pronto. Corinne Sayler, sua colega em nosso escritório, trabalhou com ela no projeto. Sou grato a ambas.

Muitas outras pessoas se mostraram prestativas e atenciosas. O pesquisador de opinião pública Franz Luntz me permitiu citar trechos de seu livro ainda não publicado na época, mas que agora está nas livrarias sob o título *What Americans Really Want... Really* [O que os norte-americanos desejam de fato... De fato]. Você encontrará os escritos dele no final do capítulo 16 deste livro. Obrigado, Frank, por sua generosidade.

Bob West, homem de talento notável, provou ser capaz de resolver praticamente qualquer problema técnico. Não me esqueço daquela manhã quando telefonei para ele, em pânico, e disse: "Bob, você não vai acreditar! Minha tela apagou e o trabalho de vários dias sumiu". Eu estava pronto para sair correndo e gritando, mas, em questão de minutos, Bob solucionou o problema e restaurou meu texto. Isso é que é amigo!

Bob Waliszewski me permitiu usar parte de um livro seu, ainda inacabado e sem título, a qual constituiu o capítulo 21 deste livro ("Como proteger sua filha da tecnologia invasiva"). Muito obrigado, Bob. Que bom que seu conhecimento técnico seja bem mais avançado que o meu.

Ron Reno, vice-presidente da organização Focus on the Family e pensador que sabe trabalhar as palavras com esmero, leu parte considerável desta obra quando ela estava em fase de conclusão e ofereceu várias sugestões úteis.

Uma vez terminado o livro, Dave Salkeld foi o técnico responsável pela gravação enquanto eu lia toda a obra em voz alta. Foi um trabalho maçante e Dave se mostrou incrivelmente paciente nas ocasiões em que minha voz cansada falhava e chiava ao longo destas tantas páginas de texto. Recomendo Dave a qualquer um que precise de seu talento técnico.

A colunista Peggy Noonan permitiu, gentilmente, que eu usasse seu artigo "Coisas que deixam os anjos constrangidos", cujo texto constitui o capítulo 6.

Pedi a três moças que comentassem sobre o "movimento das princesas": Danae Dobson, Kristin Salladin e Riann Zuetel. A opinião delas contribuiu de forma significativa para o capítulo 12, "A obsessão com a beleza".

Os drs. Joe McIlhaney e Freda McKissic Bush aceitaram o convite para participar de nosso programa de rádio na organização Focus on the Family. Ambos são obstetras e ginecologistas e foram convidados para falar sobre seu livro *Hooked: New Science on How Casual Sex Is Affecting Our Children* [Enrolados: novos dados científicos acerca da influência do sexo casual sobre nossos filhos]. O capítulo 15 traz uma transcrição editada de nossa entrevista. Recomendo a todos os pais que leiam essa seção, bem como o livro *Hooked* em sua totalidade. Meus agradecimentos a esses dois colegas e amigos.

Dr. Roy Stringfellow, ginecologista em um consultório particular em Colorado Springs, Colorado, também é um de meus amigos mais chegados. Dr. Stringfellow revisou meus textos sobre a fisiologia feminina e a endocrinologia na adolescência e ofereceu várias sugestões úteis.

Randy e Lisa Wilson são os idealizadores de um excelente programa para meninas chamado Baile da Pureza. O conceito é explicado no capítulo 11 e talvez você se interesse em usar com suas jovens Cinderelas as sugestões nele oferecidas.

John e Stasi Eldredge realizaram uma contribuição singular para este livro com sua descrição da alma feminina e redigiram um texto maravilhoso.

Várias dezenas de moças participaram de uma discussão livre sobre o relacionamento com o pai. Na época, elas frequentavam o Instituto Focus on the Family, e tivemos uma longa conversa em grupo. Seus comentários editados foram incluídos no capítulo 9, uma das seções mais reveladoras deste livro. Desejo expressar minha gratidão a todas essas alunas por terem participado da discussão.

Kim Davis escreveu um relato pessoal de sua vida em "A obsessão com a beleza". Obrigado, Kim, por sua transparência e sensibilidade.

Um de meus textos prediletos em *Educando meninas* foi escrito por Sarah Kistler e chama-se "A pulseira de berloques" (capítulo 17). Não deixe de ler!

O capítulo 10, "De pai para filhas" apresenta cem provérbios escritos ou compilados por Harry Harrison, extraídos de sua obra *Father to Daughter: Life Lessons on Raising a Girl* [De pai para filha: lições de vida sobre como educar uma menina].

Com suas poesias e canções, outras três pessoas contribuíram de forma ímpar para esta obra: Steven Curtis Chapman, Stephanie Bentley e Edgar Guest.

Randy Negaard é o contador encarregado da área financeira de minha empresa particular, à qual pertencem os direitos autorais de meus livros. Foi ele quem tratou, portanto, de todas as negociações e aplicações contratuais de *Educando meninas*. Trabalhei lado a lado com Randy, um profissional diligente, capaz de lidar com todas as questões de negócios que me fariam perder o foco. Prefiro escrever sobre casamento e educação de filhos a fazer contas. Graças a Randy, isso é possível.

O senador Rick Santorum e sua esposa, Karen, foram convidados do programa Focus on the Family, no qual falaram sobre o livro de Karen, *Everyday Graces: A Child's Book of Good Manners* [Virtudes diárias: um livro de boas maneiras para a criança]. Um trecho de sua entrevista encontra-se no capítulo 5 deste livro, "Como ensinar meninas a serem mulheres distintas". Expresso minha gratidão ao casal Santorum por ter compartilhado seus conselhos úteis sobre educação de filhos com nossos ouvintes e permitido que eu incluísse seus comentários em *Educando meninas*.

Mark e Becky Waters descrevem, no final do livro, a perda pessoal que sofreram. Jamais me esquecerei da carta que Mark escreveu para mim. Ela também será memorável para você.

Sou extremamente grato aos meus amigos da Tyndale House Publishers, que atuaram como parteiras no nascimento deste bebê: Doug Knox, Lisa Jackson, Becky Brandvik, Sarah Atkinson, Stephanie Voiland, Mafi Novella e Sarah Rubio, entre outros. São pessoas extremamente talentosas e que me ajudaram ao longo de todo o caminho.

Por fim, reservo maior gratidão a minha esposa, Shirley, que orou por mim, me apoiou e trocou ideias comigo durante todo esse processo. Talvez você não se surpreenda ao saber que ela vê as coisas com olhos de mãe, fato que, sem dúvida, influenciou meus escritos. Amo e valorizo essa mulher imensamente.

Boa leitura.

1   O mundo maravilhoso das meninas

ALGUNS ANOS ATRÁS, ESCREVI um livro intitulado *Educando meninos*, que vendeu mais de 2 milhões de exemplares. Desde sua publicação, pessoas na rua, em restaurantes e aeroportos me abordam e perguntam: "Quando você vai escrever *Educando meninas*?". Meus editores faziam a mesma pergunta cada vez que nos encontrávamos. Agora, até crianças começaram a me pressionar. Há algum tempo, uma carta escrita com letra irregular chegou ao meu escritório:

> Querido dr. James Dobson,
> Tenho 6 anos. Tenho dois irmãos mais velhos. Quero saber quando você vai escrever *Educando meninas*. Porque minha mãe quer muito ensinar meninas. Gostaria que você trabalhasse nesse livro.
>
> Julie

Tudo bem, Julie, você venceu. Eu topo. E obrigado por seu bilhete amável. Aposto que sua mãe insistiu para você escrevê-lo porque a menina que ela deseja ensinar... é *você*. Espero poder conhecê-la um dia, pois algo me diz que você é uma garota muito especial.

Recebi milhares de outras cartas interessantes de meninos e meninas, quase todos mais velhos que Julie. Alguns se dizem zangados comigo e me culpam pela forma como seus pais os disciplinaram. Tempos atrás, um estudante universitário enviou um poema para expressar seu ponto de vista:

> Eis a verdade, nua e crua:
> Quando eu era pequeno,
> Apanhei por culpa sua.

Uma de minhas cartas prediletas é de uma menina de 14 anos chamada Tiffany, que estava soltando fogo pelas ventas quando escreveu, sem rodeios:

> Odeio você, dr. Dobson.
> Hoje eu tive que assistir ao filme mais idiota do mundo sobre sexo. Foi você que fez esse filme. HA! como se você entendesse do assunto. Além disso, agora minha mãe só me deixa assistir no cinema aos filmes dos quais ela leu a sinopse, graças ao seu programinha "antenado", agora eu não tenho mais vida social porque todos os meus amigos vão ao cinema e assistem a filmes legais. E eu só posso assistir ao *Uma garota encantada*. Nossa, que divertido!

No trecho seguinte, Tifanny coloca toda a delicadeza de lado. Deve ter visto uma foto minha de muitos anos atrás. Meus óculos fora de moda inspiraram seu golpe final:

> Espero que você compre um óculos novo porque, seja você médico ou não, a verdade é que o óculos que você usa ocupa seu rosto inteiro.
> Com amor, sempre,
>
> Tifanny

Que doce de garota! Só uma menina de 14 anos seria capaz de começar uma carta declarando que me odeia e terminar com uma promessa de amor eterno. Aposto como Tifanny é um desafio e tanto para os pais dela, mas dias melhores estão por vir. Quando escrevi meu primeiro livro sobre educação de filhos, os pais que aconselho hoje eram crianças petulantes como Tifanny, mas algo engraçado aconteceu. Eles cresceram, tiveram seus próprios filhos geniosos e agora estão à procura de ajuda. É gratificante ver a segunda geração de pais e mães aprenderem a tratar das mesmas questões e dos mesmos problemas que eles próprios causaram aos seus pais 25 anos atrás. Quem sabe terei a oportunidade de aconselhar a terceira geração, quando Tiffany tiver seu primeiro bebê? A essa altura, ela e outras jovens mães de sua geração verão as coisas de forma bem diferente. Mas estou me adiantando...

O título que escolhi para este livro, *Educando meninas*, faz uma asserção fundamental: pressupõe que os pais têm a responsabilidade não apenas de supervisionar o crescimento e desenvolvimento de suas meninas (e meninos), mas também de educá-las de modo deliberado, formando dentro delas certas qualidades e atributos de caráter. O sábio rei Salomão tratou dessa obrigação mais de 2.900 anos atrás quando escreveu: "Ensina a criança no caminho em que deve andar, e, ainda quando for velho, não se desviará dele" (Pv 22.6, RA). O apóstolo Paulo acrescentou outra dimensão ao dizer: "Pais, não irritem seus filhos; antes criem-nos segundo a instrução e o conselho do Senhor" (Ef 6.4).

Pare e pense nas implicações desses textos da Escritura. Significam que a criança deve ser ensinada a reverenciar a Deus e a seu Filho, Jesus Cristo, e a entender a dimensão espiritual da vida? Sim, esse é seu significado principal. Creio, contudo, que nos instruem a ir além.

Os filhos são uma dádiva de Deus, confiados a nós para zelarmos por seu bem-estar. Nesse sentido, educar nossas filhas implica ajudá-las a atravessar os campos minados com os quais depararão na cultura atual: ensinar-lhes valores eternos, talentos e perspectivas. Significa instilar nelas o apreço pela verdade, confiabilidade, autodisciplina, autocontrole, generosidade e mansidão de espírito. Significa incutir-lhes recato, moralidade e boas maneiras. Significa ajudá-las a superar as tendências naturais ao egoísmo, à agressividade, à violência e ao desleixo. Significa orientá-las a trabalhar, aprender e pensar. E essa lista é só o começo; daí a educação dos filhos ser uma responsabilidade tão assustadora, que requer previdência e planejamento. É disso que trataremos nas páginas a seguir.

Minha paixão pelo assunto em pauta tem a ver com a filha que ainda me chama de papai. Agora ela é adulta, mas eu a amo tanto quanto em nosso primeiro encontro na sala de parto. Algo vibrante ocorreu entre nós naquela noite mágica, algo que permanece até hoje. Quando Danae tinha 3 anos, eu era professor de pediatria em uma faculdade de medicina e pesquisador em um grande hospital infantil. Cinco dias por semana, enquanto eu me preparava para enfrentar o trânsito de Los Angeles, Danae chorava, pois não queria que eu partisse. Eu sempre lhe dava um grande abraço e prometia me apressar de volta para casa no final da tarde, mas ela ficava desconsolada. Ainda posso ver minha garotinha querida chorando em frente à porta de casa.

Certa manhã, percebi Danae particularmente chateada enquanto eu explicava outra vez por que o papai precisava ir trabalhar. Seus lindos olhos azuis marejaram de lágrimas, e ela disse, com tristeza: "Tudo bem, papai. Eu perdoo você".

Algumas semanas atrás, perguntei a minha filha se ela se lembrava dessa época. Danae tem memórias muito vívidas da infância, o que às vezes é quase assustador. Ela não apenas se lembrava de ter chorado na manhã que eu descrevi, como também se recordava de algo que eu havia esquecido.

Um dia, quando Danae tinha 3 anos, ela e a mãe foram até o jardim na frente da casa para acenar enquanto eu partia. Eu já havia saído de ré da garagem e não as vi na frente de casa. Danae se lembra de como ela chorou de decepção. Quando cheguei ao fim do quarteirão, porém, vi minha pequena família de relance no retrovisor. As duas ainda acenavam sem parar. Enquanto eu virava a esquina, coloquei o braço para fora da janela e retribuí o aceno. Mesmo depois de tantos anos, Danae se lembra da emoção que sentiu naquele momento em que seu papai acenou de volta para ela.

Como eu era capaz, aliás, como *nós* somos capazes de nos permitir ficar tão atarefados com as preocupações da vida a ponto de descuidar de nossos garotinhos e de nossas garotinhas vulneráveis e deixá-los desprotegidos de influências nocivas? Como somos capazes de lhes negar o amor e a atenção pelos quais anseiam? E como somos capazes de deixá-los sair para um mundo perigoso sem fixar, primeiramente, alicerces sólidos que os mantenham firmes? Nenhuma outra prioridade se equipara à responsabilidade de ensinar nossos filhos no caminho em que devem andar, como disse Salomão. Esse é o rumo que tomaremos nas páginas seguintes.

Trataremos de informações, abordagens, respostas, soluções e recomendações que resistiram à prova do tempo. Nosso enfoque será a influência de mães, pais, professores e colegas. Falaremos sobre meninas de todas as idades, desde a primeira infância até a idade adulta, e consideraremos as armadilhas que certamente se postam ao longo do caminho. Conversaremos sobre como ensinar meninas a se tornarem mulheres distintas. Trataremos da busca por valor próprio, do despertamento sexual, de pais ou mães que educam os filhos sozinhos, do desenvolvimento emocional e dos princípios básicos para educar meninas. E, é claro, falaremos de puberdade, adolescência e da obsessão pela beleza.

Por fim, trataremos da instrução espiritual em casa e dos motivos pelos quais a pureza deve ser ensinada às meninas desde a idade pré-escolar até o momento em que deixam o lar. É aí que reside nossa esperança. Há tanta coisa a ser dita. O preparo deste livro envolveu mais de 3 mil páginas de pesquisas e materiais de referência. Esta é minha 33ª obra e levei mais de três anos para concluí-la. Demorei tanto porque precisei decidir o que deixaria de fora. Tudo parecia importante.

O que pretendo compartilhar com vocês, mães e pais, se tornou minha obsessão. Sinto um nó na garganta cada vez que penso nas crianças preciosas que sabem tão pouco sobre a vida; fico pensando em maneiras de proteger sua inocência e preservar as alegrias da infância.

Essa é a nossa tarefa. Portanto, prepare uma xícara de café bem quente ou ponha a água do chá para ferver e sente-se numa poltrona confortável. Vamos conversar.

2 Meninas em perigo

A PESQUISA QUE FUNDAMENTOU *Educando meninos*, um de meus livros anteriores, mostrou claramente que os meninos enfrentavam problemas sérios em diversas áreas. Desde a pré-escola até a idade adulta, saíam-se mal segundo quase todos os critérios de saúde emocional, educacional e física. Eram duas vezes mais propensos que as meninas a desenvolver problemas de aprendizado, três vezes mais inclinados a se viciar em drogas e quatro vezes mais passíveis de sofrer distúrbios emocionais.[1] Eram mais suscetíveis a esquizofrenia, autismo, vício sexual, alcoolismo e todas as formas de comportamento antissocial e criminoso.[2] Eram dez vezes mais propensos a cometer homicídio,[3] e o índice de mortes de indivíduos do sexo masculino em acidentes de carro era 50% mais elevado.[4] Quanto aos processos legais relacionados à deliquência, 77% envolviam indivíduos do sexo masculino.[5]

Há motivos de sobra para crer que, em termos gerais, os meninos continuam a enfrentar essas dificuldades ainda hoje. Comparados com as meninas, eles se encontram em séria desvantagem na escola. São pouquíssimos os lugares no mundo em que, na média, os meninos leem melhor do que as meninas. Nos Estados Unidos, para cada 100 meninos transferidos para turmas avançadas na escola, são transferidas 124 meninas.[6] De acordo com o sociólogo Andrew Hacker, 3 dentre 4 meninas no último ano do ensino médio afirmam passar uma hora ou mais por dia fazendo tarefa de casa, comparado com apenas 50% dos meninos.[7]

Como seria de esperar diante dessas estatísticas, menos rapazes frequentam e concluem a faculdade. De todos os candidatos a programas de mestrado, 59%

são mulheres, e a porcentagem de homens em profissões que exigem nível superior diminui a cada ano.[8] Quando alunos do oitavo ano foram entrevistados a respeito de suas aspirações para o futuro, as meninas se mostraram duas vezes mais propensas a responder que pretendiam ingressar em uma carreira na área de administração de empresas ou em alguma profissão liberal.[9] Os meninos, em contrapartida, muitas vezes não sabem o que querem. Mesmo nos últimos anos do ensino médio, são menos propensos a estabelecer alvos ou a pensar em trabalhar com o afinco necessário para alcançá-los.

Essa falta de motivação acadêmica em muitos meninos traz sérias implicações para meninas e mulheres. Muitas mulheres que atuam em profissões liberais já percebem uma falta de pretendentes com nível de instrução comparável ao delas. Como alguém disse com um sorriso nos lábios, "há tantas Cinderelas e tão poucos príncipes". Homem e mulher foram criados um para o outro e são interdependentes de inúmeras maneiras. Tudo que afeta um dos sexos, seja de forma positiva ou negativa, certamente influencia o outro. Por isso, a guerra entre os sexos, que continua intensa há quase quarenta anos, é tão deplorável e absurda.

Bem, esse cenário nos remete à situação das meninas. Quão saudáveis elas são em termos físicos e emocionais? Embora nossas filhas estejam se saindo relativamente bem na área acadêmica e em alguns critérios de saúde social e física, devo dizer que, em vários sentidos, estou ainda mais preocupado com as meninas do que com os meninos. Tanta coisa mudou para pior nos últimos anos. As meninas encontram-se sob uma forte pressão raramente experimentada por suas mães, avós e outras mulheres de gerações anteriores. As garotinhas de hoje são instigadas a crescer rápido demais e deparam com desafios para os quais não têm preparo nenhum. É evidente que se trata de uma generalização com muitas exceções, mas são muitas as meninas e mulheres em apuros.

A inquietação dessas garotas fica evidente na variedade de comportamentos que não fazem nenhum sentido para membros da família, amigos e quem as observa a distância. Nota-se, por exemplo, uma incidência crescente de distúrbios alimentares como anorexia e bulimia entre as jovens. A obsessão com a magreza extrema varreu as nações ocidentais como uma epidemia viral. Embora apresente causas psicológicas variadas e complexas, esse tipo de distúrbio é desencadeado principalmente pelo medo de ser obesa, ou mesmo "cheinha", na infância e na adolescência.[10] Dentre os indivíduos afetados, 90% são meninas, e algumas começam a manifestar sintomas já aos 5 anos.[11] Imagine uma coisa dessa! Algumas das pequenas anoréxicas ainda estão na pré-escola! Em uma pesquisa da American Academy of Child and Adolescent Psychiatry, 40% das meninas com idade entre 9 e 10 anos disseram ter tentado perder peso.[12] Nunca as crianças se preocuparam tanto com a forma de seu corpo.[13] Mais cedo ou mais tarde, um terço dessas meninas recorrerá a algum modo perigoso de perder peso, como remédios para dieta, laxantes, vômito, jejuns e atividade física excessiva.[14] Quando chegarem aos 15 anos, mais de 60% estarão usando substâncias e métodos nocivos.[15] Em um capítulo mais adiante, falaremos sobre como esse medo da obesidade pode levar à anorexia, à bulimia e a outros males.

Alunas do segundo ciclo do ensino fundamental e do ensino médio inspiram outras preocupações. Algumas se cortam, mutilam e colocam *piercings* pontiagudos e argolas em locais como língua, lábios, nariz, sobrancelhas, orelhas, umbigo, mamilos e genitália. Algumas tentam simbolizar escuridão e morte por meio do estilo que adotam e dos adornos que colocam no corpo. Outras envolvem-se em agressão sexual, drogas, alcoolismo, intimidação, mentira e rebeldia em casa e na escola.

Uma porção de "meninas malvadas" que desfilam por nossa cultura ajuda a promover alguns desses comportamentos antissociais e perigosos. São ícones *pop* e celebridades que exercem grande influência sobre as adolescentes. Embora as personalidades em alta mudem com frequência, podemos citar exemplos como Paris Hilton, Nicole Richie, Britney Spears, Lindsey Lohan e outras mulheres sensuais que contribuem para desvirtuar a atual geração de meninas. As mais ousadas ocasionalmente não usam roupas de baixo e se deixam fotografar por *paparazzi* em ângulos estratégicos.

Angelina Jolie, outra "menina má", disse numa entrevista a um periódico alemão: "Duvido que a fidelidade seja absolutamente essencial para o relacionamento. É pior abandonar seu parceiro e falar mal dele depois. Brad e eu jamais afirmamos que viver juntos significa estar mutuamente acorrentados. Fazemos de tudo para nunca reprimir um ao outro".[16]

Nunca reprimir um ao outro? Imagino que Angelina e Brad dormem com quem eles querem e esperam que o relacionamento deles permaneça intacto. O tempo revelará que estão tragicamente equivocados.

A triste verdade é que essas celebridades despudoradas se tornaram modelos para milhões de garotas, fazendo vulneráveis aspirantes à fama desprezarem a própria aparência. Como poderão as meninas que acabaram de entrar na adolescência, usam aparelho e têm espinhas no rosto alcançar esse padrão de suposta perfeição? Claro que a maioria *não* consegue. Consequentemente, elas odeiam a si mesmas por aquilo que são e por aquilo que nunca serão.

De acordo com o Center on Alcohol Marketing and Youth (CAMY), da Universidade de Georgetown, um número crescente de jovens bebe em excesso.[17] Em um período de seis meses, 31% das meninas ingeriram bebidas alcoólicas, em comparação com 19% dos meninos.[18] Embora os números sejam mais reduzidos, há uma tendência alarmante de garotas adolescentes se despirem em troca de dinheiro.[19] A prostituição, evidentemente relacionada a esse comportamento, parece estar se alastrando. Pessoas cada vez mais jovens, em geral de classe média, estão se envolvendo com sexo pago.[20] A maioria não é de adolescentes que fugiram de casa ou de jovens "rebeldes", mas de adolescentes comuns em busca de atenção, aventura, dinheiro e uma forma de preencher o vazio interior.

Em uma coluna do jornal *Los Angeles Times* intitulada "Tempos assustadores para educar uma filha", o escritor Steve Lopez reflete sobre as implicações dessas e de outras novas questões preocupantes relacionadas a meninas. Lopez comenta:

> Três meses atrás, enquanto as contrações de minha esposa ficavam cada vez mais próximas, ligamos a televisão para nos distrair antes de ir para o hospital.
> Péssima ideia.
> Ninguém espera muito esclarecimento vindo da telinha hoje em dia. Mas, enquanto mudávamos de um programa de namoro ou *reality show* espalhafatoso e enfadonho para outro, me perguntei se precisávamos fazer um exame psiquiátrico, tendo em vista havermos decidido colocar uma criança neste mundo.
> Especialmente uma menina.

Não é só a televisão que me assusta. A internet, a música *pop*, o rádio e os anúncios publicitários também. Os elementos mais obscenos de cada um dos meios de comunicação agora dominam a cultura popular, e a mensagem incessante, repisada pela mídia voltada principalmente para os jovens, é clara: tudo tem a ver com sexo.

Por certo, alguns de nós que nascemos nos anos 1960 tivemos nossos dias *hippies* de rebeldia e amor liberal, mas aquilo foi uma revolução social e não uma campanha orquestrada por grandes corporações.

Hoje em dia, se você ainda não transou é um fracassado. Se você não tem a expectativa de transar no futuro imediato, tente cirurgia plástica, pois não há nada que valha mais a pena almejar do que o *sex appeal*, a única medida verdadeira de realização humana.

Sim, reconheço que tudo isso me perturba porque tenho uma bebezinha. A cada dia, sinto-me mais como Dan Quayle, que, certa vez, foi ridicularizado por condenar a protagonista do seriado Murphy Brown, uma mãe solteira.

Onde está Dan Quayle quando precisamos dele?[21]

Steve Lopez tem razão. Como seus irmãos, muitas meninas são vitimadas pelas influências culturais cada vez mais violentas, hipersexualizadas e espiritualmente falidas. O cerne da questão é que nossa sociedade está em guerra com os pais dedicados que procuram, de todas as maneiras, proteger os filhos das forças nocivas ao seu redor.

Permitam-me fazer algumas perguntas retóricas para vocês que estão educando meninas. Vocês esperam que suas filhas sejam sexualmente promíscuas ainda que mal tenham entrado na adolescência? Quase posso ouvir a maioria responder: "Claro que não!". Mas peço que tenham um pouco de paciência enquanto termino minha ilustração. Vocês preferem que suas meninas sejam impetuosas, atrevidas e agressivas em seus relacionamentos com o sexo oposto? Esperam que elas sejam alvos fáceis para garotos em busca de conquistas sexuais? É seu desejo que elas imitem comportamentos masculinos irresponsáveis, como a irascibilidade, a obscenidade, a insensibilidade e a falta de respeito para com os outros? Querem que elas falem palavrões, sejam grosseiras, insolentes, irreverentes e malcriadas?

É seu desejo que se vistam de forma provocante, mostrando mais e cobrindo menos, a fim de atrair a atenção dos garotos? Quando elas chegarem à adolescência, querem que se pareçam com prostitutas de lábios inchados com colágeno e seios injetados com silicone? Querem que tenham argolas penduradas em várias partes do corpo e pintem o cabelo de verde, laranja, roxo e rosa? Querem que elas tenham tanta vergonha do corpo a ponto de, aos 9 anos, sentirem a obrigação de fazer dieta e, aos 13, terem medo de comer? Ficam tranquilos ao saber que professores incentivarão suas jovens filhas a experimentarem relacionamentos lésbicos e lhes dirão que a bissexualidade é ainda melhor? Esperam que suas meninas aprendam que o casamento é uma instituição obsoleta que precisa ser redefinida ou descartada? Querem que desprezem as crenças espirituais tão preciosas que vocês lhes têm transmitido desde que elas estavam na mais tenra infância?

Se essas forem suas aspirações para suas garotinhas vulneráveis, e tenho certeza de que não é esse o caso, você não precisará fazer nada para alcançá-las. A cultura popular se encarregará disso. Ela é projetada para transformar a presente geração de crianças em pequenos e politicamente corretos clones da MTV. A influência da indústria de entretenimento, da Madison Avenue,[22] da internet, de músicos de *hip-hop*, de algumas escolas públicas, de universidades liberais e outras instituições está moldando e desvirtuando os jovens e incutindo neles ideias nocivas que os despojam da inocência da infância. Como resultado, algumas de nossas meninas perderão a perspectiva de ter uma vida feliz e produtiva. O que está em jogo é a felicidade de suas futuras famílias. É isso que os anos vindouros reservam para os filhos cujos pais estão esgotados de tanto trabalhar, confusos, exaustos e alheios. Sem o cuidado e a preocupação dos pais, a cultura carregará esses jovens para o inferno. Vi isso acontecer inúmeras vezes. Mesmo com a supervisão adequada dos pais, muitas de nossas crianças correm perigo.

Minha maior preocupação é com as crianças cronicamente solitárias em nosso meio. Os pais ficam fora a maior parte do tempo, e elas precisam se virar sozinhas. Os seres humanos precisam encarecidamente uns dos outros; quem vive isolado não se desenvolve. Além de se meterem em encrencas, as crianças solitárias se tornam presas fáceis para abusadores que entendem o vazio que elas sentem e se aproveitam dele.

Uma coisa é certa: seus filhos são alvo de empresas dispostas a explorá-los para obter lucro rápido. Alguém duvida que a indústria pornográfica queira vender imagens obscenas e depravadas para adolescentes curiosos, pouco importando os resultados de expô-los à pornografia? Os homens (e as mulheres) desprezíveis que vendem essas imagens não esperam os "clientes" baterem à porta. Eles vão atrás de seu público-alvo. De acordo com o ex-procurador público John Ashcroft, nove entre dez adolescentes já foram expostos a imagens pornográficas.[23] Aqueles que deparam com esse conteúdo vergonhoso na internet ou em outros meios de comunicação são extremamente susceptíveis ao que veem. Já aos 13 anos, é muito fácil meninos desenvolverem comportamentos viciantes e progressivos que os atormentarão para o resto da vida. Essa realidade afeta as meninas de forma direta, pois seus namorados esperam que elas imitem aquilo que é retratado em produtos obscenos.

Inúmeras outras empresas procuram manipular as meninas. A Mattel, Inc., por exemplo, lançou a boneca *sexy* "My Scene My Bling Bling Chelsea Doll",[24] chamada pelos críticos de "Barbie Vadia".

Além de estarem se tornando cada vez mais sexualizados, os brinquedos também estão passando por um processo de "compressão etária". Em outros tempos, o público-alvo da Barbie e de outras bonecas de vestir era constituído de meninas de 6 a 10 anos. Agora, a Barbie é vendida para meninas de 3 a 5 anos. Stacy Weiner observa que isso corresponde a "dar adeus à infância da menina".[25] E o autor Bruce Kluger comenta: "As bonecas percorreram uma trajetória e tanto desde os tempos de Raggedy Ann".[26]

Especialistas em desenvolvimento infantil alertam sobre o perigo de os pais atraírem pedófilos ao vestirem as filhas como se fossem mulheres sensuais. A American Psychological Association (APA) adverte que a sexualização das crianças resulta nos três problemas de saúde mental mais comuns entre meninas e mulheres: distúrbios alimentares, baixa autoestima e depressão.[27] Será que a APA precisa mesmo convencer mães e pais de que é pura estupidez transformar suas garotinhas de 6 anos em meninas insinuantes?

A pergunta que ainda não teve resposta é: "Onde estão os pais?". Evidentemente, meninas de 5 anos não têm como comprar calcinhas tipo fio dental, roupas de baixo enfeitadas com *strass*, ou bonecas que se parecem com pequenas prostitutas. O dinheiro precisa vir dos pais. De acordo com registros de vendas de alguns anos atrás, os pais gastaram 1,6 milhão de dólares em calcinhas tipo fio dental para suas filhas de 7 a 12 anos.[28] Infelizmente, muitos adultos que deveriam saber discernir entre certo e errado abdicaram da responsabilidade de guiar seus filhos queridos.

Não deve causar espanto o fato de muitas adolescentes criadas em meio ao idiotismo sexual do século 21 adotarem a promiscuidade como modo de vida. Michelle Malkin, uma de minhas colunistas e comentaristas de televisão prediletas, incentiva-nos a reconhecer o que está acontecendo com nossas crianças. Ela escreve:

> Como mãe de uma menina de 4 anos e um menino de 8 meses, fico cada vez mais abismada com o ataque liberal à decência, com a banalização da vulgaridade e com o papel da mídia em geral como colaboradora desavergonhada [...]. Quem vê pode até pensar que é normal vestir roupas insinuantes aos 5 anos, usar pulseirinhas do sexo e discutir sexo oral aos 10, mostrar os seios para a câmera aos 15, ser paga para fazer sexo anal aos 20, manter planilhas do Excel para computar conquistas sexuais e usar o aborto como forma de controle de natalidade até a menopausa. Quando mulheres conservadoras dizem: "Tenham um pouco de respeito próprio", os liberais na mídia nos chamam de moralistas. Quando mulheres conservadoras dizem que a promiscuidade é degradante e autodestrutiva, os liberais na mídia nos chamam de puritanas. Quando mulheres liberais levantam a voz, são elogiadas por sua "impetuosidade". Quando mulheres conservadoras levantam a voz, são condenadas por seu "exagero".[29]

Malkin conclui com o seguinte conselho aos pais:

> Sejam "puritanos". Sejam "indelicados". Sejam "exagerados". E nunca, jamais, sintam qualquer constrangimento ao perguntar em alta voz: "Vocês não têm vergonha?".[30]

É evidente que nossos filhos estão na mira da cultura atual, e precisamos escolher entre nos deixar levar por ela ou combatê-la com todos os nossos recursos. Que Deus tenha misericórdia de nossos filhos se permanecermos passivos e indiferentes.

Espero que agora você entenda o motivo de eu estar tão preocupado com as meninas. Elas correm perigo extremo em nossos dias e são mais sensíveis e frágeis que seus irmãos. Quer minha opinião seja politicamente correta quer não, creio que a natureza emocional inerente às garotas as torna mais susceptíveis à manipulação. No recôndito de sua alma feminina encontra-se um anseio por amor e intimidade. Por isso, abrem-se, sem compromisso, para garotos que poderiam, por algum milagre, proporcionar-lhes a afirmação que tanto desejam. Elas não parecem extrair muito prazer de seus atos de rebeldia. Esperam que algum menino adolescente seja capaz de preencher o vazio e aliviar a dor interior, mesmo que isso seja bem pouco provável. Cada vez mais, novas necessidades não supridas são geradas pela ausência de algo no relacionamento dessas meninas com a mãe e/ou o pai. Em geral, o problema está no relacionamento com o pai. Trataremos dessa questão em maior profundidade daqui a pouco.

Por ora, pais e mães, esse é o mundo no qual seus filhos estão crescendo. Obviamente, nem todos eles sucumbiram às tentações e pressões que descrevi, e, em breve, falarei de algumas tendências animadoras que estão começando a surgir. Não obstante, as influências que atraem as gerações mais jovens continuam a exercer seu impacto lamentável. Nossos filhos precisam encarecidamente que conduzamos seus passos e definamos limites razoáveis para protegê-los.

Eles me lembram coelhinhos correndo por uma campina, alheios a corujas, coiotes, ursos e falcões à espreita para apanhá-los e despedaçá-los. Por vezes, parece que todos os predadores dos campos estão atrás dessas criaturinhas vulneráveis. Vocês, pais e mães, são os únicos defensores que seus filhos têm. Não se pode esperar que a escola cuide daquilo que é, claramente, responsabilidade dos pais. Nem mesmo a igreja pode salvá-los. Os pastores procuram fazer frente contra uma cultura na qual o declínio moral é muito mais sério do que foi em nossa infância. Reunir-se com os adolescentes nas tardes de sábado ou nas manhãs de domingo pode ser proveitoso, mas isso também não é suficiente.

Vocês, contudo, podem proporcionar a direção e o cuidado necessários e, mais importante, podem preencher o vazio que, do contrário, levará seus filhos irrequietos a uma busca frenética pelo amparo e a companhia de outros coelhinhos perdidos.

Juntos, talvez possamos proteger algumas das crianças e adolescentes de hoje dos perigos que descrevi. Primeiro, porém, desejo falar mais sobre essas criaturas encantadoras que chamamos de meninas.

3. O belo sexo

ADENTREMOS UM POUCO MAIS no mundo maravilhoso e complexo das meninas. Cada uma delas é bela, preciosa e singular. Gosto demais da forma como Deus criou as meninas, romantizada na canção clássica de Alan Jay Lerner e Frederick Lowe para o filme *Gigi*. Parte da letra diz:

> Graças aos céus pelas garotinhas
> Pois, a cada dia, crescem um pouco mais!
> Graças aos céus pelas garotinhas
> Que crescem com encantos naturais.

É verdade. Claro que os meninos também são preciosos: passei três anos escrevendo sobre sua singularidade e essência. Mas sua contraparte feminina cativa nosso coração de maneira diferente. As meninas nos encantam com sua sensibilidade e ternura, sentem tudo de modo intenso e têm o costume de abraçar a quem amam.

Falemos da natureza feminina e afetuosa das meninas e vejamos por que (e como) os pais devem interagir com suas filhas de forma consoante a essa natureza. Primeiro, precisamos reconhecer que as meninas abrigam dentro de si não apenas um espírito meigo e compassivo, mas também um lado traiçoeiro, rebelde e absolutamente cruel com outras crianças. Todos nós, homens e mulheres, somos dotados da capacidade de demonstrar o que há de melhor e pior no ser humano. Esses traços diametralmente opostos coexistem em pessoas de todas as idades, e ninguém está isento de ter um lado sombrio. Seria ingenuidade dizer o contrário. Por isso, precisamos de um Salvador, "pois todos pecaram e estão destituídos da glória de Deus" (Rm 3.23).

Não obstante, o Criador imbuiu no belo sexo uma natureza cativante e sensível que devemos reconhecer e cultivar. Alimentá-la e preservá-la durante os anos formativos é como derramar água fresca na base de uma flor delicada. "Meninas crescidas" também precisam de cuidados.

Uma canção romântica famosa na década de 1930, escrita por Irving King e Harry M. Woods, oferece conselhos valiosos aos homens sobre como tratar as mulheres. A canção chama-se "Try a Little Tenderness" [Trate-a com carinho] e foi interpretada, posteriormente, por Frank Sinatra e outros cantores. A letra transmite o seguinte conselho romântico:

> Talvez ela esteja cansada, é verdade que elas se cansam
> Do mesmo vestido esfarrapado.
> Quando ela estiver cansada, trate-a com carinho.
>
> Quem sabe ela esteja esperando, simplesmente aguardando
> Coisas que talvez nunca terá.
> Enquanto ela espera, trate-a com carinho.

Os compositores dessa canção, sem dúvida, entendiam um pouco de mulheres. Fico imaginando, porém, se observaram características semelhantes nas garotinhas. Eu com certeza observei.

Quando minha filha era pequena, partimos em uma longa viagem de carro, com muitas paradas pelo caminho. (Muitas mesmo.) Enquanto eu abastecia o carro, um cãozinho sem dono se aproximou e travou amizade conosco. Danae se apaixonou de imediato pelo vira-lata abandonado que nos acompanhou de um lado para o outro no posto. Não pudemos levá-lo conosco, e precisei enxotá-lo para conseguir fechar a porta do carro. A criaturinha ergueu os olhos para nós com uma expressão que parecia dizer: "Eu sei. Vocês não me querem. Ninguém mais me quer". Quando partimos, ele nos seguiu, correndo pela estrada. Foi um momento triste para todos nós, mas especialmente para Danae. Ela ficou arrasada. Entre soluços inconsoláveis, disse: "Papai, a gente precisa voltar. Ele não tem ninguém pra cuidar dele. Volta pro posto. A gente tem que pegar o cachorrinho. Não pode deixar o coitado sozinho. Quem vai dar comida pra ele hoje à noite? Por favor, pai. Volta". As lágrimas caíam feito chuva.

Gostaria de poder dizer aqui que voltamos para pegar o cachorrinho e que o adotamos como nosso animal de estimação para todo o sempre. Mas não foi o que aconteceu. Embora todo mundo em nossa família goste de cachorros, há momentos em que mamãe e papai precisam tomar decisões difíceis. Não era possível levarmos um animal conosco numa viagem em que ficaríamos em hotéis e deixaríamos o carro estacionado sob o sol quente. Além do mais, já tínhamos em casa um cachorro muito amado, adotado de uma organização protetora de animais. Para Danae, porém, a tristeza era mais forte do que todos os argumentos. Ela não conseguia parar de chorar.

Nossa filha nunca se esqueceu daquele vira-lata. Até hoje, ela é capaz de contar essa história. E nunca me perdoou inteiramente por ter deixado o cãozinho solitário para trás. Aliás, durante o jantar ontem à noite, deixei que ela lesse o relato que acabei de escrever. Seu comentário foi: "Você deveria *mesmo* ter voltado, papai. A gente teria dado um jeito". Ela ainda guarda uma pontinha de ressentimento por causa da minha decisão.

Quem não gosta de cachorros pode ter dificuldade em entender como Danae se sente em relação a algumas coisas, mas eu entendo. Ela é extremamente sensível, e eu não gostaria que fosse diferente. Por isso, desde que nasceu, ela é "a garotinha do papai". Essa característica de Danae também explica por que ela costuma visitar os residentes solitários e fragilizados de lares de idosos. Danae preocupa-se de verdade com eles, o que me deixa muito orgulhoso.

O temperamento compassivo e meigo de minha filha não é incomum entre os membros de seu sexo, apesar de ser mais pronunciado em algumas meninas do que em outras. No capítulo seguinte, você verá por que as meninas costumam ser mais sensíveis, perceptivas e relacionais do que os meninos. Essas são algumas das características que tornam as mulheres atraentes para os homens, mesmo que, em geral, eles não tenham muita consciência desse fato. Também são o motivo pelo qual meninas e mulheres se magoam com facilidade e têm mais tendência a ser inseguras. As crises de insegurança são relativamente frequentes da puberdade em diante, e algumas mulheres nunca as superam por inteiro.

Um de meus primeiros livros foi intitulado *What Wives Wish Their Husbands Knew about Women* [O que as esposas gostariam que seus maridos soubessem sobre as mulheres]. Baseava-se em uma pesquisa que realizei, a princípio, com 75 mulheres e, depois, com mais 5 mil. Compartilhei com elas as dez causas mais comuns de depressão mencionadas em minhas sessões de aconselhamento: problemas com os filhos, dificuldades associadas à menstruação e outros aspectos fisiológicos, pressões financeiras, conflitos com a família do marido, problemas sexuais, ausência de amor romântico no casamento, baixa autoestima, fadiga e pressão quanto ao uso do tempo, solidão/isolamento/tédio e envelhecimento. Em seguida, pedi que as mulheres classificassem esses itens de acordo com a frequência em que ocorriam em sua vida. O estudo não visava a preencher os critérios rigorosos da metodologia científica, pois a amostra não era aleatória e não havia um grupo de controle. Não obstante, os resultados foram extremamente interessantes e reveladores.

A causa mais frequente de depressão entre essas mulheres era a baixa autoestima, que ultrapassava, em muito, todos os outros itens. Mais de 50% das mulheres a relacionaram em primeiro lugar e 80% a classificaram entre os cinco primeiros itens. As 75 mulheres que participaram do grupo de teste eram jovens, atraentes e casadas. Todas eram mães com crianças pequenas e viviam em bairros de classe alta. A maioria tinha ensino superior completo e integrava o rol de membros de igrejas cristãs fortes. Ainda assim, quase todas relataram que lidavam com episódios recorrentes de depressão e falta de autoconfiança.

Quando apliquei o breve questionário a outras 5 mil mulheres, minhas constatações iniciais foram confirmadas. Com base nesse estudo e em outros mais rigorosos, cheguei à conclusão de que a sensibilidade mencionada anteriormente tem um lado negativo: meninas adolescentes e mulheres se magoam com mais facilidade que garotos e homens, e muitas experimentam um sentimento de inadequação que perdura por toda a vida. A dor da ridicularização, intimidação ou exclusão na infância ou adolescência e os traumas causados por famílias disfuncionais causam lembranças dolorosas.

Antes de ingressar nos meios universitários, atuei como psicólogo em uma escola e observei sinais dessa vulnerabilidade na maioria das alunas. Elas não se sentiam suficientemente bonitas ou aceitas pelos colegas. Aos seus próprios olhos, simplesmente não tinham valor. Eis alguns exemplos desse padrão comum em mulheres extremamente bem-sucedidas.

Chris Evert ocupou o primeiro lugar no *ranking* mundial de tênis. Quando fez sua estreia impressionante nas quadras, aos 16 anos, era bonita, cheia de entusiasmo e adorada por todos. Ao longo de sua carreira, conquistou todos os troféus possíveis nessa modalidade esportiva e, no entanto, eis o que ela disse a respeito de si mesma:

> Não fazia ideia de quem eu era ou de quem poderia ser longe do tênis. Estava deprimida e assustada, pois boa parte de minha vida havia sido definida pela identidade como campeã de tênis. Eu estava completamente perdida. Vencer fazia-me sentir que era alguém. Fazia-me sentir bonita. Era como ser viciada em uma droga. Precisava das vitórias, dos aplausos, a fim de ter uma identidade.[1]

Madonna, a cantora provocante e estrela perene dos palcos e telas, descreve-se em termos semelhantes:

> Tenho uma força de vontade ferrenha e sempre a concentrei na tentativa de vencer sentimentos terríveis de inadequação [...]. Estou sempre lutando contra esse medo. Depois que consigo me desvencilhar de uma dessas fases e descobrir que sou um ser humano valioso, passo para outro estágio em que me considero medíocre, insípida e sem valor; preciso encontrar, repetidamente, uma forma de sair do fundo do poço. Minha motivação de vida é escapar desse sentimento terrível de inadequação e mediocridade, e é isso que sempre me empurra, e me empurra e me empurra. Porque, mesmo que eu tenha me tornado alguém, ainda preciso provar que sou ALGUÉM. Minha luta ainda não chegou ao fim e provavelmente nunca chegará.[2]

Oprah Winfrey é, há mais de 25 anos, a mulher mais bem-sucedida da televisão. Milhões de espectadores assistem ao seu programa de entrevistas diariamente e são influenciados por suas opiniões. Winfrey também é uma das mulheres mais ricas do mundo. Veja, porém, a imagem que ela tem de si mesma:

> Descobri que não me dava o menor valor e, sem dúvida, não merecia ser amada, a menos que realizasse algo. Percebi, de repente, que nunca acreditei na possibilidade de ser amada simplesmente por existir.[3]

Durante muitos anos, Melissa Gilbert se dedicou ao papel da pequena Laura, no conhecido seriado de televisão "Os pioneiros". A história de sua vida adulta, porém, é triste. A sucessão de relacionamentos rompidos comprova que a imagem na televisão não passava de fachada. Um artigo na revista *TV Guide* mostrou o lado sombrio de sua história. Melissa, na época com 30 anos, revelou que teve de encarar uma realidade triste: o caminho que escolhera a traíra. Disse: "Eu não lhe contei qual é meu maior medo? É de que escrevam em minha lápide: 'Teve uma carreira incrível, mas não teve vida própria'".[4]

Joan Kennedy, primeira esposa do falecido senador Ted Kennedy, foi uma das mulheres mais glamorosas do mundo. Ex-modelo, não havia homem que não olhasse quando ela entrava em uma sala. Eu a vi de perto junto com o senador em 1968, em uma conferência da American Academy of Pediatrics, em Chicago. Os dois irradiavam beleza e charme, mas não era assim que Joan se via.

Durante a campanha para a presidência em 1980, ela começou a se consultar regularmente com um psiquiatra e comentou:

> Eu havia perdido minha autoconfiança. Tinha certeza apenas de minha beleza e de meu porte elegante [...]. Os membros da família Kennedy se saem bem em tudo e eu sou um fiasco.[5]

Quando ouviu boatos de que Teddy era namorador, disse:

> [A notícia] atingiu o cerne da minha autoestima [...]. Comecei a imaginar que talvez não fosse atraente o suficiente, ou tivesse deixado de ser atraente, ou sei lá o quê. Era muito fácil dizer [...] se as coisas são assim, o melhor a fazer é tomar um drinque.[6]

Joan não demorou a se tornar alcoólatra.

Poderia citar inúmeros exemplos de mulheres admiradas, respeitadas e lindas, desde Ava Gardner até Marilyn Monroe, que nunca se sentiram inteiramente à vontade consigo mesmas. Infelizmente, o problema apareceu até mesmo em meu próprio lar. Fiquei chocado quando descobri, pouco tempo depois de me casar com Shirley, que ela sofria desses mesmos sentimentos de inadequação. Na faculdade, Shirley era brilhante tanto na área acadêmica quanto no aspecto social. Foi a melhor aluna do segundo ano, foi presidente de classe no último ano, estava na lista de alunos de destaque das instituições de ensino superior norte-americanas e era uma das garotas mais queridas da universidade. Todo mundo gostava de Shirley, inclusive eu. E, no entanto, em nosso primeiro ano de casados, descobri que ela alimentava inseguranças que havia escondido de mim durante os três anos de namoro. A meu ver, era totalmente absurdo o fato de Shirley não gostar de si mesma.

Era compreensível que alguns de seus sentimentos fossem resultado de ser filha de alcoólatra e ter sido criada em um bairro pobre, mas essas influências persistiram muito tempo depois de ela sair de casa. Não obstante, os sentimentos de inadequação eram reais e, uma vez que eu a amava, precisava ajudá-la a lidar com eles. Comecei a me esforçar para consertar o estrago. Hoje, Shirley está completamente recuperada e, em minha opinião, é uma das mulheres cristãs mais respeitadas do país. Eu já a vi subir num palco cheia de confiança e falar para 16 mil homens e mulheres. O que descobri com minha esposa, porém, é que o fenômeno da baixa autoestima pode ser irracional, e as causas nem sempre são óbvias. Em maior ou menor grau, é algo que afeta todas as mulheres. E começa na infância.

John e Stasi Eldredge descrevem essa natureza em seu livro *Em busca da alma feminina*:

> A verdade é que toda garotinha (e todo garotinho) faz uma pergunta fundamental. A pergunta do garotinho, porém, é bem diferente da pergunta da garotinha. Ele quer saber: *Sou capaz?* Os empurrões e as cambalhotas, as apostas e os trajes de super-heróis são o modo como o menino prova que é capaz. Ele foi criado à imagem de um Deus guerreiro. Quase tudo que o homem faz é motivado por essa busca por validação, pelo anseio por uma resposta para sua pergunta.
>
> As garotinhas querem saber: *Sou encantadora?* As saias rodadas, as brincadeiras de trocar de roupa, o desejo de serem vistas e consideradas bonitas, tudo

tem a ver com essa dúvida. Buscamos uma resposta a nossa pergunta. Quando eu tinha uns 5 anos, lembro-me de ter ficado em pé em cima da mesa de centro na sala de meus avós e cantado a plenos pulmões. Queria chamar a atenção, especialmente do meu pai. Queria ser cativante. Todas nós queríamos. A resposta que a maioria de nós recebeu para nossa pergunta, porém, foi: "Você não tem nada de cativante". Desça da mesa. Quase tudo que a mulher faz em sua vida adulta é motivado pelo anseio de encantar, de ser bela, de ser insubstituível, de ouvir os outros responderem a sua pergunta com um "Sim!" [...]

E, lá no fundo do coração, a pergunta permanece. Não é respondida. Ou melhor, é respondida da forma negativa, como foi em nossa infância. "Sou encantadora? Você está me vendo? Você quer me ver? Aquilo que você vê em mim é cativante?". Somos perseguidas por essa pergunta e, no entanto, não nos damos conta de que ela ainda precisa ser respondida.

Por certo, alguns de meus leitores estão perguntando: "Mas o que nós, pais, podemos fazer a respeito dessa 'pergunta não respondida' de nossas filhas? Como educá-las para serem mulheres seguras de si? Há uma forma de preservar sua doçura e feminilidade e, ao mesmo tempo, fortalecer seu senso de identidade?".

Creio que há diversas abordagens para incutir nas meninas uma percepção saudável de valor próprio, mas o ponto de partida é a segurança de uma família afetuosa. Mais especificamente, depende de um pai atencioso e incentivador. As mães também são fundamentais de muitas outras formas, mas o valor próprio da menina está ligado, em delicado equilíbrio, ao relacionamento com o pai.

Esse conceito é explicado em *Strong Fathers, Strong Daughters* [Pais fortes, filhas fortes], excelente livro escrito pela pediatra Meg Meeker. Eis o que a dra. Meeker diz a respeito da natureza das meninas:

> Observei filhas conversarem com o pai. Quando você, pai, entra na sala, elas mudam. Tudo nelas muda: olhos, boca, gestos, linguagem corporal. Nenhuma filha permanece indiferente na presença do pai. Podem até ignorar a mãe, mas não você. Ficam radiantes, ou choram. Observam você atentamente. Apegam-se a cada palavra sua. Esperam receber sua atenção e a aguardam com frustração —

ou desespero. Precisam de um gesto de aprovação, de um aceno da cabeça indicando incentivo, ou mesmo de contato visual, para saberem que você se importa e está disposto a ajudar.

Quando está em sua companhia, sua filha se esforça ainda mais para se sair bem. Quando você a ensina, ela aprende com mais rapidez. Quando você a conduz, ela adquire confiança própria. Se você entendesse plenamente a influência profunda que pode exercer sobre a vida de sua filha, ficaria aterrorizado, maravilhado, ou ambos. Você é capaz de moldar o caráter dela de uma forma que namorado, irmão, e mesmo o marido não podem. Sua influência se estende por toda a vida dela, pois ela lhe confere autoridade superior à de qualquer outro homem.

Muitos pais (especialmente de meninas adolescentes) pressupõem que não exercem nenhuma influência sobre as filhas (com certeza, menos influência do que os amigos dela e a cultura ao seu redor) e imaginam que as filhas devem se virar sozinhas. Mas sua filha precisa encarar um mundo muito diferente daquele que você encarou quando estava crescendo: menos amistoso, desprovido de sustentáculos morais e até mesmo perigoso. Quando sua filha passa dos 6 anos, é difícil encontrar roupas de "menininha" para ela. Muitos trajes procuram dar às meninas a aparência de uma garota sensual de 13 ou 14 anos interessada em atrair meninos mais velhos. Ela entrará na puberdade mais cedo do que as meninas de uma ou duas gerações atrás (e os meninos estarão observando quando os seios dela começarem a aparecer precocemente, talvez até mesmo aos 9 anos). Quer você aprove quer não, antes de completar 10 anos ela verá insinuações sexuais ou cenas explícitas de comportamento sexual em revistas e na televisão. Aprenderá sobre HIV e aids no ensino fundamental e é provável que também aprenda sobre como o vírus é transmitido [...].

Você precisa fazer uma pausa, abrir mais os olhos e ver o que sua filha tem de encarar hoje, amanhã e daqui a dez anos. É difícil e assustador, mas é a realidade. Embora você queira que o mundo a trate com cuidado e delicadeza, ele é de uma crueldade inimaginável — e nem espera ela chegar à adolescência. Ainda que ela não participe do que há de pior, está cercada de promiscuidade sexual, abuso de bebidas alcoólicas, linguagem vulgar e drogas, além de meninos e homens predadores que querem tomar algo dela.

Não importa se você é dentista, caminhoneiro, executivo ou professor; se você vive em uma mansão no interior de Connecticut ou em um apartamento minúsculo em Pittsburgh, a maldade está em toda parte. Em outros tempos, era relativamente "contida": gangues, traficantes de drogas e "maus elementos" ficavam em regiões definidas, em certos bairros e escolas. Não é mais o caso. Estamos cercados pela maldade [...].

Você fará a diferença na vida de sua filha.

Precisa fazer, pois, infelizmente, a cultura ao nosso redor não é saudável para meninas e moças. E há apenas uma coisa que se interpõe entre essa cultura e sua filha. Você.

O pai muda, de forma inevitável, o curso da vida de suas filhas — e pode até salvá-las. Desde o instante em que você vê pela primeira vez o corpo de sua menininha, recém-saído do ventre materno, até o momento em que ela se muda de sua casa, o relógio não para. Ele marca as horas que você passa com ela, as oportunidades de influenciá-la, de moldar seu caráter, de ajudar a encontrar-se e a desfrutar a vida.[7]

A dra. Meeker trata da questão de forma brilhante, inclusive ao referir-se à "maldade" no mundo de hoje. De fato, a cultura é "de uma crueldade inimaginável" e ameaça a saúde emocional e física da atual geração de meninas. Seu alvo claro é a sexualidade feminina, desde os primeiros anos da adolescência (ou mesmo antes) até a vida adulta. Sem um pai que a proteja e defenda, a menina muitas vezes se vê sozinha na luta contra forças tremendas. Em resumo, a influência benéfica ou prejudicial que o pai exerce sobre a filha envolve todas as dimensões da vida da menina. Mais especificamente, dá forma e estabilidade ao senso de valor da menina e preserva seu espírito meigo.

Peço com insistência a todos os pais e mães, mas especialmente aos pais, que se esforcem para desenvolver a identidade própria da filha ao longo de toda a infância. Sempre que tiverem oportunidade, digam a sua filha que ela é bonita. Abracem-na. Elogiem suas características admiráveis. Desenvolvam a autoconfiança dela, dedicando-lhe tempo e atenção. Defendam-na quando estiver em dificuldades. E deixem claro que há um lugar reservado só para ela em seu coração. Ela nunca se esquecerá disso.

Mãe, seu trabalho é trazer à tona tudo que há de melhor na natureza de sua filha. Ela também precisa de sua afirmação e incentivo. Falaremos mais a esse respeito nos capítulos 5 e 7. Mães e pais, permitam-me dar uma sugestão que talvez vocês não queiram ouvir: criar bem os filhos requer sacrifício. A infância dura apenas um breve momento, mas deve ter prioridade enquanto passa diante de seus olhos. Observe seus filhos com atenção. Pense no que estão sentindo e considere as influências sob as quais se encontram. Faça, então, o que for melhor para eles.

É verdade que uma vida familiar bem-sucedida é algo difícil de alcançar. Nunca é perfeita e, muitas vezes, é problemática. Sem dúvida, você enfrenta seus próprios desafios na tarefa de suprir as necessidades de seus filhos. Talvez você seja uma mãe sozinha ou um pai sozinho e com recursos financeiros extremamente limitados. Talvez sofra de uma enfermidade, seja portador de uma necessidade especial ou lute contra um vício. Ou, talvez, tenha filhos geniosos, difíceis de educar. A última coisa que desejo é aumentar as pressões e a sensação de frustração que você experimenta. Não obstante, se houver qualquer maneira de priorizar seus filhos em meio a essas limitações, mesmo que exija um grande sacrifício, você não se arrependerá de optar por ela.

Isso pode significar permanecer casados apesar do impulso de se divorciar. Pode levá-lo a fazer escolhas que limitarão sua carreira profissional. Pode significar ficar em casa para cuidar dos filhos ou abrir mão de jogar futebol com os amigos no sábado. O que estou dizendo é que, do meu ponto de vista hoje em dia, os filhos valem tudo que nos custam.

Foi essa visão de mundo que me levou a deixar o cargo de professor de pediatria na escola de medicina da University of Southern California. Minhas responsabilidades nesse cargo tão gratificante exigiam que eu visitasse quinze grandes centros médicos em todo o país duas vezes por ano, obrigando-me a passar um bocado de tempo fora de casa. Quando meu pai chamou a minha atenção para o mal que essas ausências estavam fazendo a minha família, pedi demissão a fim de poder passar mais tempo com esposa e filhos.

Reconheço que, a princípio, a realização profissional e todos os seus respectivos benefícios me pareceram algo muito fácil de obter e, por um tempo, trouxeram-me grande satisfação. Pensava sinceramente que, ao deixar a universidade, estaria dando as costas para essa vida boa. Foi uma decisão difícil para um sujeito de personalidade tipo A, mas a escolha foi acertada. Com o passar do tempo, percebi que, na verdade, não havia aberto mão de muita coisa. Encontrei maneiras diferentes de usar meus estudos e oportunidades e me senti mais realizado que em minha "outra vida". Sou grato a Deus por meu pai ter insistido para eu priorizar a família. A recompensa é o excelente relacionamento que desfruto hoje com minha filha e meu filho, ambos adultos.

Em resumo, espero que você encontre uma forma de proporcionar a sua garotinha (e a seu garotinho) os grandes benefícios de um lar seguro e carinhoso. Essa é a maneira mais garantida de preservar a luz que brilha nos olhos deles.

No próximo capítulo, veremos em detalhes como funciona o cérebro feminino, um projeto primoroso e singular. É impossível entender as garotas sem examinar as influências fisiológicas, neurológicas, hormonais e genéticas que as transformam em quem são. Creio que você se interessará por esse assunto, e que ele lhe será útil no relacionamento com sua filha. No momento em que você percebe que seus filhos estão crescendo, a puberdade vem como um tornado e desfaz todas as regras e expectativas. É isso o que faz da educação de filhos a experiência mais desafiadora de toda a vida. E essas criaturinhas a quem chamamos de meninas são muito mais complicadas do que seus irmãos. Acredite em mim!

Encerro este capítulo com a letra de uma canção de que gosto muito. Chama-se "The Hopechest Song" [Canção do baú], de Stephanie Bentley.

> Sua mamãe lhe comprou um baú
> Para guardar os sonhos
> As memórias preciosas
> Pequenos tesouros que quisesse esconder
> Uma varinha mágica, uma velha boneca de pano
> Algumas pérolas de plástico, pois, afinal de contas
>
> Uma garotinha não é uma garotinha para sempre
> E corações meigos precisam de sonhos para acalentar
> Pois, um dia, quando você se der conta, ela terá partido
> Uma garotinha não é uma garotinha para sempre.

Um dia, quando voltou da escola
Ela escondeu uma cartinha
Debaixo do forro puído
Na qual escreveu:
"Violetas azuis, rosas carmim
Marque um X no quadradinho
Se você também gosta de mim"
Uma garotinha não é uma garotinha para sempre
E corações meigos precisam de sonhos para acalentar
Pois, um dia, quando você se der conta, ela terá partido
Uma garotinha não é uma garotinha para sempre.

Casaram-se no jardim, num dia perfeito de julho
Lá se foram de charrete, acenando adeus
Mamãe entrou em casa para guardar o vestido de noiva
E encontrou uma carta sobre o velho baú

Dizia...

Uma garotinha não é uma garotinha para sempre
Seu coração solitário precisa de sonhos para acalentar
Dê uma espiada aqui dentro de vez em quando para relembrar
Uma garotinha é apenas uma garotinha
E eu serei para sempre sua garotinha
Adeus...[8]

4 Por que ela é quem ela é

Depois de ler *Educando meninos*, uma mãe me contou uma história engraçada sobre a primeira vez que Marla, sua filha de 4 anos, encontrou-se com três primos. A menina deve ter se espantado ao ver como os garotos eram agressivos, durões e bagunceiros em comparação com as amiguinhas dela. Naquela noite, no caminho de volta para casa, Marla balançou a cabeça e disse: "Mãe, aqueles meninos são mais piors [piores] do que eu pensei".

Marla não demorou a descobrir que os meninos não são nem um pouco parecidos com as meninas. Que bom seria se os adultos fossem tão observadores, embora entre 1965 e 1995, muitos deles não tenham reparado nessa diferença. Nessas três décadas, certas pessoas extremamente instruídas e sofisticadas chegaram à conclusão de que homens e mulheres só eram diferentes no tocante à anatomia e à fisiologia reprodutiva. Na época, muitos acreditavam que todas as características distintivas dos sexos eram resultado de uma educação patriarcal. Dizia-se que os meninos eram forçados a ser tradicionalmente masculinos, fato que resultava em sérios problemas para a sociedade.

Essa crença, promovida com grande entusiasmo pelo Movimento de Liberação Feminina, cegou a maioria dos psiquiatras, psicólogos, neurologistas, pediatras, educadores, políticos, escritores, ativistas sociais, personalidades da televisão — como Phil Donahue e Barbara Walters — e milhões de mães e pais em todo o mundo ocidental. Ou talvez apenas pareceu ter cegado.

Na época, eu estava fazendo pós-graduação em desenvolvimento infantil e vi, com perplexidade, o conceito de "unissex" ganhar aceitação entre professores e outros que deveriam ser mais esclarecidos. Pareciam ignorar as evidências inegáveis que apontavam para a direção contrária, inclusive o fato de as mulheres, diferente dos homens, terem um ciclo menstrual que afeta drasticamente suas emoções e seu comportamento. Homens e mulheres também apresentam um padrão cromossômico distinto em cada célula do corpo. Como meninos e meninas poderiam ser idênticos se seu DNA é diferente?

Por fim, trabalhar com crianças todos os dias me convenceu de que meninos e meninas são duas categorias separadas. Até Marla percebeu isso. Não obstante, o conceito de unissex se propagou em meio a uma enxurrada de desinformação promovida pela mídia. As pessoas começaram a concordar com isso, feito aqueles *poodles* de plástico que mexem a cabeça afirmativamente no vidro de trás dos carros.

Essa concepção popular de masculinidade e feminilidade contradizia de forma expressa aquilo que os pais sabem intuitivamente há milhares de anos. Até então, era fato inquestionável que meninos e meninas são diferentes. Mães e pais apenas abriam um sorriso, como quem entende do assunto, e diziam: "As meninas são feitas de açúcar, especiarias e tudo que é agradável, mas os meninos são feitos de cobras, lesmas e caudas de cachorrinhos".[1] Claro que era uma piada, mas todo mundo sabia que tinha um quê de verdade.

Os ativistas, obviamente, discordavam. Lançaram uma campanha abrangente para mudar a maneira como meninas e meninos eram educados, na tentativa de homogeneizar seu comportamento. Disseram aos pais que os meninos eram agressivos, exagerados, bagunceiros e, trocando em miúdos, deficientes em vários sentidos. Precisavam passar por um programa de reorientação de modo a aprender a brincar com bonecas e panelinhas em vez de caminhões e bolas. Também precisavam aprender a chorar com frequência e a ser mais sensíveis. Em resumo, de acordo com esses conselheiros, havia uma necessidade premente de "consertar" os meninos enquanto eram pequenos, tornando-os mais femininos.

As meninas, por sua vez, eram consideradas passivas, frívolas, dóceis e "maternais" demais. Também precisavam mudar. Tinham de aprender a ser mais agressivas, duronas, traquinas, fleumáticas e, sim, mais masculinas. O resultado disso foi um esforço conjunto para reprogramar a educação infantil do berçário em diante. Esperava-se que, de algum modo, a mudança trouxesse benefícios políticos para as mulheres. Por um tempo, os pais se esforçaram bravamente para seguir as instruções, mas sem muito sucesso, pois estavam nadando contra a correnteza de impulsos genéticos irresistíveis.

Como sabemos agora, o conceito de universalidade sexual é totalmente falso e nunca se baseou em fatos científicos. Essa visão ainda predominaria na cultura se não fosse pelo desenvolvimento de extraordinárias tecnologias de imagem, como ressonância magnética, tomografia computadorizada e tomografia por emissão de pósitrons. Graças a essas ferramentas, neurologistas e outros profissionais puderam examinar o cérebro humano sem ter de abrir o crânio, e o que viram nas telas foi surpreendente. O cérebro de homens e mulheres é diferente não apenas em termos estruturais, mas nas partes ativadas quando é submetido a estímulos semelhantes.[2]

Os pesquisadores também começaram a entender melhor uma variedade espetacular de fatores hormonais. As ideias correntes estavam redondamente equivocadas. A comunidade profissional foi obrigada a reconhecer que as diferenças comportamentais entre os sexos não são produzidas por uma tendenciosidade paternalista na educação dos filhos. Na verdade, resultam de influências imperiosas que começam a atuar logo depois da concepção.

Isso nos leva de volta ao nosso tema, a saber, proporcionar maior entendimento acerca da tarefa desafiadora de educar meninas. A fim de realizar essa tarefa de modo adequado, precisamos compreender melhor o que significa ser mulher em termos neurológicos, hormonais e emocionais. O conhecimento que se tem a respeito do cérebro e de como ele afeta o comportamento é suficiente para encher várias bibliotecas, e mais peças desse quebra-cabeça são descobertas a cada dia. Eu não poderia sequer começar a falar da ampla abrangência das descobertas nessa área, mas gostaria de compartilhar algumas informações pertinentes que podem ajudá-lo a interpretar o comportamento de sua filha e explicar por que ela é quem ela é. As nuanças da personalidade de uma criança são indecifráveis quando não se tem conhecimento de alguns fundamentos de sua neurobiologia. Vejamos se conseguimos esclarecer um pouco esse quadro, que pode ser um tanto confuso.

Talvez a melhor introdução sobre o assunto seja o livro *Como as mulheres pensam*, de Louann Brizendine. A dra. Brizendine, psiquiatra formada em Yale, observou, na década de 1970, a falta de pesquisas sobre a neuroanatomia feminina diferenciada da masculina. Ela começou a procurar respostas para perguntas como: "Por que a incidência de depressão entre mulheres é mais de duas vezes maior do que entre homens?" e "Por que as mulheres percebem o mundo de maneira tão singular?". Essas questões levaram, posteriormente, ao seu trabalho clínico na Women's Mood and Hormone Clinic, instituição que ela fundou na Universidade da Califórnia, em São Francisco. A pesquisa também resultou em seu livro valioso, baseado em mais de mil estudos científicos, nos quais estão representados os campos da genética, da neurociência molecular, da endocrinologia fetal e pediátrica e do desenvolvimento neuro-hormonal. Brizendine apresenta essa exposição médica fascinante de forma acessível a pais e outros leigos.

Eis o que ela escreve, por exemplo, a respeito da singularidade de homens e mulheres:

> O senso comum nos mostra que meninos e meninas se comportam de forma diferente. Vemos isso todos os dias em casa, no parquinho e nas salas de aula. O que a cultura não nos contou, porém, é que o cérebro determina esses comportamentos divergentes. Os impulsos das crianças são tão inatos que entram em ação mesmo quando os adultos procuram redirecioná-los. Um de meus pacientes deu à filha de 3 anos e meio uma porção de brinquedos unissex, inclusive um caminhão de bombeiro vermelho vivo em vez de uma boneca. Uma tarde, ela entrou no quarto da filha e a encontrou ninando o caminhão em um cobertor, movendo-o para a frente e para trás e dizendo: "Não chora, caminhãozinho. Tá tudo bem".
>
> Não é um caso de socialização. A garotinha não acariciou o "caminhãozinho" porque o ambiente moldou seu cérebro unissex. O cérebro unissex não existe. Ela nasceu com um cérebro feminino que veio completo, com seus próprios impulsos. As meninas já entram no mundo preparadas para serem meninas, e os meninos, para serem meninos. Os cérebros de um e de outro já são bem diferentes

desde o nascimento, e é o cérebro que controla os impulsos, os valores e até a própria realidade da criança.

Michael Gurian articulou um ponto de vista semelhante em seu livro *The Wonder of Girls* [A maravilha das meninas],³ uma obra repleta de informações úteis sobre o belo sexo. Gurian cita Brenda Goff, professora do segundo ciclo do ensino fundamental em Kansas City, que descreve a experiência de sua própria família:

> Antes de ser mãe, estava convicta de que o comportamento de meninos e meninas era moldado, em sua maior parte, pela sociedade e pelos pais. As meninas aprendiam a ser femininas, e os meninos, a ser masculinos. Tive primeiro uma menina. Aos 15 meses, essa garotinha chorou porque não havia flores estampadas em suas meias. Minha filha nasceu com qualidades femininas que nem eu possuo; então, como poderia tê-las aprendido? Fiquei estarrecida!
>
> Depois dela, tive um filho. Ainda estava certa de que poderia ter um menino que não fosse agressivo. Nada de armas, brinquedos de guerra etc. Nada de programas de televisão violentos; aliás, praticamente nada de televisão. Por volta dos 2 anos de idade, porém, meu filho "atirou" em mim com uma banana! E, aos 3 anos, transformou meu secador de cabelo em uma arma espacial. Não havia dúvida de que ele era diferente dela. No entanto, como pais, acreditávamos ter dado a mesma educação para os dois.

Gurian comenta: "A história de Brenda é a história de muitos pais. E por que não seria? É a natureza humana".[4]

Verdade! Mas que aspecto da natureza humana motiva os comportamentos associados à masculinidade e à feminilidade? Começa na concepção, quando bebês do sexo masculino e do feminino iniciam sua jornada de desenvolvimento trilhando dois caminhos bem diferentes. Esse momento crítico afetará, para o resto da vida, a forma como pensam, sentem e agem. O cérebro de ambos os sexos parece "feminino" até, mais ou menos, a oitava semana de gestação, quando o cérebro masculino recebe uma enxurrada de testosterona e passa, então, por uma transformação radical, adquirindo até mesmo uma cor diferente.

O hormônio masculino elimina algumas das células de comunicação, inclusive parte de um feixe de nervos chamado corpo caloso. Esse feixe de fibras liga o hemisfério direito do cérebro, onde são processadas as emoções, com o hemisfério esquerdo, o foco da linguagem. Embora o corpo caloso sobreviva ao banho de testosterona, daí em diante os dois lados do cérebro masculino nunca mais serão capazes de "conversar um com o outro" com a mesma eficiência, fato que tem implicações importantes para o comportamento masculino. A testosterona também provoca aumento no volume de neurônios e circuitos localizados nos centros de sexo e agressão do menino. Por que isso nos surpreende?

O homem tem até vinte vezes mais testosterona do que a mulher,[5] motivo pelo qual as brincadeiras dele muitas vezes envolvem correr, pular, "brigar", agarrar o cabelo, fazer barulhos altos, brincar com carros, caminhões, aviões e tanques de guerra. Ele considera hilariante soltar gases SPM (silenciosos, porém mortais). Gosta de arremessar objetos e "atirar" (bangue-bangue!) com armas de brinquedo ou qualquer outra coisa que tenha formato parecido, como um pepino ou uma cenoura. A testosterona é o ímpeto por trás de tudo isso. É a razão pela qual a mãe do garoto, que o ama profundamente, tem tanto trabalho para evitar que ele acabe se matando. Afinal, ele é menino. É isso que os meninos fazem.

Uma vez que o cérebro feminino não é submetido a uma inundação semelhante de testosterona dentro e fora do útero, seus centros comunicativos e emocionais permanecem intactos. Na verdade, essas estruturas crescem e se tornam neurologicamente mais interligadas. O corpo caloso na menina é até 25% maior que no menino[6] e se transforma em uma super-rodovia de oito pistas capaz de transportar grandes quantidades de informação emocional de um lado para o outro do cérebro. (No caso dos meninos, se parece mais com uma estradinha de terra interiorana.)

Em decorrência disso, quase desde o nascimento a menina costuma ser mais expressiva e emotiva do que a maioria dos meninos. É provável que ela sinta as coisas com mais intensidade e reaja a indicações sutis em seu ambiente, as quais muitas vezes os meninos nem sequer percebem. A menina será bem mais capaz de avaliar o caráter e as motivações dos outros, ainda que provavelmente não saiba explicar como o faz. Chorará com mais frequência, mesmo depois de adulta. Todo homem sabe desse fato, que costuma deixá-lo um tanto aturdido. Afinal, ela é menina. É isso que as meninas fazem.

A fim de entender a personalidade e as tendências das meninas pequenas, é importante compreender algo que podemos chamar de "puberdade infantil".[7] Trata-se do período entre os 6 e os 30 meses de idade, durante o qual os ovários produzem uma grande quantidade de estrogênio, comparável até a níveis registrados na idade adulta. Assim como o cérebro do menino é marinado em testosterona no início da gestação, o estrogênio banha o cérebro de bebês e crianças pequenas do sexo feminino. O estrogênio é o "hormônio da intimidade", que estimula os circuitos cerebrais, criando um desejo urgente de relacionar-se, cuidar e comunicar-se. Daí em diante, tanto na infância quanto na vida adulta, a mulher será amiga, amante, sensível, falante e até um pouquinho conspiradora. É isso que a torna feminina.

É a natureza que descrevi no capítulo anterior. A ternura e a sensibilidade que vemos nas meninas são resultado de seu desenvolvimento neurológico. A causa é a série de impulsos hormonais que moldam e influenciam seu comportamento.

Voltemos à dra. Brizendine em busca de ajuda para entendermos a estrutura cerebral feminina e como ela afeta o pensamento. A autora a descreve da seguinte forma:

> E se o centro de comunicação fosse maior em um cérebro do que no outro? E se o centro de memória emocional fosse maior em um do que no outro? E se um cérebro desenvolvesse mais aptidão para ler sinais nas pessoas do que o outro? Nesse caso, teríamos uma pessoa cuja realidade é dedicada à comunicação, ao envolvimento, à sensibilidade emocional e à receptividade como valores centrais. Essa pessoa valorizaria tais qualidades acima de todas as outras e ficaria abismada com o indivíduo cujo cérebro não captasse a importância delas. Em essência, teríamos alguém com um cérebro feminino.[8]

Observamos evidências desse padrão intrínseco e de sua base hormonal no comportamento de bebês do sexo feminino. Pouco depois do nascimento, as menininhas contemplam o rosto das pessoas à procura de sinais de expressão emocional e extraem significado de um olhar ou toque específico. Quando deparam com um rosto sem emoções, porém, como o de um mímico ou de alguém que usou Botox demais, costumam ficar confusas. Quando há mais de uma pessoa por perto, a menina volta o rosto para quem é mais expressivo. Nas meninas, a observação facial mútua aumenta 400% nos três primeiros meses de vida, enquanto nos meninos tal reação não sofre mudanças durante esse período.[9]

Meninas têm aptidões de observação inatas, inclusive a capacidade de ouvir tons da voz humana em uma faixa de frequência mais ampla. De acordo com um estudo da Harvard Medical School, meninas recém-nascidas com menos de 24 horas de vida são capazes de distinguir o choro de outro bebê dos diferentes sons em um ambiente.[10] Meninas com um pouco mais de idade também conseguem ouvir até um enrijecimento sutil na voz da mãe, indicando que não devem tocar em algo proibido. Um garotinho, em contrapartida, terá maior dificuldade em reconhecer esse leve desprazer na voz da mãe e, de qualquer modo, provavelmente não dará bola. Precisará ser fisicamente refreado para não avançar.[11] Uma menina de 2 anos consegue perceber se um adulto está prestando atenção nela ou se a está ignorando. Caso não lhe deem atenção, é bem possível que se afaste, indignada.

Brizendine conta uma história interessante, ocorrida em um dia em que ela estava ligeiramente deprimida. Sua filha de 18 meses observou de imediato que havia algo de errado. Subiu no colo da mãe, acariciou seu cabelo, óculos e brincos. Em seguida, olhou-a direto nos olhos, segurou seu rosto com as mãos e acalmou os sentimentos da mãe. A doutora comenta: "Aquela menina sabia exatamente o que estava fazendo".[12] Hoje sabemos que esse tipo de cuidado feminino é precursor da ligação que se forma entre mãe e filho. Foi isso que aconteceu quando a menina de 3 anos orientou seu "caminhãozinho" a não chorar, pois estava tudo bem. Era uma futura mãe em fase de treinamento.

Em resumo, os membros do sexo feminino são máquinas reguladas com precisão e que operam de acordo com cronogramas fixos. Também nesse caso, o comportamento que observamos ao longo de toda a infância resulta de hormônios que ativam receptores pré-programados ao interagirem com as influências ambientais. Um afeta o outro, de forma positiva ou negativa. O estresse da mãe durante a gestação, por exemplo, pode afetar o equilíbrio bioquímico ao estimular um hormônio de estresse chamado cortisol, que, por sua vez, pode alterar as ligações neurais e ter implicações permanentes para a saúde emocional. Pesquisas também revelam que nos dois primeiros anos de vida as meninas têm a tendência de absorver o clima emocional do lar.[13] Mães extremamente estressadas por causa de conflitos conjugais ou problemas financeiros, por exemplo, podem transmitir suas ansiedades para as filhas. Os pais devem sempre se lembrar de como os pequeninos são perceptivos, especialmente as meninas, e de como observam todos os seus movimentos.

A dra. Brizendine trata em mais detalhes da forma como as meninas, em contraste com os meninos, valorizam os relacionamentos:

> Se você é menina, foi programada para certificar-se de que manterá a harmonia social. Mesmo que isso não seja algo tão importante no século 21, para o cérebro é uma questão de vida ou morte. Observamos esse comportamento em gêmeas de 3 anos e meio. A cada manhã, as irmãs subiam na cômoda uma da outra para alcançar as roupas penduradas no armário. Uma das meninas tinha um conjunto de blusa e calças cor-de-rosa. A outra, um conjunto parecido, mas na cor verde. A mãe ria cada vez que via as duas trocarem a blusa uma com a outra e vestirem calças cor-de-rosa com blusa verde e calças verdes com blusa cor-de-rosa. As gêmeas faziam essa troca sem brigar: "Me empresta sua blusa cor-de-rosa? Eu devolvo depois, e você pode usar a minha blusa verde". Dificilmente as coisas correriam desse modo se um dos gêmeos fosse menino. O irmão teria agarrado a blusa que quisesse, e a irmã tentaria entrar em um acordo com ele, mas acabaria chorando pelo simples fato de que a aptidão linguística dele ainda não seria tão desenvolvida quanto a dela.
>
> Meninas típicas, não "testosteronizadas", governadas pelo estrogênio, são extremamente dedicadas a preservar a harmonia dos relacionamentos. Desde a tenra idade, sentem-se mais à vontade e felizes no âmbito das relações interpessoais pacíficas. Preferem evitar o conflito, pois a discórdia é incompatível com seu desejo de se manterem ligadas, de obterem aprovação e cuidado. O banho de estrogênio que ocorre aos 2 anos, na puberdade infantil das meninas, reforça o

impulso de formar vínculos sociais com base na comunicação e na conciliação. Foi o que aconteceu com Leila e suas novas amigas no parquinho. Poucos minutos depois de se conhecerem, estavam sugerindo jogos, trabalhando juntas e formando uma pequena comunidade. Encontraram elementos em comum que as levaram a brincar juntas e, possivelmente, a desenvolver uma amizade. Lembra-se da chegada ruidosa [do irmão delas]? Em geral, estragava o dia e acabava com a harmonia que o cérebro das meninas buscava.[14]

Michael Gurian refere-se a essa tendência de formar ligações como "imperativo da intimidade", o qual ele define como "o anseio oculto em toda menina e mulher de viver em uma rede segura de relacionamentos íntimos".[15] Para ilustrar, cita a experiência de suas filhas com o futebol, um esporte mais social do que competitivo. Em contraste com a forma agressiva como os meninos jogavam, quando uma das meninas derrubava outra jogadora enquanto corria pelo campo, na maior parte das vezes parava e verificava se não havia acontecido nada com a jogadora caída. Entrementes, o time adversário fazia um gol, enquanto os pais gritavam da lateral do campo: "Presta atenção! Olha o gol!".[16]

Para essas meninas, a amizade e a intimidade eram mais importantes do que vencer em campo. Normalmente é isso o que acontece, ainda mais quando se trata de meninas mais novas. É o estrogênio, o "rei" da bioquímica feminina, em ação, elevando o relacionamento à posição de mais alta prioridade.

Mas e quanto às meninas extremamente tímidas que não se relacionam com outros? Elas são programadas de forma diferente de suas irmãs gregárias? Não. De acordo com Gurian, até mesmo aquelas que preferem ficar sozinhas costumam focalizar mentalmente o andamento das relações e as formas como podem ser melhoradas. A seu ver, essa característica da natureza feminina é notável e completamente diferente dos impulsos masculinos. Ele observa: "Sei que sou diferente de minha esposa e filhas. Há algo na vivência feminina de intimidade que jamais conseguirei conhecer de todo, pois não faz parte de minha experiência".[17]

Ao mesmo tempo que consideramos as influências hormonais que fazem a menina ser quem ela é, não devemos nos esquecer da estrutura cerebral propriamente dita. A circulação de sangue no cérebro feminino é 15% maior do que no masculino, e o sangue tende a correr para os dois hemisférios.[18] Quando você conversa com uma menina, ela se concentra em suas palavras com os dois lados do cérebro, enquanto o menino ouve principalmente com um dos lados. É por isso que, em geral, as mulheres gostam de processar ideias antes de tomar decisões ou atitudes em relação a elas. Também é por isso que muitas vezes se afligem com decisões rotineiras. O neurocientista Ruben Gur observa: "Há mais coisas acontecendo no cérebro feminino do que no masculino. O cérebro feminino trabalha em rotação mais alta".[19] É verdade, meu irmão.

Gurian pergunta ainda: "Você já notou como é difícil uma menina ou mulher 'desligar o cérebro'?".[20] Também é verdade. Dei-me conta dessa característica quando Shirley e eu éramos recém-casados. Se tínhamos uma discussão por causa de algo que me parecia trivial, eu simplesmente colocava o assunto de lado até o dia seguinte. Sabia que poderia tratar melhor da questão depois de uma boa noite de sono. Shirley, em contrapartida, se deitava em seu lado da cama (sua "beirada", como eu costumava dizer) e, depois de algum tempo, quando não podia mais suportar o silêncio, me acordava para dizer: "Você *vai* falar comigo!". E eu era obrigado a tratar daquilo que a estava perturbando. A menos que eu estivesse disposto a despertar e tomar jeito, nenhum de nós dormiria direito. Conversávamos sobre nosso desentendimento e, quando a questão estava resolvida, Shirley pegava logo no sono e dormia feito um bebê. Encontros e desencontros de homem e mulher. Pode crer.

É impossível superestimar a importância das conversas na vida das meninas e mulheres. Embora as estimativas variem, ao que parece os homens usam cerca de 7 mil palavras por dia, e as mulheres, 20 mil.[21] Além de falarem mais, as mulheres sentem bem mais prazer em conversar. Relacionar-se por meio do diálogo ativa os centros de prazer no cérebro da menina e lhe proporciona grande retorno emocional. É por isso que meninas adolescentes são obcecadas por mensagens de texto e *chats* na internet. Isso também explica por que uma das fontes mais comuns de decepção no casamento mencionada pelas mulheres é o fato de o marido não conversar com elas. Mostre-me um marido que não verbaliza seus pensamentos, e eu lhe mostrarei uma esposa frustrada.

Em várias ocasiões, quando estava em algum restaurante, observei casais, supostamente marido e mulher, sentados em mesas próximas da minha. Faziam a refeição inteira sem dizer uma palavra um ao outro. Tinham os olhos fixos em algum ponto distante, ou a mulher observava outras pessoas. É sempre um espetáculo triste ver esses casais cuja mente deve estar serpenteando por entre centenas de memórias e inúmeros sentimentos, mas que não conseguem encontrar nada para compartilhar um com o outro. Nessas situações, compadeço-me sempre das mulheres, pois sei quanto precisam conversar. Algumas delas parecem ter desistido de tentar.

Meninas pequenas e não tão pequenas também precisam conversar sobre o que estão sentindo. Permita-me falar diretamente à mãe e ao pai ocupados, que estão exaustos demais no fim do dia para conversar com os filhos, seja na hora do jantar, seja naqueles poucos minutos de maior proximidade ao colocar as crianças na cama: é possível que vocês estejam cometendo um erro grave. Vocês precisam saber o que seus filhos estão pensando, e eles precisam ter o prazer de lhes contar. Mesmo que algumas crianças mais loquazes "falem pelos cotovelos" e vocês cheguem em casa cansados demais para ouvir, é essencial que prestem atenção em seus filhos e, especialmente, em suas filhas. Haverá um dia em que eles conversarão muito mais com os amigos do que com os pais, e as oportunidades hoje perdidas de entendê-los e desenvolver com eles intimidade custarão caro amanhã.

É por isso que precisamos envolver nossos filhos em atividades que incentivem a conversação, como fazer refeições em família, divertir-se com jogos de tabuleiro, jantar com amigos que tenham crianças, cozinhar juntos, construir coisas, adotar um cão ou gato dócil, cultivar interesses mútuos ou praticar esportes em família. Lembre-se de como é a natureza de sua filha e procure ser convidado para entrar no mundo particular dela. Você não se arrependerá.

Devo reconhecer, mais uma vez, aquilo que você já sabe: as meninas nem sempre são superdóceis e cooperativas. Quando não conseguem o que querem, podem ser tão briguentas e insolentes quanto os meninos. Em alguns casos, até mais do que eles. Conforme vão ficando mais velhas, as particularmente geniosas por vezes brigam, gritam, batem portas e atormentam a família toda. Ainda assim, é mais fácil lidar com a maioria das meninas pré-adolescentes do que com a maioria dos meninos nessa fase. Com o passar do tempo, e à medida que o ciclo menstrual entra em cena, porém, as meninas costumam mostrar as garras, o que pode ser difícil para os pais (especialmente para as mães) que procuram arrazoar com elas.

Deixe-me resumir o que acabamos de discutir. As garotinhas entre 3 e 6 meses de idade experimentam o início da chamada "puberdade infantil".[22] Seus ovários minúsculos começam a produzir doses adultas de estrogênio, até vinte vezes maiores do que nos meninos, juntamente com outros hormônios. As meninas passam por uma transformação fisiológica e comportamental e, daí em diante, serão, "femininas para sempre". Esse banho de estrogênio prossegue até por volta dos 3 anos de idade, quando diminui bruscamente. No final desse período de puberdade infantil, as meninas entram em um "estágio de repouso" da infância[23] que continua por mais cinco a oito anos. Durante esse período, o corpo se prepara para outro pico de estrogênio na puberdade adolescente.

O funcionamento interativo de fisiologia, neurotransmissores, hormônios, receptores e emoções em sincronia perfeita é uma maravilha do *design* inteligente que revela a obra das mãos do próprio Criador. Quando viu a mulher que Deus havia criado especificamente para ele, Adão, o primeiro homem, exclamou: "Caramba! O Senhor acertou em cheio". Quer dizer, não foi exatamente isso que ele falou. Na verdade, sua reação foi de admiração: "Esta, sim, é osso dos meus ossos e carne da minha carne!" (Gn 2.23). Eva era magnificamente singular e, ao que parece, Adão teve o bom senso de reconhecer esse fato.

Por ora, colocaremos a questão do desenvolvimento de lado, mas a retomaremos no capítulo 18, onde trataremos da chegada da puberdade, da adolescência e da capacidade de ser mãe. Essa é outra jornada extraordinária que explica em tantos sentidos o que significa ser menina, pré-adolescente e moça. Se você entender o que se passa dentro de sua filha, estará mais bem equipado para guiá-la em cada etapa fascinante (e desafiadora). Esses anos passam num piscar de olhos.

5. Como ensinar meninas a serem mulheres distintas

DEPOIS DE EXPLORARMOS UM pouco a complexidade neurológica e fisiológica do cérebro humano feminino, o próximo passo lógico é considerarmos como as meninas devem ser educadas. Isso nos leva daquilo que é *inato*, onde começamos, para aquilo que é *adquirido*, outro assunto infinitamente complexo. Para tratar dele, quero voltar várias décadas no tempo e adiantar alguns dos princípios mais importantes. As ideias e os pontos de vista que compartilharei eram válidos dois séculos atrás e continuam a valer hoje em dia.

Começamos com uma recapitulação das crenças e dos escritos de John Adams, segundo presidente dos Estados Unidos. Adams, um prolífico leitor, estadista e autor, realizou contribuições incalculáveis para seu país. Não era perfeito, mas viveu toda a vida adulta segundo um padrão de retidão. Em sua autobiografia, ele escreveu um comentário sobre a questão do comportamento moral, o qual chamava de "modos". Embora a linguagem seja formal e antiquada, peço que leia essas palavras com atenção e reflita a respeito delas, pois são extremamente relevantes para nós nos dias de hoje:

> De tudo que li sobre a história do governo, a vida humana e os modos, extraí a conclusão de que os modos das mulheres [são] o mais infalível barômetro para determinar o grau de moralidade e virtude de uma nação. Tudo que li desde então e todas as observações que fiz em diferentes nações, corroboram-me nessa opinião. Os modos das mulheres são o critério mais seguro por meio do qual se pode determinar se um governo republicano é viável em uma nação ou não. Judeus, gregos, romanos, suíços e holandeses perderam seu espírito público, seus princípios e hábitos republicanos e suas formas republicanas de governo quando perderam o recato e as virtudes domésticas de suas mulheres [...].

> Os alicerces da moralidade nacional devem ser lançados nas famílias particulares. Escolas, academias e universidades serão instituídas em vão se princípios lassos e hábitos licenciosos forem incutidos nas crianças em seus primeiros anos. As mães são as primeiras e mais importantes mestras dos jovens.[1]

Quanta perspicácia da parte de Adams colocar diretamente sobre os ombros das mães a responsabilidade pela essência do caráter moral de uma nação. Os pais também têm seu papel a desempenhar, é claro, mas as mães são absolutamente indispensáveis. Sua tarefa principal consiste em transmitir à geração seguinte conceitos perenes de certo e errado. O antigo provérbio "A mão que embala o berço governa o mundo" ainda é verdadeiro. Se as mulheres se cansarem dessa responsabilidade, se perderem de vista seu próprio norte moral, nenhuma outra instituição ou órgão governamental poderá salvar a nação. Foi o que disse o presidente John Adams.

Em outra ocasião, Adams tratou em detalhes da ligação entre o caráter nacional e a preservação da democracia. Ele escreveu:

> Não temos nenhum governo munido de poder capaz de lutar contra as paixões humanas desprovidas dos freios da moralidade e religião. Avareza, ambição, vingança ou galanteio podem romper os laços mais resistentes de nossa Constituição assim como uma baleia passa por uma rede. Nossa Constituição foi criada somente para um povo moral e religioso. É, de todo, inadequada para o governo de qualquer outro povo.[2]

Parafraseando, Adams diz que uma forma representativa de governo como a nossa não pode sobreviver sem alicerces espirituais, pois seus cidadãos são senhores do próprio destino. Essa é a grande vulnerabilidade da democracia. Nosso sistema político, que, de acordo com Abraham Lincoln, devia ser "do povo, pelo povo, para o povo",[3] é tão estável quanto o caráter coletivo de seus cidadãos. Tudo depende de nós. Não há rei, ditador ou tirano para refrear nosso comportamento. Se escolhermos o mal, não haverá quem nos detenha. Em resumo, nossa soberania nacional depende de transmitirmos às crianças os modos e os valores morais de nossa nação, tarefa que começa no berço.

Mas que forma essa instrução precoce deve tomar no mundo de hoje? Ela começa com a cortesia básica, pois modos e moralidade são diretamente ligados. Como Horace Mann disse: "Os modos amadurecem rápida e facilmente, tornando-se moralidade".[4] A tendência é que os modos conduzam à moralidade. Em séculos passados, famílias cultas e religiosas entendiam essa relação. Tinham consciência de que meninas e meninos, e toda a humanidade, são falhos e inerentemente pecaminosos. Logo, as sociedades de outrora da Inglaterra e dos Estados Unidos trabalhavam com diligência para ensinar o que chamamos de "decoro social". Ensinar modos era sua mais alta prioridade devido à associação com a piedade cristã.

Infelizmente, as culturas norte-americana e britânica do século 21 caíram no outro extremo. Meninas pequenas são, muitas vezes, incentivadas a se comportar de forma impertinente, indelicada, grosseira, irreverente, despudorada, imoral, espalhafatosa e agressiva. Parte desse comportamento tem sido ensinado nos últimos anos sob a rubrica de "treinamento em assertividade". Enquanto esses programas visavam a promover a confiança própria de moças acanhadas e assustadas, eu os apoiava. Algumas meninas, porém, estão aprendendo as piores características da descortesia masculina. Sei que minhas palavras devem parecer terrivelmente antiquadas e arcaicas, mas estou falando de algo importante que precisamos considerar.

É evidente que a natureza humana não melhorou muito nos últimos séculos, nem vai melhorar. O que mudou, porém, como descrevi, é o fato de tantos pais terem se tornado desatentos, exaustos e estressados demais para se preocupar em ensinar moralidade e modos para os filhos. Jolene Savage, coordenadora da Social Graces School of Etiquette, em Topeka, Kansas, afirma que a sociedade chegou a seu ponto mais baixo no que diz respeito às questões de civilidade. Mães e pais esgotados parecem não notar o que aconteceu com os filhos. Sem dúvida, ensinar cortesia nunca foi tão necessário como agora. Colocar essa instrução em prática, porém, pode ser um desafio. Como o falecido dançarino Fred Astaire disse: "A maior dificuldade das crianças hoje é aprender a ter bons modos sem ver exemplos".[5] Se o comentário de Astaire é injusto no seu caso, por favor, perdoe-o, e a mim também.

Falo diretamente às mães outra vez: é seu trabalho civilizar suas filhas e ajudá-las a ter modos. Minhas palavras soam machistas em um mundo *high-tech*? Suponho que sim, mas, não obstante, fazem sentido. Como Lisa Fischer, instrutora na Final Touch Finishing School, em Seattle, Washington, diz: "Etiqueta tem a ver com conhecer as regras".[6] As meninas devem, portanto, ser ensinadas sobre como comer, falar, andar, vestir-se, conversar ao telefone e ter uma atitude de respeito e compostura ao se dirigir aos adultos. Os pais devem exemplificar para elas boa postura e boas maneiras à mesa, colocando, por exemplo, o guardanapo no colo, mostrando onde deve ficar cada talher e não falando com a boca cheia. Devem explicar, ainda, que é falta de educação arrotar, devorar a comida e palitar os dentes.

Também creio firmemente que você deve exigir que suas filhas digam "obrigada" e "por favor", a fim de demonstrar que "me dá, me dá!" não é uma atitude correta em nosso mundo. O melhor lugar para aprender gratidão e apreciação é o lar. Ensine cuidados pessoais, higiene e nutrição. Use dramatizações para mostrar como ser uma anfitriã agradável e como apresentar formalmente pais ou amigos uns aos outros. Exija que peçam licença para sair da mesa e explique como fazer amigos, falar um por vez quando estiverem conversando em grupo e manter contato visual. Você pode até ensiná-las a cozinhar e cuidar de crianças — uma inovação e tanto em nossos dias!

Embora não seja especialista em ensinar às meninas os modos que citei acima (aprendi uma versão masculina das regras), sei quando os vejo em alguém. Permita-me sugerir uma técnica que descobri muitos anos atrás e que visa a ensinar a meninos e meninas a arte da conversação. Falei a respeito dela em outras ocasiões, mas a incluo aqui para quem não estava prestando atenção.

Coloque-se de frente para sua filha, a uns 2 metros de distância, e diga-lhe que vocês vão fazer um jogo. Mostre para ela que você está segurando uma bola de tênis. Fazendo a bola quicar no chão, passe-a para sua filha. Depois que ela pegar a bola, fiquem paradas por alguns instantes, olhando uma para a outra. Em seguida, diga: "Ficar segurando não é muito divertido, você não acha? Que tal jogá-la de volta para mim?". É provável que sua filha devolva a bola rapidamente. Permaneça imóvel por alguns segundos e, depois, diga: "Tudo bem, vou mandá-la de volta para você". A criança ficará curiosa a respeito do que está acontecendo. Sente-se com ela e descreva o significado do jogo. Diga-lhe que falar com outras pessoas é um jogo que se chama conversação e que só funciona se cada um passar a "bola" de volta. Se alguém lança uma pergunta para você e você a segura, o jogo acaba. Nem você nem a outra pessoa se divertem. Se você passa de volta, porém, o jogo corre como deve.

Depois da explicação, diga: "Suponhamos que eu pergunte: 'Você gostou do livro que estava lendo?'. Isso quer dizer que eu joguei a bola para você. Se você responder apenas 'sim', é como se estivesse segurando a bola. Mas, se você responder: 'O livro foi bem legal. Eu gosto de ler histórias sobre animais', você passa a bola de volta".

Prossiga: "Posso continuar a conversa perguntando: 'Que tipo de animal você acha mais interessante?'. Se você disser 'cachorros', segurou a bola outra vez. Mas, se você disser: 'Eu gosto de cachorros porque ele são quentes e fofinhos', terá passado a bola para mim. A ideia é continuar o jogo até nós duas terminarmos de conversar".

Em geral, as crianças aprendem esse jogo em um instante. Mais tarde, você pode desenvolver o conceito ao comentar sobre conversas com amigos e adultos. Pode, por exemplo, perguntar a sua filha: "Você reparou que a d. Sílvia perguntou-lhe que tipo de comida você gosta? Ela estava puxando conversa, mas você só respondeu 'sanduíche'. Você acha que passou a bola de volta para ela?".

Sua filha talvez reconheça que "segurou a bola". Vocês duas podem pensar juntas, então, em como a resposta poderia ter sido diferente. Sugira, talvez, que seria possível passar a bola de volta dizendo: "Gosto dos sanduíches de queijo e presunto que minha mãe faz".

D. Sílvia poderia ter perguntado, então: "E por que você gosta tanto do sanduíche que ela faz?".

Explique para sua filha que esse é mais um exemplo de conversação. Diga: "Agora vamos treinar 'passar a bola' uma para a outra. Você começa".

Embora os modos costumem facilitar a moralidade, há outro bom motivo para ensiná-los: eles também ajudam a desenvolver confiança própria e compostura. Uma menina educada de forma correta nunca fica inteiramente desnorteada quando se vê em uma situação desconhecida. Sabe o que se espera dela e como lidar com isso. Seu senso de valor próprio é reforçado pela forma como os adultos reagem a seu charme, compostura e graça. Para a mãe que deseja colocar a filha em uma posição de vantagem na vida e ajudá-la a sair-se bem socialmente, esse é um ótimo começo.

Essas aptidões diversas costumavam ser ensinadas às meninas em aulas obrigatórias de cuidados do lar. Infelizmente, quase todos esses cursos foram abolidos das escolas depois da revolução da década de 1960, e quem saiu perdendo foi a sociedade norte-americana. Brigas no trânsito, gente falando alto em telefone celular em restaurantes, furando fila, jogando lixo pela janela do carro e grosseria generalizada agora são ocorrências cotidianas.

De acordo com Monica Bradner, professora de etiqueta para crianças e jovens na instituição Final Touch Finishing School,[7] as boas maneiras dizem respeito, principalmente, ao modo como tratamos os outros e nós mesmos. Sheryl Eberly, autora de *365 Manners Kids Should Know* [365 bons modos que as crianças devem conhecer], concorda. Ela afirma que viver de acordo com a Regra de Ouro libera o poder de um coração grato naqueles que são treinados a praticá-la. Eberly também nos lembra de algo muito importante: ao ensinarmos decoro social aos nossos filhos, treinamos a geração seguinte para ter comedimento e domínio próprio. John Adams deve estar sorrindo lá do outro lado.

Em resumo, ensinar modos a nossas filhas significa ajudá-las a se tornar jovens distintas em um mundo onde a civilidade anda em falta. Posso lhe garantir que a MTV e a cultura cada vez mais vulgar farão todo o possível para carregar nossas filhas (e filhos) correnteza abaixo rumo a tudo que é grosseiro e deselegante. Você pode ajudá-las a nadar contra a corrente.

Uma técnica que minha esposa costumava usar ao ensinar decoro social a nossa filha era fazer "brincadeiras de menina" com ela. Por exemplo, quando Danae tinha 4 ou 5 anos de idade, as duas faziam chás da tarde sofisticados. Nossa filha adorava!

Seus nomes de mentirinha eram sra. Perry (Danae) e sra. Snail (a mãe); um garotinho chamado sr. Green era alistado para ajudar. Por vezes, outras crianças e mães da vizinhança também eram convidadas. Essa atividade divertida permitia a minha esposa explicar como arrumar os talheres, tomar sopa sem fazer barulho, segurar a xícara ao beber seu conteúdo, usar o guardanapo, mastigar de boca fechada, como conversar, por que começar a comer só depois que todos à mesa tivessem sido servidos, e assim por diante. Era impressionante como esses chás da tarde funcionavam para ensinar boa educação geral. Nunca fui convidado a participar de nenhum deles; era claramente deixado de fora!

O que fazer quanto às mães que não receberam instrução sobre etiqueta social? É quase impossível passarem adiante aquilo que nunca aprenderam. E o que podemos sugerir para quem simplesmente não tem tempo para ensinar boas maneiras às filhas? Nessa hora entra em cena o treinamento profissional em etiqueta. Há cursos surgindo em cidades de todo o país para atender a essa necessidade específica.[8]

Embora alguns dos cursos sejam caros, valem cada centavo para os pais que podem pagar. Para quem não tem recursos, algumas igrejas e associações de mulheres oferecem assistência. Além disso, não devemos nos esquecer daquilo que algumas avós têm a oferecer para ensinar esses conceitos. É bem provável que elas se lembrem de uma época mais polida, e as netas ficarão contentes por receber a atenção da qual o treinamento vem acompanhado.

Outra fonte de ajuda para pais e mães é a grande variedade de materiais e manuais disponíveis. Um desses recursos úteis é *Everyday Graces: A Child's Book of Good Manners* [Virtudes do cotidiano: um livro de boas maneiras para a criança], um livro de quatrocentas páginas de Karen Santorum. Karen é esposa de Rick Santorum, ex-senador da Pensilvânia, e uma das mulheres mais impressionantes que conheço. É formada em direito pela Universidade de Pittsburgh e em enfermagem pela Universidade Duquesne, também em Pittsburgh. Por certo, poderia ter seguido uma carreira de sucesso na área jurídica ou médica, mas, depois de muita oração e reflexão, ela e o marido elaboraram um plano diferente. (A propósito, acabou de me ocorrer que Karen Santorum daria uma excelente primeira-dama.)

Karen é mãe de oito filhos, dos quais um está no céu. Os outros sete estudam com ela em casa. A filha mais nova nasceu em 2007, uma garotinha adorável com uma anomalia cromossômica semelhante à síndrome de Down. Seu nome é Isabella, e a família a chama de Bella. Durante a gestação, o senador e a sra. Santorum ficaram sabendo que a criança provavelmente teria esse problema. E foi o que aconteceu. Bella sofrerá de deficiência mental para o resto de sua vida, que, provavelmente, será curta. A triste verdade é que, hoje em dia, 90% dos pais abortam bebês com esse problema genético.[9] O casal Santorum, porém, jamais cogitou um aborto e recusou até mesmo a amniocentese para confirmar o diagnóstico. O senador comentou comigo: "Não teria mudado nada; então, por que fazer?". Bella foi recebida em seu lar de braços abertos por uma família extremamente amorosa. A ex-governadora do Alasca, Sarah Palin, tomou a mesma decisão em relação a seu bebê, Trig.[10]

Antes de Bella nascer, entrevistei Karen e Rick Santorum no programa de rádio Focus on the Family. Permita-me compartilhar alguns trechos dessa conversa, editados para maior clareza:

> **James Dobson:** Você escolheu ser mãe em tempo integral em vez de seguir carreira como advogada ou enfermeira. Por quê?
>
> **Karen Santorum:** Porque acredito que meu papel como esposa e mãe é a coisa mais importante que farei em toda a vida. Adoro educar meus filhos e sinto-me extremamente abençoada por poder ficar em casa com eles. É maravilhoso.
>
> **JD:** Você alguma vez se perguntou se a decisão de ficar em casa foi acertada?
>
> **KS:** Sim. Quando Rick está saindo para uma festa vestido de fraque e eu estou agachada no chão limpando o leite que alguém derramou, penso: "Tem alguma coisa errada com essa cena. [risos] Mas, quando aperto o botão para avançar o filme de minha vida e, no final dela, me vejo diante de Deus, sei que terei de prestar contas do amor que dediquei a ele, ao meu marido e aos meus filhos.
>
> **JD:** Você escreveu um livro que reflete seu trabalho em casa. Chama-se *Everyday Graces*. Ele é diferente de outros livros de boas maneiras, pois focaliza principalmente a literatura clássica. Explique essa abordagem.
>
> **KS:** Rick e eu acreditamos que as crianças aprendem melhor ao ver exemplos e ouvir histórias. Por isso, lemos milhares de histórias para nossos filhos. Segurar uma criança no colo para contar uma história abre as portas para experiências positivas. É uma situação que promove a formação de vínculos

Como ensinar meninas a serem mulheres distintas 65

emocionais e físicos. A criança também se identifica com os personagens da história, o que nos permite explicar a lição moral que está sendo transmitida.

JD: A maioria dos pais não tem tempo de ler histórias para os filhos, não é? Lembro-me com carinho, porém, das histórias que minha mãe lia para mim quando eu era menino. Elas me acompanham até hoje.

KS: Elas ficam na memória. Todos nós precisamos desacelerar um pouco o ritmo, desligar a tevê e o rádio, exceto no caso de seu programa [risos], e ler para nossos filhos.

JD: Shirley costumava levar nosso filho, Ryan, à biblioteca. Ele sempre voltava para casa com uma pilha de oito a dez livros. No dia seguinte, já havia lido todos. Shirley também queria que ele saísse e brincasse ao ar livre, de modo que ela precisava controlar o número de livros que o menino tomava emprestado. Esse tipo de problema não incomoda ninguém.

KS: As crianças adoram boas histórias, como *Anne of Green Gables*. Incluí essa obra em meu livro, bem como toda a série de Tolkien e as *Crônicas de Nárnia*, de C. S. Lewis. No momento, estamos lendo a série *Redwall*, de Brian Jacques. A coisa que mais gostamos de fazer é acender a lareira e, então, orar e ler juntos.

Rick Santorum: Nessas horas, Karen é a contadora de histórias que interpreta os textos para nossos filhos.

JD: Explique como você ensina boas maneiras por meio de histórias.

KS: Para isso, usamos as *Fábulas de Esopo* e literatura do gênero.

JD: Que tal nos dar um exemplo de algo que você tenha lido para seus filhos?

KS: Tudo bem. Trouxe um poema encantador chamado "Sr. Ninguém", de autor desconhecido. Como as crianças obviamente nunca querem reconhecer que fizeram algo errado, volta e meia dizem: "Não fui eu". Eis um poema sobre essa situação:

Sr. Ninguém
Conheço um homenzinho
Engraçado e quieto
Como um ratinho.
Faz travessuras mil,
Na casa de todo mundo!
Seu rosto, ninguém nunca viu

Mas todos concordam
Que todo prato quebrado
Foi arte do Sr. Ninguém.
É ele quem rasga nossos livros,
Larga a porta aberta,
Arranca botões de camisas
E espalha alfinetes para todos os lados;
As dobradiças da porta vão sempre ranger,
Pois, como você sabe,
Quem ficou de pôr óleo
Foi o Sr. Ninguém.
Ele joga lenha verde no fogo,
E não há como a água na chaleira ferver;
São dele os pés que trazem lama para dentro
E sujam todo o tapete.
Os papéis estão sempre jogados;
Adivinhe quem mexeu neles?
Quem mais poderia tê-los bagunçado
Além do Sr. Ninguém?
As marcas de dedo na porta,
Nenhum de nós as deixou.
Nunca largamos a veneziana escancarada,
Fazendo as cortinas ficarem desbotadas.
Nunca derramamos tinta,
E as botas que você vê por aí jogadas
Não são nossas; são todas do
Sr. Ninguém.

JD: Com certeza as crianças adoraram. Observei que você escreveu um comentário depois de cada história ou poema.

KS: Verdade. Quer que eu cite um exemplo?

JD: Por favor.

KS [lendo]: Seus pais fazem uma porção de coisa por você todos os dias, e você pode retribuir com favores que demonstrem carinho por eles. Uma das melhores maneiras de expressar amor é por suas ações. Até mesmo um gesto pequeno, mas atencioso, como colher flores para sua mãe, serve para mostrar seu amor. Lembre-se daquilo que Ralph Waldo Emerson disse: "As boas maneiras são feitas de pequenos sacrifícios".

JD: Karen, você comentou que, antes de escrever *Everyday Graces*, procurou boas histórias e literatura nas livrarias e bibliotecas, mas encontrou poucas opções; e foi por isso que você resolveu escrever seu próprio livro.

KS: Sim. Comecei a escrever para meus filhos. Imaginei que seria bem divertido publicar algo na linha de *O livro das virtudes*, de Bill Bennett. Em vez de dar para as crianças uma lista de regras e coisas permitidas e proibidas, queria ensiná-las por meio de histórias. É extremamente importante para os pais apresentar valores para os filhos, e não conheço uma forma melhor de fazê-lo.

RS: Nosso país é, hoje, uma cultura centrada no eu. O que vale é cada um fazer aquilo que quer, sem se importar com a maneira como isso afeta as pessoas. Os modos transmitem a ideia oposta: refletem respeito pelos outros e, especialmente, preocupação com o bem-estar deles, seja ao abrir uma porta, seja esperar em uma fila, seja apenas dizer uma palavra gentil. Esse decoro social reflete uma visão de mundo completamente diferente. Mas, a menos que os pais se esforcem de forma consciente para incutir esses valores e comportamentos nos filhos, a cultura imprimirá neles sua própria visão de mundo. Com esse livro, Karen oferece aos pais uma ferramenta que os ajuda a usar a prática de contar histórias para esse fim.

JD: Obrigado, Karen, por ter escrito o livro *Everyday Graces*. E obrigado, senador, por aceitar meu convite. Admiro a maneira como vocês têm sido exemplos de vida em família, as técnicas que sugerem para educar os filhos e também a forma como escolheram viver sua vida.[11]

Os argumentos do casal Santorum em favor do ensino de modos e moralidade para as crianças são convincentes, e concordo plenamente com eles. Ao mesmo tempo, posso ouvir alguns de meus leitores levantarem fortes objeções à ideia de ensinar meninas a se tornarem mulheres distintas, pois esse não é o rumo pelo qual a cultura popular tem nos conduzido nas últimas décadas.

Há quem questione se é mesmo desejável que uma garota seja feminina no sentido tradicional e tema que essa perspectiva sinalize a volta à opressão de uma era patriarcal na qual as mulheres tinham de esconder sua inteligência e ocultar suas realizações. Mães, prestem atenção ao que vou dizer. Eu não cogitaria, de maneira nenhuma, procurar tomar das mulheres de hoje as conquistas de respeito e emancipação que obtiveram com tanto esforço. Esses avanços culturais estão aqui para ficar, e é meu desejo que sejam permanentes.

Pelo contrário, quero destacar que feminilidade e fraqueza não são sinônimos. Feminilidade e força de caráter muitas vezes andam juntas. Fui criado em uma família de mulheres fortes que sabiam quem eram e para onde Deus as estava conduzindo. Não viviam à sombra de ninguém. Minha avó pastoreava com meu avô uma igreja em franco crescimento. Quando ela pregava, só faltava descer fogo do céu. Não consigo imaginar alguém dizendo para ela sentar-se, cruzar os braços e ficar de boca fechada. Uma das filhas dela veio a ser minha mãe, outra senhora muito talentosa e segura de si. No entanto, minha mãe e as irmãs dela eram inegavelmente femininas.

Minha mãe e meu pai amavam um ao outro profundamente e tinham um relacionamento saudável, baseado em suas respectivas identidades como mulher e homem. Meu pai a respeitava, protegia e apoiava. Nunca o vi tratá-la com grosseria ou rispidez. Quando eu já era grande, lembro-me de ter ficado irritado com minha mãe por causa de algo que ela havia dito. Cometi o erro de contar para meu pai. Nunca vou me esquecer do modo como ele me encarou com seus olhos azuis, duros como aço, e disse em tom irado: "Preste atenção, rapaz, sua mãe é sua melhor amiga, e eu não vou tolerar que você faça nenhum comentário desrespeitoso sobre ela". Fim da conversa. Quando papai me chamava de "rapaz", era hora de tirar o time de campo.

Minha mãe, em contrapartida, honrava meu pai não apenas como marido, mas também como homem. Ela não cogitaria a falta de uma refeição pronta na hora de ele voltar para casa. Por ser do Sul, ela não se ofendia quando ele a chamava, da poltrona onde estava lendo um livro, e pedia: "Myrt, você pode trazer uma xícara de café para mim, por favor?". Ele era seu homem, e ela cuidava dele. Os dois entendiam de modos e moralidade e sua relação com a espiritualidade, a masculinidade e a feminilidade. Ao longo de toda a minha infância, vi meus pais darem exemplo dessas virtudes.

Demonstrei meu treinamento no primeiro encontro com uma colega encantadora da faculdade, chamada Shirley. Levei-a a um restaurante de primeira classe em Hollywood, Califórnia. Expliquei para o *maître* onde queríamos nos sentar, puxei a cadeira para Shirley, perguntei o que ela desejava comer e transmiti o pedido dela ao garçom. Passamos mais de uma hora conversando, na maior parte do tempo sobre Shirley. Terminado o jantar, paguei a conta e andamos até o carro, eu do lado de fora, mais próximo da rua, algo que era (e ainda deveria ser) simbólico da responsabilidade do homem de proteger a mulher sob seus cuidados. Abri a porta do carro para ela e levei-a de volta à universidade. Estacionei, contornei o carro, abri a porta do lado dela e a acompanhei até a entrada do dormitório. Ela me agradeceu com um sorriso e me deu boa-noite. Não tentei beijá-la, pois isso a teria colocado em uma situação complicada, como se ela me devesse um "retorno pelo investimento".

Devo ter feito alguma coisa direito naquela noite encantada, pois hoje somos casados há 49 anos. Algo me diz que nossa relação vai dar certo. Ainda procuro demonstrar a mesma cortesia e o mesmo respeito que me ajudaram a conquistar o coração dela no início. E ela sabe todas as formas de me agradar.

A propósito, duas semanas atrás, minha esposa e eu estávamos no sul da Califórnia, e nossa filha pediu que eu a levasse, e à mãe dela, ao restaurante onde tudo começara. Foi um prazer atender a seu pedido. Mostrei o lugar onde nos sentáramos 52 anos antes e falei sobre o que conversáramos e fizéramos naquela noite tão importante em que nosso amor começou.

Tanta coisa mudou na cultura de lá para cá. Devo dizer que fico horrorizado ao ver a maneira como alguns rapazes tratam a namorada hoje em dia. Há sujeitos que buzinam da rua e esperam a moça sair. Ficam atrás do volante enquanto ela abre a porta e depois a levam a um McDonald's ou outra lanchonete *fast--food*. Muitas vezes, o rapaz espera que a moça pague pela parte dela! Sabe por que isso acontece? Porque as moças toleram. Se uma moça sair com um rapaz que espera que ela rache a conta com ele, recomendo que ela não repita a dose. Se isso acontecer, ela deve pedir para ser levada direto para casa e nunca mais sair com o sujeito. Qualquer rapaz que demonstra tamanho desrespeito não merece uma segunda chance.

As mulheres têm a chave para o comportamento masculino. A tendência dos rapazes é aproveitar o máximo com o mínimo possível de esforço. Até certo ponto, essa falta de cultura e refinamento observada em muitos homens hoje em dia é culpa das mulheres que pedem, e recebem, pouco ou nada. Quando uma garota sabe seu valor, espera que seu acompanhante se comporte como um cavalheiro. Se ela respeitar a si mesma, ele a respeitará. Se ela deseja que ele seja espiritualmente sensível, só deve sair com o rapaz se ele for à igreja com ela. Se ela não gosta do linguajar dele, simplesmente não deve aceitar o uso de certas palavras. Se ela quiser que ele pense nela com frequência e telefone para ela, deve esperar que ele tome a iniciativa. A maioria dos homens não considera a agressividade feminina atraente. Não importa se as regras mudaram; ainda é péssima ideia de a garota perseguir o rapaz ansiosamente. Ela deve deixar que ele dê o primeiro passo. Ele foi projetado para isso.

Pais e mães, ensinem esses conceitos para suas meninas! Se sua filha deseja que o namorado a leve a bons lugares, deve esperar que ele faça planos e a convide para sair com pelo menos uma semana de antecedência. Se ele aparecer sem avisar no sábado à noite e disser: "E aí, tá a fim de fazer alguma coisa?", ela deve lhe dizer que tem outros planos. Se ela quer que ele seja um cavalheiro, deve exigir que aja como tal e deve sempre se lembrar de que é uma moça distinta.

Se uma mulher deseja que um homem se case com ela, *não deve* mostrar-se sexualmente disponível. Isso acaba com o relacionamento. Ademais, é moralmente errado. Em nenhuma circunstância, ela deve morar com o rapaz antes de se casar com ele. É provável que acabe magoada e arrependida. Ele conseguirá o que quer, e ela não receberá nada. A principal razão apresentada pelos homens para se casarem tarde ou não se casarem é que podem conseguir tudo que querem, inclusive amor e sexo, sem compromisso.[12] Uma mulher moral, que respeita a si mesma, não entra nesse jogo.

Se ficar evidente que o rapaz não quer assumir um compromisso, a moça deve mandá-lo passear. Ponto final! Não discuta o assunto com um imbecil. Dê um basta. Não culpe o sujeito se ele não tiver bons modos e for abusado. Mostre-lhe o que você espera e, se ele vacilar, livre-se dele, e rápido. Caso ele beba em excesso ou use drogas, fuja dele; se você não agir assim, é certo que terá problemas. Se você definir padrões elevados, haverá alguém melhor à espera.

Trocando em miúdos, o relacionamento entre um homem e uma mulher ao longo de toda a vida juntos — se, de fato, se casarem — refletirá as regras definidas pela mulher durante o namoro. Ela pode mudar essas regras antes do casamento, mas dificilmente será capaz de alterá-las depois. A moça não deve se contentar com nada aquém daquilo que necessita emocionalmente. Um dos itens no alto da lista de prioridades deve ser o entendimento mútuo acerca de modos e moralidade. Essa é a maneira como homens e mulheres se relacionam uns com os outros há milhares de anos e ainda fornece a base para famílias saudáveis, nas quais os membros estão preparados para apoiar uns aos outros.

Ensinar as meninas a serem mocinhas distintas, porém, não é suficiente. Também é preciso lhes dar um fundamento bíblico sólido por meio do qual possam desenvolver moralidade e virtudes. Temos esperança de que, um dia, nossas filhas transmitam alguns desses preceitos à geração seguinte. Nenhuma outra prioridade é tão relevante quanto essa.

Por ora, parece apropriado voltarmos às palavras do presidente John Adams às mulheres de nossa nação. Como você deve se recordar, ele disse:

> Os alicerces da moralidade nacional devem ser lançados nas famílias particulares. Escolas, academias e universidades serão instituídas em vão se princípios lassos e hábitos licenciosos forem incutidos nas crianças em seus primeiros anos. As mães são as primeiras e mais importantes mestras dos jovens.[13]

Suas palavras são tão válidas hoje quanto foram em 1778.

* * *

Alguns anos atrás, dei uma palestra para alunos do Focus on the Family Leadership Institute. Nessa ocasião, interagi informalmente com eles a respeito daquilo que havia acabado de falar. Os comentários foram gravados e encontram-se transcritos a seguir, em forma editada:

> **James Dobson:** Gostaria de perguntar às moças como vocês se sentem em relação a rapazes que as levam para comer fora e depois esperam que vocês paguem a conta.

[Voz feminina distante]: Unha de fome.

JD: Alguém disse "unha de fome"?

Moça 1: Sim. É terrível.

JD: Explique.

Moça 1: É comum os rapazes esperarem que as moças paguem a parte delas. Tipo: "Eu tenho dinheiro, e você tem dinheiro. Então, a gente racha a conta".

JD: Você diz alguma coisa quando isso acontece?

Moça 1: Eu até diria se soubesse lidar melhor com a situação. Em geral, concordo em pagar, mas não saio outra vez com o rapaz.

JD: É isso aí. E como vocês se sentiriam se o sujeito aparecesse em sua casa sem telefonar antes?

Moça 2: Isso não teria acontecido quando eu morava com meus pais. Minha mãe dizia que, se um cara estacionasse em frente de casa e buzinasse, ela não me deixaria pôr o pé para fora.

JD: Uma salva de palmas para a mãe dela. [Aplauso]

Moça 3: Minha mãe dizia a mesma coisa. Quando eu era adolescente, aprendi que, se um garoto queria sair comigo na sexta-feira, devia me ligar na segunda ou, no máximo, na terça. É muito bom quando as pessoas a tratam bem, a apreciam e a valorizam por quem você é.

JD: Deixe-me perguntar uma coisa. Vocês telefonam para rapazes?

Moça 4: Não. Pode até ser que eu telefone para um amigo, mas nunca tentaria começar ou desenvolver um relacionamento por telefone. Nunca.

JD: Agora uma pergunta para os rapazes. Como vocês se sentem quando uma moça liga para vocês e os convida para sair?

Rapaz: Eu não acho muito legal. Se uma garota me telefonasse e quisesse me convidar para sair, acabaria com minha vontade de tomar a iniciativa no relacionamento.

JD: E isso acontece?

Rapaz: Você quer saber se garotas telefonam me convidando pra sair? Com certeza! Já aconteceu. Mas eu queria comentar também sobre o que outra pessoa acabou de dizer. Não acho que tudo esteja perdido. Deixe eu contar como são as coisas em minha família. Eles são incríveis. Às vezes, meus irmãos e meu pai ficam sentados sem fazer muita coisa além de resmungar. Ah, você sabe que homem faz essas coisas, não é?

JD: Sem dúvida, é impressionante. [Risos]

Rapaz: Acontece que meu pai é líder espiritual, e ocorreu várias vezes de eu ver meus pais ajoelhados ao lado da cama deles orando pelos filhos. E meu pai não tinha medo que a gente o visse chorar. Ele não se preocupou apenas com meu desenvolvimento como homem, mas também me disciplinou e me levou a seguir Jesus Cristo. Quer dizer, meu pai é o homem mais incrível que eu conheço.

JD: Gostaria de conhecer seu pai.

Rapaz: É, você precisa conhecê-lo. Tem sido um incentivo para mim ver o exemplo dele. Nem tudo está perdido.

JD: É muito bom você compartilhar sua experiência conosco. Você é um rapaz de sorte. Agora, deixe-me fazer uma pergunta: vocês foram ensinados a abrir a porta para a mulher?

Rapaz: Com certeza! Também aprendi a andar do lado perto do meio-fio na calçada, puxar a cadeira para a garota e oferecer meu braço para ela ao subir uma escada.

JD: Sabe de uma coisa? Tem uma porção de mulheres que gostaria de conhecer você. [Risos]

Rapaz: Se eu não fizesse essas coisas quando era mais novo, levava uma bronca "daquelas".

JD: Agora deixe-me perguntar para as moças: Os rapazes abrem portas e demonstram respeito por vocês?

Moça 3: Sim. Pouco tempo atrás, eu tinha visitado uma amiga e estava voltando para casa. Um rapaz estava me acompanhando, e a gente passou em frente ao prédio dele. Eu esperava que ele entrasse, mas ele falou: "Eu moro aqui, mas vou acompanhar você até seu prédio". Foi um gesto muito legal. Nós nos conhecêramos havia apenas duas semanas, e esses caras do instituto — aliás, nem é certo chamá-los de caras, pois são homens — se interessam de verdade por nós, não pensam só em namorar ou algo do gênero. Preocupam-se com a gente como irmãos em Cristo. São extremamente protetores. Tenho três irmãos mais novos e fico feliz porque meus pais deram essa mesma educação para eles. Eles já abrem portas para garotas. Tenho uma pergunta: você acha que os pais de hoje estão ensinando as filhas a esperar esse tipo de coisa dos rapazes?

JD: Muitos deles não, o que é problemático. É justamente dessa questão que estou procurando tratar aqui. A relação tradicional entre homem e mulher é maravilhosa. Quando se desenrola de forma correta, é uma experiência positiva para todo mundo. A meu ver, é uma pena que tantos homens não façam ideia de como essa relação deve funcionar. Uma pergunta para os rapazes: em uma situação formal, vocês puxariam a cadeira para a moça?

Rapaz: É, acho que seria uma boa forma de mostrar respeito e consideração por ela. Não sei. É provável que eu me esqueça disso muitas vezes porque talvez a gente esteja num restaurante ou numa lanchonete onde os bancos são, tipo, presos no chão...

JD: Veja se não se esquece mais, certo? [Risos]

Rapaz: Moças, prometo lembrar.[14]

6 Coisas que deixam os anjos constrangidos

A TAREFA DE ENSINAR meninas a serem mulheres distintas não é nada fácil, pois nossa cultura grosseira e hipersexualizada não ajuda nem um pouco. Aliás, ela se opõe a todos os esforços nesse sentido. A autora, palestrante e colunista do *The Wall Street Journal* Peggy Noonan tem uma percepção rara desse ataque à feminilidade. Ex-redatora dos discursos do presidente Ronald Reagan, ela é, na atualidade, uma das observadoras mais perspicazes de nossa cultura.

Alguns anos atrás, Peggy (eu a chamo pelo primeiro nome, pois ela dá a seus leitores a impressão de a conhecerem pessoalmente) escreveu um editorial enérgico sobre o que significa ser uma mulher distinta. Depois de lê-lo, tive vontade de levantar e aplaudir. Deixo-o com os comentários de Peggy e convido-o a pensar em suas meninas e nos desafios que você enfrenta como pai, ou mãe, para preservar a dignidade feminina delas. Em termos mais objetivos, espero que esse artigo fortaleça sua determinação de ensiná-las não apenas como serem mulheres distintas, mas também o motivo pelo qual elas devem ter essa imagem de si mesmas.

Eis as observações de Peggy Noonan:

> **Coisas que deixam os anjos constrangidos**
> **(ou: Isso não é modo de tratar uma mulher distinta)**
> Os Estados Unidos se tornaram um país medonho para mulheres que se consideram distintas. Tornaram-se, de fato, um lugar hostil.
>
> Começo com uma definição do dicionário American Heritage, mas não que alguém precise dela, pois todo mundo sabe o que é uma mulher distinta, ou uma *lady*. De acordo com o American Heritage, trata-se de uma mulher de fino

trato, com altos padrões de comportamento apropriado. O dicionário sugere que é possível identificá-la pelo modo como é tratada: "uma mulher, especialmente quando os outros se referem ou se dirigem a ela de modo cortês". Quanto às formas de uso, o American Heritage indica: "O termo *lady* normalmente é usado como paralelo de *gentleman* para enfatizar as normas esperadas na sociedade ou em situações polidas".

Devo acrescentar que uma mulher distinta não precisa ser pedante, carrancuda e cerimoniosa. Uma mulher distinta sempre tem consideração pelos outros que estão no mesmo ambiente; essa consideração faz parte da dignidade que ela demonstra e procura propagar. Uma mulher distinta projeta a magnitude da vida.

Essas definições são incompletas, porém proveitosas (estou aberta para ouvir outras melhores). Lembre-se delas enquanto descrevo em detalhes como foi minha experiência ao ser selecionada para passar por uma inspeção mais rigorosa no aeroporto, na semana passada, em um episódio que, cinquenta anos atrás, seria considerado agressão sexual.

Descalça, fui encaminhada para um cubículo com uma porta do tipo vaivém de plástico preto. Uma desconhecida se aproximou. Era uma mulher alta, de cabelo alaranjado-escuro. Parecia ter 40 e poucos anos. Era musculosa, com bíceps salientes na camiseta justa do uniforme do Departamento de Segurança Aeroportuária. Carregava um detector de metais manual como se fosse um cassetete. Começou a dar instruções: "Cabeça voltada para sua bagagem. Pés nas marcas indicadas no chão. Braços estendidos para fora. Completamente estendidos. Pernas separadas. Mais separadas. Vou revistá-la".

Senti como se estivesse em um filme dos anos 1950 sobre um presídio feminino. Eu era a garota de rua que havia cometido um erro terrível; ela era a policial que recebia as presas recém-chegadas. "Meu nome é Verônica, mas pode me chamar de Ron. Quer um cigarro?". [Ela] apalpou aqui e ali, os dedos médio e indicador procurando explosivos debaixo da parte de trás do meu sutiã. E, sem dizer uma palavra, deixou o cubículo. Olhei em volta, abaixei os braços lentamente e ajeitei-me. Por um instante, pensei em gritar, em tom lamurioso: "Nem um beijo de adeus?"... Mas eles poderiam não achar graça. Na verdade, eu também não estava achando graça nenhuma naquela situação.

Para mim, aquela revista pareceu não apenas uma invasão de privacidade, o que de fato foi, mas uma negação ou degradação de algo delicado chamado dignidade. A dignidade de uma mulher, de uma senhora distinta, de uma pessoa com o direito de não ser maltratada, de não ser, ou não sentir-se, molestada.

Será esquisitice antiquada de minha parte exigir esse direito? Algo impossivelmente retrógrado? A meu ver, é básico. Poucas dentre as mulheres de meia-idade que viajam de avião ainda não passaram por algo parecido com o que acabei de descrever. Nos últimos tempos, observei que os viajantes evitam olhar quando cruzam com alguém que está sendo revistado. Fazem isso na fila de LaGuardia para a ponte área rumo a Washington. Antes, costumavam olhar descaradamente. Agora, ficam constrangidos e viram o rosto.

Têm razão de ficar constrangidos. É bom sinal.

Uma digressão propositada: quase sempre converso com os seguranças e acabo brincando com eles. Vários me contaram coisas interessantíssimas. A observação mais marcante foi a que ouvi de uma segurança em LaGuardia. Quando lhe perguntei: "Desde que você começou a trabalhar aqui, o que descobriu sobre as pessoas?", ela fez um monólogo improvisado sobre Como Todos Viajam com os Mesmos Itens. A mulher estava se referindo a meias, escova de dentes, desodorante, mas, enquanto ela explicava em mais detalhes, nós duas [entendemos] que ela estava se referindo a algo maior [...] aquilo que há dentro de nós, o que é ser humano e estar em uma jornada. Segunda-feira passada, uma segurança, também em LaGuardia, me contou que, em suas revistas, nunca encontrou um terrorista ou algum objeto ligado ao terrorismo. Duas seguranças comentaram comigo que as mulheres reagem de modo mais negativo às revistas do que os homens e ficam mais zangadas.

Nada mais natural, pois não se trata apenas de sofrerem desconforto e atraso como os homens. Veem-se à beira da violação.

As mulheres que realizam as revistas são perversas, cruéis? Não, estão apenas tentando ganhar a vida e adaptar-se à realidade moderna. Estão fazendo aquilo que aprenderam. A sociedade em que vivemos e os patrões dessas mulheres as levaram a adotar tal abordagem. Elas estão fazendo o que aprenderam dos atuais especialistas em segurança que trabalham para o governo e não se preocupam com ideias do tipo: "Será que isso é ofensivo para uma mulher distinta?". Em outras palavras, elas reproduzem o que aprenderam de grosseirões com pranchetas, que também foram educados pela cultura atual.

Recentemente, participei de um simpósio em uma faculdade católica. Tenho dado várias palestras ultimamente, pelo menos para os meus padrões, o que significa que ando desprovida do maior protetor do otimismo e do bom ânimo norte-americano, o conforto do lar. Os norte-americanos se refugiam em seus lares. É assim que se protegem da cultura. O lar nos ajuda a manter nosso otimismo.

Na faculdade católica, uma instituição importante, fomos convidados a falar sobre fé e política. A meu ver, trata-se de um assunto extremamente amplo e complexo, e também de grande valor. Em poucos segundos, porém, a conversa transformou-se em uma discussão sobre questões relacionadas à sexualidade. Não demorou para alguém gritar: "Levante a mão quem acha que masturbação é pecado!", enquanto o moderador perguntava se os homens africanos devem usar preservativos ou não. A certa altura, coloquei a cabeça entre as mãos e pensei: "Será que perdemos o juízo? Há milhares de pessoas no anfiteatro, desde crianças até freiras idosas, e é assim que falamos? Essas são as imagens que usamos? Esse é nosso único assunto?".

Claro que é. Também é o único assunto de nossa sociedade.

Eu era a única mulher na bancada, o que, sem dúvida, explica em parte porque aquilo me pareceu tão estranho. Na verdade, porém, o simpósio não foi estranho; não em termos de destoar da cultura. Foi estranho por estar inteiramente de acordo com ela.

O simpósio foi a pior experiência que tive este ano? De jeito nenhum. Não foi nem sequer a pior coisa que aconteceu comigo nos últimos dias. Contudo, senti que, de certa forma, violou minha dignidade como pessoa. Como adulta. Como mulher. Como senhora distinta.

E não é de hoje que tenho experimentado várias situações como essa.

E você?

Sinto o mesmo quando vejo comerciais de televisão que anunciam, em alta voz, contraceptivos, produtos de higiene feminina, remédios para disfunção erétil. Quando tenho de tirar quase toda a roupa para ser revistada em aeroportos. Quando ouço as músicas da moda, supondo que possam ser chamadas de música. Quando entrevistadores fazem perguntas extremamente íntimas a políticos sobre sua vida familiar e procuram extrair deles suas opiniões particulares acerca de temas sexuais que alguém, em algum lugar, resolveu que precisam ser a mais alta prioridade em nosso país no momento.

Deixe-me contar o que digo para mim mesma diante de coisas como esse simpósio, os comerciais de televisão e afins. Penso com meus botões: "Estamos deixando os anjos constrangidos".

Coisas que deixam os anjos constrangidos 79

Imagine, por um momento, que os anjos existem e que são espíritos puros de virtude e luz, que se preocupam conosco, cuidam de nós e estão em nosso meio, invisíveis, na fila de inspeção de segurança no aeroporto, na sala onde assistimos à televisão, no simpósio de grandes mentes. "Levante a mão se você acha que a masturbação deve ser ilegal!". "Meu nome é Bob Dole, e eu recomendo Viagra". "Senhora, coloque os pés nas marcas indicadas no chão". *Estamos deixando os anjos constrangidos.*

Será que penso dessa forma, nesses termos, porque sou excepcionalmente virtuosa? De jeito nenhum. Em se tratando de virtude, estou abaixo da média e, mesmo assim, percebo que tudo se tornou grosseiro e caótico.

A Quaresma começou ontem, e pretendo abrir mão de uma porção de coisas, como você também faria se estivesse em meu lugar. Uma das coisas que pretendo abandonar é o hábito de pensar e não falar. Uma mulher distinta tem certos direitos e, por acaso, essa é uma das coisas que posso exigir.

"Vocês estão deixando os anjos constrangidos". É isso que pretendo dizer nos próximos quarenta dias toda vez que vir alguém ofender a cultura, ofender a dignidade humana, negar a natureza do ser humano. Pretendo dizer essas palavras com convicção, visando à instrução, mas também de modo incisivo e determinado, como é próprio de uma mulher distinta. Todos estão convidados a fazer o mesmo.[1]

* * *

Peggy Noonan retratou de forma vívida como é comum em nossa cultura agredir a dignidade das mulheres e invadir a privacidade de todos nós. Infelizmente, esses insultos estão se tornando cada vez mais vulgares e grosseiros a cada dia. Semana passada, vi um comercial nojento no qual três mulheres jovens conversavam em uma loja sobre a saúde extraordinária de seus intestinos. Como se quiséssemos saber!

Desde que Peggy publicou seu comentário, muitos anos atrás, os procedimentos de revista nos aeroportos se tornaram ainda mais atrozes. Como você sabe, agora é possível criar eletronicamente imagens de passageiros como se estivessem despidos e transmiti-las para sabe-se lá quem em cabines próximas. É ali que todos nós podemos parar, com as mãos sobre a cabeça, nus como no dia em que nascemos. Não é muito consolo, suponho, saber que nossos genitais e o rosto são apagados. Alguém em uma daquelas cabinezinhas deve saber como acessar a verdade nua e crua. Não dá para imaginar esse sujeito e vários de seus colegas deleitando-se diante da tela, ou se matando de rir do que veem nela?

Todos nós temos consciência de como a vigilância e a segurança são importantes nestes tempos de terror e violência, mas, sem dúvida, deve haver maneiras mais recatadas de nos manter seguros nos voos. Quanto tempo vai demorar para imagens embaçadas da Miss América ou de alguma atriz de cinema deslumbrante aparecerem inadvertidamente na internet? Essa possibilidade deve perturbar não apenas as pessoas lindas pelo mundo afora, mas também aqueles de nós que não são tão jovens nem tão *sexy*. Não há nada mais pessoal e particular do que nosso corpo.

Peggy Noonan tinha razão quando escreveu: "Os Estados Unidos são um país medonho para mulheres que se consideram distintas. Tornaram-se, de fato, um lugar hostil". É verdade. Estamos deixando os anjos constrangidos.

O que essa incivilidade e falta de dignidade na cultura representam para as meninas? É evidente que os pais precisam trabalhar com diligência para ensinar, moldar e formar o caráter de suas filhas. Por certo, elas não receberão essa instrução da cultura em geral. Se a MTV, Hollywood, a indústria da música *pop* e as colegas conseguirem o que desejam de suas meninas, é bem provável que elas passem a usar linguagem vulgar, vistam-se de forma provocante, comportem-se como vagabundas incultas e rudes e não tenham nenhum senso de dignidade pessoal. Lembre-se, mãe, de que as chaves do lar estão em suas mãos. Espero que dê motivos para John Adams se orgulhar de você. Ensine suas meninas a serem mulheres distintas!

7. As meninas e as mães

Desde que se espalhou a notícia de que eu estava escrevendo este livro sobre meninas, leitores têm enviado histórias e sugestões para eu analisar. Uma delas veio de Marlene, mãe de Hannah, uma garota de 7 anos extremamente geniosa.

Pouco tempo atrás, as duas estavam tendo um dia difícil. Por fim, Hannah colocou as mãos nos quadris e declarou, exasperada: "Sabe de uma coisa, isso não tá dando certo. Quero outra mãe".

Marlene, uma mulher brilhante, soube exatamente como lidar com a situação. Sem hesitar, respondeu: "Tudo bem, posso providenciar outra mãe. Sei de alguém que adoraria ter mais uma filha".

Pegou o telefone e fez de conta que ligou para uma vizinha. Depois de fingir uma saudação, disse: "Hannah resolveu que não quer mais morar aqui. Será que você gostaria de pegá-la para ser sua filha?".

O blefe de Hannah saiu pela culatra. Mais que depressa, ela correu até a mãe e disse: "Não, não, não, mãe! A gente pode tentar de novo". É provável que eu não precise dizer para você que conflitos como esse entre mães e filhas são comuns mesmo com crianças pequenas. Ouço relatos deles com frequência. Se você tem vários filhos, é provável que pelo menos um deles seja genioso. A proporção de crianças rebeldes para crianças dóceis é de aproximadamente um para um. Educar uma criança durona não é tarefa simples, e, por vezes, você precisa da sabedoria de Salomão para mantê-la na linha. Sem dúvida, esse trabalho é ainda mais difícil hoje em dia, em razão das interferências culturais.

Não obstante os momentos de estresse de mães e filhas, manter o contato emocional com cada um dos filhos deve ser uma questão de altíssima prioridade. É preciso aguentar as pontas até o temporal passar. Os sucessos ou fracassos de seus filhos em diversas áreas dependerão da qualidade dos relacionamentos durante a infância. Aliás, a forma como atravessam as tempestades da adolescência será diretamente influenciada pela segurança desse vínculo. Falemos agora sobre como ele pode ser fortalecido.

Especialistas em desenvolvimento da criança chamam a ligação vital entre gerações de "apego" e se referem à explicação de seu funcionamento como "teoria do apego". Esse conceito, fundamental para entendermos vários mistérios da educação de filhos, foi formulado inicialmente na década de 1950 pelo dr. John Bowlby, psiquiatra inglês, e pela dra. Mary Ainsworth, psicóloga norte-americana.[1] Os dois foram responsáveis pela pesquisa mais exaustiva já realizada sobre o relacionamento entre mãe e filhos.

A fim de entender o trabalho deles, retomemos o assunto do capítulo 4: as descobertas resultantes de estudos sobre o cérebro. A tecnologia de imagem, da qual tratamos anteriormente, não apenas revelou a estrutura cerebral e os hormônios responsáveis por suas ligações, mas também nos ajudou a associar as experiências ambientais ao modo como influenciam a criança em termos neurológicos. Dessa vez, tentarei não usar termos muito técnicos, mas é extremamente importante os pais entenderem que os três primeiros anos de vida são fundamentais para tudo que acontecerá depois. Trata-se de um período de mudanças extraordinárias em todas as áreas do desenvolvimento da criança. Deixe-me explicar: o cérebro de um recém-nascido tem cerca de 25% do peso que atingirá na idade adulta. Quando a criança chega aos 3 anos, seu cérebro já produziu bilhões de células nervosas e centenas de trilhões de ligações, ou sinapses, entre elas. Fica evidente que, em termos neurológicos, há um processo dramático em andamento, um processo iniciado bem antes de a criança nascer. A boa nutrição é de importância crítica para o desenvolvimento do cérebro desde a metade da gestação até os 2 anos de vida.[2]

Esse aumento impressionante da estrutura cerebral e da capacidade mental ajuda a explicar por que *todas* as experiências da infância são importantes. A criança pequena as utiliza para tentar entender o mundo extremamente confuso ao seu redor. Sempre me fascino com a maneira como esse "manto de humanidade" passa a envolver o bebê. O recém-nascido pendurado pelos calcanhares na sala de parto pouco tempo atrás ganha de 7 a 10 quilos em pouco tempo e desenvolve um brilho nos olhos, senso de humor, personalidade singular e curiosidade sobre tudo que vê e consegue pegar. Além disso, adquire um quê de independência capaz de surpreender até seu pai de quase 100 quilos. Não há nada semelhante em toda a natureza.

A fim de entender melhor a teoria do apego, é importante saber que existem "períodos críticos" nos primeiros anos de vida da criança, durante os quais certas oportunidades de aprendizado precisam ser aproveitadas, pois, do contrário, se perderão para sempre. Os bebês exigem, por exemplo, estímulo visual normal. Caso não o recebam, podem sofrer de deficiência visual permanente.[3] Os rudimentos da aptidão linguística também surgem em um período crítico, daí ser tão benéfico conversar o tempo todo com seu bebê. Quando você não estiver falando, deve estar ouvindo. Ouvir o bebê, imitar seus sons vocais e escutar seus arrulhos e risos tornam extremamente gratificante a tarefa de cuidar dele. Uma das primeiras frases que meu neto falou foi "Isso é legal".

Volto a dizer: caso essas várias oportunidades sejam desperdiçadas, parte do aprendizado que deveria ter ocorrido pode se perder ou ficar distorcida para o resto da vida. Esse é um dos motivos pelos quais crianças criadas em meio à privação e à miséria são, com frequência, intelectual e emocionalmente deficientes. Eis o cerne da questão: em certo sentido, toda a infância da menina deve ser considerada um "período crítico" no relacionamento com a mãe. Caso não se forme uma ligação correta entre as duas, a filha sentirá os efeitos negativos (algumas meninas mais do que outras) resultantes daquilo que foi perdido.

Isso nos leva de volta a Bowlby e Ainsworth, os primeiros a reconhecer que os bebês são extremamente vulneráveis e facilmente prejudicados por ansiedade, medo e confusão.[4] Para detalhar uma questão mencionada anteriormente, convém observar que as crianças sujeitas a períodos prolongados de trauma emocional experimentam elevações repentinas de hormônios, especialmente de cortisol, que inundam o cérebro imaturo e causam danos neurológicos irreversíveis.[5] Em casos extremos envolvendo abuso ou abandono, o indivíduo pode acabar perdendo sua capacidade de "sentir" por outros, fato que tem implicações associadas à violência no futuro.⁶ Há casos trágicos de crianças pequenas que passavam horas a fio sozinhas no berço, famintas, doentes e assustadas. Algumas delas se tornaram, na idade adulta, assassinos frios que matavam desconhecidos só pelo prazer de vê-los morrer.

Foi comprovado, ainda, que problemas na formação de vínculos entre mães e bebês são diretamente ligados a doenças físicas e mentais de vários tipos. O motivo é evidente. Se uma criança é assolada com frequência por sentimentos negativos e circunstâncias estressantes, sua incapacidade de lidar com isso na infância se transforma em um padrão para o resto da vida. A relação entre a ligação com a mãe e problemas de saúde não é meramente teórica. É uma realidade.⁷

Em contrapartida, algo maravilhoso acontece quando uma mãe carinhosa intervém com amor em favor de seu bebê aflito. Em geral, ela se aproxima serenamente da criança assustada e a acaricia, troca as fraldas que estavam causando desconforto, começa a niná-la e a cantar baixinho enquanto lhe oferece o alimento do seio. A criança em seus braços é acalmada emocional e fisicamente, e o medo passa. A partir dessa experiência profundamente gratificante para mãe e bebê, um vínculo começa a se formar e a lançar os alicerces para tudo que está por vir. O relacionamento formado entre a mãe e a criança jamais será abandonado ou esquecido de todo, mesmo que passe por momentos de forte tensão. Por isso, homens feridos e moribundos, embrutecidos pelo combate no campo de batalha, muitas vezes proferem uma última palavra em meio a lágrimas: "Mãe!".

Os bebês são como esponjas que absorvem todo o afeto que lhes é oferecido. Não há dúvida que preferem o estímulo humano acima de qualquer outra coisa. Como comentamos no capítulo 4, as meninas são mais perceptivas que os meninos em relação a rostos, toques, vozes e até mesmo cheiros. Elas são mais sensíveis à voz que fala ou canta do que a qualquer outro som. Será essa a origem das cantigas de ninar? É bem possível. A recém-nascida passou vários meses ouvindo a voz da mãe de dentro do ventre, e essa voz a conforta.

O cuidado e a atenção que mães, avós e substitutas das mães dedicam à criança pequena exercem grande influência no desenvolvimento cerebral, ajudando a promovê-lo. Com o passar dos meses, essa ligação fornece uma base segura que incentiva a exploração do ambiente ao redor. Também define o modo como a criança se relaciona com os outros, ensina-a a confiar, ajuda-a a interpretar seus sentimentos e a torna familiarizada com a intimidade. É impossível exagerar a importância dessa ligação materna para a saúde e o bem-estar das crianças de ambos os sexos.[8]

Em resumo, mãe, você é indispensável. A forma como seu bebê inicia a vida está em suas mãos — e em sua voz e seu coração. Que responsabilidade e privilégio maravilhosos receber sua filha de braços abertos. Esse pacotinho é uma dádiva preciosa vinda diretamente das mãos do Criador. O rei Davi escreveu sobre sua própria formação em um de seus salmos mais belos:

> Tu criaste o íntimo do meu ser
> e me teceste no ventre de minha mãe.
> Eu te louvo porque me fizeste de modo especial e admirável.
> Tuas obras são maravilhosas!
> Disso tenho plena certeza
> Meus ossos não estavam escondidos de ti
> quando em secreto fui formado e entretecido como nas profundezas da terra.
> Os teus olhos viram o meu embrião;
> todos os dias determinados para mim
> foram escritos no teu livro
> antes de qualquer deles existir.
> Como são preciosos para mim os teus pensamentos, ó Deus!
> Como é grande a soma deles!
> Se eu os contasse,
> seriam mais do que os grãos de areia.
> Se terminasse de contá-los,
> eu ainda estaria contigo.[9]

Como foi demonstrado, o apego começa antes do nascimento e continua a ser fundamental por vários anos. Na verdade, a criança de 2 anos ainda é tão "grudada" à mãe quanto o era um ano antes. O incentivo e a confiança própria que a mãe provê são o principal fator que impele sua garotinha até as fronteiras do Universo. Por volta dos 5 anos de idade, a criança começa a ficar mais independente e segura de si, especialmente se a ligação com a mãe ou outra figura materna estiver firmemente consolidada.

Lauren Porter, psicoterapeuta e assistente social na área clínica, expressa a questão da seguinte forma:

> À medida que as crianças continuam a crescer e a se desenvolver, suas necessidades evoluem, mas a dependência ao sistema de apego permanece. Mesmo na adolescência, que costuma ser considerada o ápice dos desafios de desenvolvimento, o foco é o apego. Os adolescentes lutam com tensões entre sua ligação com a família e a formação da independência. Os alicerces construídos nos primeiros anos são a base para essa fase da vida; se a ligação for segura e firme, filho e pais poderão administrar as eventualidades da adolescência com um baixo nível de conflito.[10]

Mas e quanto ao pai? Como ele se encaixa nesse fenômeno do apego? Como veremos no capítulo seguinte, quando a criança é bebê, a mãe provê a pedra angular para o desenvolvimento infantil saudável, mas o pai não é, de maneira nenhuma, irrelevante. Seu papel principal é apoiar a mãe. É importante, também, que ele comece a se ligar ao bebê nos meses seguintes. Sua voz, seu tamanho, sua postura e disciplina branda proveem a segurança resultante de limites definidos. Em um mundo permissivo no qual muitos pais se esqueceram ou nem sabem da importância da autoridade apropriada, é responsabilidade do pai ajudar a orientar o comportamento e ensinar o autocontrole.

Quando meu neto, Lincoln, tinha pouco mais de 1 ano e meio, a mãe dele e eu estávamos sentados à mesa, e ele, no cadeirão. Ele se preparou para jogar um copo no chão, mas sua mãe, que havia criado uma excelente ligação com o filho, disse calmamente: "Não". Pelo seu modo de falar, ela deu a entender que era uma sugestão. Ao ver que o garotinho não iria dar ouvidos, eu lhe disse com um pouco mais de firmeza: "Lincoln! Não!". Não fui ríspido, mas comuniquei, pelo tom de minha voz, que estava dando uma ordem. Foi a primeira vez que falei com ele nesse tom. No mesmo instante, ele virou a cabeça para mim e estudou meu rosto. Ficamos olhando um para o outro por uns cinco segundos, sem nos mover, e, em seguida, nós dois sorrimos. Ele examinou minha expressão para ver se eu estava bravo e viu que não. Entendeu, porém, que eu esperava ser obedecido. Seu sorriso disse: "Tá, entendi", e ele pôs o copo de volta no lugar. Meu sorriso disse: "Você é um bom garoto". Esse breve diálogo de duas palavras e a leitura de expressões faciais entre meu neto e eu mostra como um homem costuma lidar melhor com questões de disciplina do que uma mãe dócil.

Eis outro exemplo do papel do pai em relação ao sexo. Meninos não nascem com a consciência do que significa ser alguém do sexo masculino. É responsabilidade do pai introduzir esse conceito com o passar do tempo. A identidade sexual começa a se formar a partir dos 18 meses, num processo que se estende por quatro anos. Durante esse período, os meninos precisam ter contato com um pai ou uma figura paterna amorosa que sirva de modelo de masculinidade. Sem dúvida, ainda precisam da afirmação da mãe, mas não de uma forma dominante que os impeça de tornarem-se os homens que foram criados para ser. Em outras palavras, a mãe não é menos importante para o filho durante esse período de formação de identidade, mas algo novo é acrescentado à mistura. Com o tempo, o menino normalmente observa que "Papai é diferente, e eu devo ser como ele". Espera-se que a mãe não se sinta ameaçada por esse realinhamento e que o incentive.

Infelizmente, vivemos em uma cultura na qual o rompimento familiar é uma tragédia comum. Meninos, especialmente aqueles que nascem em bairros pobres, muitas vezes têm pouco contato com modelos masculinos saudáveis. Muitos deles crescem nas ruas, e seu único exemplo de masculinidade são os membros mais velhos de gangues. O resultado é violência, uso de drogas e sexo ilícito. Para mais informações sobre meninos e as necessidades deles, veja meu livro anterior, *Educando meninos*.

Para as meninas, os pais desempenham um papel completamente diferente. A maioria dos pais e mães sabe que os meninos precisam do pai e as meninas são dependentes da mãe. É igualmente importante saber, porém, que o relacionamento com a pessoa do sexo oposto é de valor inestimável. As meninas precisam do pai tanto quanto os meninos, mas por motivos diferentes. Trataremos daqui a pouco da ligação vital entre pai e filha.

A formação do apego entre gerações é dificultada, em muito, para meninos e meninas pelas mudanças dramáticas ocorridas na cultura nos últimos anos. Antes da Revolução Industrial, pais e mães trabalhavam lado a lado em sítios ou negócios pertencentes à família. Criavam os filhos juntos, e, com exceção dos homens que seguiam carreira no exército ou na marinha, a maioria dos pais vivia e trabalhava perto de casa. Lemos em Marcos 6.3, por exemplo, que Jesus era carpinteiro, uma ocupação que, obviamente, aprendeu na infância com seu pai terreno (cf. Mt 13.55). Podemos supor que Maria, sua mãe, era dona de casa em tempo integral e sempre estava por perto. Hoje em dia, essa estrutura familiar é rara. Foi só no último século que o pai passou a se ausentar do lar o dia todo para ganhar o sustento da família. Hoje, cerca de 51% das mães também trabalham fora em período integral.[11]

É nesse ponto que a formação do apego depara com um desafio. Milhões de novas mães sofrem pressão intensa para "voltar ao trabalho" o mais rápido possível depois de darem à luz. Vários anos atrás, dados de um censo realizado nos Estados Unidos mostraram que apenas 42% das novas mães ficam mais de três meses em casa com o bebê.[12] Muitas voltam a trabalhar depois de um mês ou seis semanas. Considerando o que vimos sobre a importância de formar uma ligação com o bebê logo em seus primeiros dias de vida, esse fato pode representar um problema sério. Eu recomendaria que, quando possível, as mães ficassem em casa até pelo menos um ano depois do parto, para se recuperar fisicamente, ligar-se ao filho e estabelecer uma rotina familiar. Sei que ser dona de casa em período integral não é possível para muitas mães devido a pressões financeiras e outras questões. Em geral, as mães sozinhas não têm escolha. É uma pena que tantas mulheres enfrentem esse dilema. Quase todas as novas mães sabem intuitivamente que o tempo que dedicam ao bebê é precioso e passa rápido; não é raro elas sentirem grande angústia quando chega a hora de colocar os bebês ou crianças em idade pré-escolar nas mãos de uma babá ou creche e voltar a trabalhar fora de casa.

Em seu livro *Maternal Desire: On Children, Love, and the Inner Life* [Desejo materno: sobre filhos, amor e a vida interior], a psicóloga e ph.D. Daphne de Marneffe defende a ideia de as mães ficarem em casa. Depois de dar à luz seu terceiro bebê, ela reconheceu um anseio interior de ficar com os filhos. Marneffe escreve: "Senti um cordão invisível me puxando para o lar".[13] Depois de conversar com outras mães que estavam vivendo o mesmo conflito em seu local de trabalho, ela conclui: "O desejo materno não é, para nenhuma mulher, a única coisa na vida. Para muitas de nós, porém, é uma parte importante de quem somos".[14] A dra. Marneffe abriu mão de seu consultório e se tornou dona de casa em tempo integral.

A escritora *freelancer* Ellyn Spragins procurou explicar por que as mães no mercado de trabalho se ofendem com facilidade quando alguém faz referências até mesmo triviais ao seu emprego. Spragins escreve:

> O que leva uma mulher a agir desse modo? Ter o coração partido a cada manhã por uma criança de 2 anos com os olhos cheios de lágrimas, uma criança que alguém precisa segurar para que ela não corra pela calçada atrás da mãe quando esta sai para trabalhar? Obrigar-se a demorar em um telefonema sobre a decoração que a quinta série está preparando para a Festa de Ação de Graças enquanto um cliente olha para o relógio na recepção? E, é claro, precisar do salário para pagar as contas?[15]

Em seguida, Spragins observa o outro lado da moeda e fala do melindre das donas de casa em tempo integral:

> O argumento de que é necessário trabalhar também não tem grande credibilidade junto a muitas mães que ficam em casa. Uma vez que sacrificaram uma renda e apertaram o orçamento, consideram a segunda renda dos vizinhos um luxo desnecessário, como o novo Lincoln Navigator na garagem deles.[16]

Spragins prossegue:

> Tive um pé em cada um desses mundos durante boa parte dos últimos treze anos, pois trabalho em casa para poder ficar perto de minha filha, Keenan (13),

e de meu filho, Tucker (11). Às vezes, sinto-me como uma espiã hipersensível. Estremeço quando ouço minhas conhecidas que são donas de casa em tempo integral falarem mal de uma mãe que trabalha fora, e fico indignada quando amigas que trabalham fora perguntam o que as mães e donas de casa em tempo integral fazem o dia todo.[17]

De uma forma ou de outra, a situação gera forte conflito interno. O sistema parece operar contra os dois estilos de vida. As mães que ficam em casa se sentem desrespeitadas por não terem uma carreira, e as que trabalham fora se sentem culpadas por não dedicarem todo o tempo aos filhos. As combatentes na Guerra das Mães ainda estão em plena batalha.

Ao que parece, a tendência é de as mulheres ficarem em casa. De acordo com uma pesquisa da organização Pew Research Center realizada com 2 mil mulheres em 2007, apenas uma entre cinco (20%) mães no mercado de trabalho que têm filhos com menos de 17 anos disseram que o emprego de tempo integral é a situação ideal para elas. Trata-se de uma queda de 32% em relação a 1997. Dentre as mães entrevistadas, 60% disseram que o ideal seria um emprego de meio expediente, comparado com 48% em 1997. Uma entre cinco (20%) afirmou que preferia não trabalhar fora de casa. Em outras palavras, 79% das mães com filhos menores de idade preferiam não trabalhar *em período integral*.[18]

Em contrapartida, apenas 16% das mães que ficam em casa com os filhos menores de idade disseram que um emprego de tempo integral seria a situação ideal para elas, representando uma queda em relação aos 24% de 1997.[19] Dessas mães, 48% disseram que não trabalhar fora de casa é a situação ideal para elas.[20]

Por acaso soterrei você com estatísticas? Preciso mencionar mais uma que é importante. Em 2007, apenas 16% das mães de filhos com menos de 5 anos consideravam ideal trabalhar fora de casa em tempo integral, configurando uma queda em relação aos 31% registrados em 1997.[21]

Em resumo, a maioria das mães que ficam em casa está contente com sua decisão de não regressar ao mercado de trabalho (ou nele ingressar), e aquelas que estão empregadas em tempo integral preferiram passar menos tempo no trabalho ou não trabalhar fora. Essas preferências não são amplamente divulgadas na mídia, mas revelam algo significativo acerca das mães. A maioria trabalha fora porque considera necessário; quanto menores os filhos, mais as mães anseiam estar em casa. É lamentável que mulheres tão desejosas de ficar em casa com seus bebês não tenham a oportunidade de fazê-lo. Tendo em vista a crise econômica desde 2008, um número ainda maior de mulheres talvez seja forçado, pela necessidade financeira, a voltar ao mercado de trabalho.

Será que devo ousar expressar minha opinião acerca desse assunto tão controverso? A meu ver, o ritmo frenético de famílias com "duas carreiras" simplesmente não promove aquilo que é necessário quando os filhos são pequenos. Sem dúvida, quem está lutando na Guerra das Mães se irritará com essas palavras, mas elas refletem minha firme convicção. A escolha da mulher por trabalhar fora ou não em período integral quando não há necessidade econômica é uma decisão complexa que só ela e o marido podem tomar. Ninguém mais deve tentar fazer essa escolha por ela ou insinuar que uma família pode funcionar apenas de uma forma. Por certo, não é isso que estou tentando fazer. Só posso dizer que educar os filhos é uma experiência exaustiva. Algumas mães têm energia e resistência para lidar com as tarefas domésticas e a educação dos filhos ao mesmo tempo que atendem às exigências de um emprego; outras não. O que está em jogo, porém, não é o bem-estar da mãe, e sim o que é melhor para os filhos em um período crítico da vida.

Em última análise, temos de considerar o seguinte: as crianças se desenvolvem bem em um ambiente de ordem, atenção e supervisão próxima, algo difícil de prover quando se chega em casa exausta, preocupada e irritada todas as noites. A pergunta fundamental para todas as famílias que estão educando crianças pequenas diz respeito às prioridades: qual é o melhor lugar em que a mãe pode investir seu tempo? Caso não haja outras necessidades em jogo, recomendo que *as mães que têm escolha* considerem, em primeiro lugar, o bem-estar do filho, especialmente se ele é pequeno. O apego não espera.

Antes de encerrar esta discussão sobre como proporcionar a seus filhos o melhor início de vida possível, desejo me certificar de que não fui interpretado incorretamente a respeito do desenvolvimento de uma boa relação com as crianças. Alguém poderia chegar à conclusão de que, se o apego é tão importante, mães e pais devem andar pisando em ovos para não irritar ou provocar o afastamento de filhos independentes ou geniosos. Essa interpretação poderia causar diversos problemas. Vocês, mães e pais, ainda estão no controle e não devem temer essa responsabilidade. Quando aplicada corretamente, a autoridade exercida com amor não enfraquece o vínculo entre gerações; antes, fortalece-o, pois o respeito é o alicerce dos relacionamentos. Mães que tratam os filhos pequenos com cautela excessiva os privam da orientação, da disciplina e dos limites necessários para um desenvolvimento saudável.

Por favor, não pressuponha, por exemplo, que você deve terminar cada ordem para o filho com um ponto de interrogação hesitante, do tipo: "Quer ir para a cama agora?", ou "Que tal comer os legumes, minha linda?", ou, ainda, "Eu quero que você esteja de volta em casa às 22 horas, certo?". Se parecer frouxa, a mãe será tratada como tal. Dirigir a criança ativamente *não* romperá o vínculo entre mãe e filho! Assuma o controle sobre seus pequeninos desde as primeiras semanas de vida deles! Deus nos deu a responsabilidade de pastorear nossos filhos queridos ao longo dos anos de seu desenvolvimento, e eles precisam que cumpramos esse papel! Ao mesmo tempo, há inúmeras formas de mostrar que você ama seu filho e se importa com ele, mesmo na hora de corrigi-lo.

Lembro-me de uma ocasião em que minha mãe me castigou por algo (merecidamente, sem dúvida) quando eu tinha uns 4 anos. Depois da disciplina, ela me pegou no colo e me contou a história de um passarinho. A mãe daquele passarinho dissera para ele permanecer no aconchego do ninho, mas ele desobedecera a ela. Quando a mãe foi procurar minhocas, o passarinho saiu do ninho para o galho da árvore e caiu no chão. Um gato enorme viu o passarinho cair e o pegou no mesmo instante.

A essa altura, meus olhos estavam esbugalhados. Minha mãe continuou: "Sabe de uma coisa, Jimmy? Eu sou como aquela mamãe pássaro e você é o passarinho. Deus me mandou proteger e cuidar de você e guardá-lo de fazer qualquer coisa que o possa machucar. É por isso que você precisa me obedecer sempre. Se você não me ouvir, terei de disciplina-lo como fiz hoje, pois o amo muito. Agora me dê um abraço bem grande e vamos fazer um lanche".

Minha mãe e eu tivemos essa conversa várias décadas atrás, mas ainda me lembro dela vividamente. Ela prejudicou nosso relacionamento? De jeito nenhum. Pelo contrário, contribuiu para o apego entre nós, o qual me conduziu ao longo da infância. Temo que muitos pais hoje em dia não entendam esse princípio. Sua confusão trará consequências dolorosas nos anos por vir.

Carol Platt Liebau é uma de minhas autoras prediletas. Em seu livro *Prude* [Puritana], Liebau explica para as mães por que elas não podem se dar o luxo de serem "melhores amigas" de filhas e filhos:

> Ansiosos para terem um bom relacionamento com os filhos, esses adultos, as mães em particular, parecem imaginar que só conseguirão conquistar o afeto das crianças se forem "legais". Comportam-se, portanto, de maneira semelhante a colegas e defensores incondicionais dos filhos, oferecem aprovação generosa e constante, quer merecida quer não, jogam a disciplina pela janela e fazem de conta que são apenas um pouco mais velhos que os filhos [...].
>
> Incapazes ou relutantes em assumir o controle sobre as crianças, a prioridade desses pais é ser aceitos por seus próprios filhos [...].
>
> Quer por incapacidade quer por falta de vontade de assumir a responsabilidade pelas crianças, o maior compromisso desses pais é serem estimados por seus filhos.
>
> Eles são capazes de ignorar as partes mais difíceis da educação — como ser exemplo e assumir a responsabilidade de supervisionar e disciplinar os filhos — e desfrutam de toda a diversão de relacionar-se com eles como amigos. Mas, quando as mães desperdiçam autoridade moral, no final das contas quem sofre são as filhas, pois são privadas da sabedoria, experiência e orientação de uma pessoa adulta madura [...].
>
> Muitas filhas de "pais-colegas" têm permissão de agir de modo tão autônomo que podem decidir por conta própria quais valores morais adotarão, o que, na prática, pode significar que os amigos, a cultura e outros que talvez não estejam interessados no bem dessas meninas, moldarão os princípios por elas seguidos [...].
>
> Na verdade, os jovens de hoje são muito mais abertos para a supervisão e a orientação do pai e da mãe do que os pais imaginam.[22]

Que conselho sábio! A dra. Nancy Snyderman trata da mesma questão e sugere que um dos erros mais sérios que as mães cometem é imaginar que serão a melhor amiga da filha adolescente. Snyderman observa: "Só depois que sua filha passa da adolescência é que você conquista o direito de transformar o relacionamento em amizade".[23]

A meu ver, o desejo de ser estimado pelos filhos revela uma sutil apreensão de que eles se rebelarão quando chegarem à adolescência. Talvez as mães pensem: "Se meu marido e eu não tentarmos mandar neles, quem sabe poderemos evitar conflitos mais tarde". Quando isso acontece, porém, as duas gerações sofrem. Mães e pais que têm medo de dizer não para o filho, aquilo que chamo de "negação da negação", muitas vezes produzem a rebelião que temem. Desde o nascimento, as crianças precisam de liderança firme, e é cruel privá-las disso. Ser permissivo para tentar evitar conflitos tem nome. Chama-se "apaziguar" e é uma abordagem que nunca funciona nas relações humanas.

Aos 20 e poucos anos, eu lecionava ciências e matemática para o sexto, sétimo e oitavo anos em uma escola pública. Em salas próximas da minha havia vários professores novatos morrendo de medo dos alunos no primeiro dia de aula. Eles tentavam desesperadamente apaziguar os alunos com diversão e jogos, seguindo o que se chamava, na época, de "pedagogia aberta". A regra era não ter regras. As crianças podiam fazer o que bem entendessem: falar, brigar, brincar e jogar coisas de um lado para o outro, tudo ao mesmo tempo. Esses meninos e meninas sabiam, intuitivamente, que os professores eram inexperientes e tinham medo dos alunos. O resultado era desprezo total.

Lembro-me de uma professora que não tinha ideia de como controlar sua turma. Os alunos se tornaram pequenos tiranos que, volta e meia, a faziam chorar. Quando ela chegava ao fim da linha, sentindo-se completamente exasperada, subia na carteira e soprava um apito. As crianças adoravam. Durante o recreio, os instigadores da bagunça tramavam maneiras de fazer a coitada da professora "apitar" para eles. Às vezes, ela apitava o dia todo, e a única coisa que conseguia com isso era uma sala de aula caótica.

As crianças têm uma percepção aguçada de jogos de poder e, quando encontram um vácuo, preenchem-no de imediato. Para elas, desrespeito e desprezo estão intimamente ligados. Adultos hesitantes e sem confiança própria muitas vezes acabam sendo desprezados por seus filhos. Se o objetivo de educar os filhos é promover o apego, e sem dúvida é, esse objetivo será alcançado ao se expressar amor, afeição e dedicação genuínos, combinados com disciplina justa, limites definidos e liderança firme. Uma coisa puxa a outra.

Na capa de meu primeiro livro, *Ouse disciplinar*, havia uma pequena balança com "amor" de um lado e "controle" do outro. A chave para ser bem-sucedido na educação dos filhos é manter o equilíbrio entre esses dois ingredientes. As complicações surgem quando a balança inclina para um dos lados, quer o do amor permissivo e superprotetor, quer o do controle colérico e opressivo. Afeição e disciplina se contrabalançam e fortalecem os vínculos do relacionamento.

Encerro com uma última consideração acerca do apego. Neste capítulo, descrevi relacionamentos familiares ideais, começando com uma mãe amorosa e atenciosa e um pai acessível e interessado. Na vida real, essas ligações complexas nunca são perfeitas. Hoje em dia, existem inúmeras mães e pais criando os filhos sozinhos e fazendo o melhor que podem em meio a circunstâncias difíceis. Há pais tão comprometidos com sua profissão que mal sabem o nome dos filhos. Há mães imaturas que ainda estão lutando com as dificuldades emocionais da adolescência ao descobrirem que estão grávidas. Nesse e em muitos outros contextos familiares desafiadores, os pais devem esforçar-se para se aproximar o máximo possível do objetivo de promover o apego. Não obstante, as crianças são resilientes e, em geral, conseguem se virar. A todas as mães e pais, entre meus leitores, que reconhecem sua limitação, digo: tenham bom ânimo. O Criador das famílias sabe de suas necessidades e oferece atenção e cuidado. Peçam e vocês receberão!

Eu poderia dedicar pelo menos mais mil páginas a esse assunto, mas é hora de tratar do próximo tema.

8   Moças falam sobre os pais

Conversamos sobre as mães e sobre o porquê de a formação de vínculos com os filhos ser tão importante. Agora, desejo falar diretamente aos pais que têm filhas. Peço que leiam este capítulo e o seguinte com bastante atenção, por motivos que vocês logo entenderão. Aliás, gostaria que toda mãe *e* todo pai lesse o que escrevi, observando principalmente as conclusões no final do capítulo.

A seguir você encontrará comentários pessoais reveladores e, por vezes, profundamente comoventes, feitos pouco tempo atrás por algumas jovens universitárias brilhantes e cultas que participaram de uma experiência educacional cristã de um semestre no Focus Leadership Institute.[1] Trata-se de um curso desenvolvido para jovens que estejam cursando os dois últimos anos de faculdade ou já tenham se formado e é um dos melhores programas desse tipo. O instituto literalmente transformou a vida de mais de 3 mil homens e mulheres que se formaram lá desde sua criação em 1996.

A presença dessas moças (e rapazes) em nosso *campus* deu-me a oportunidade de interagir bastante com eles a respeito da presente obra. Comentários de quarenta alunas foram gravados e, em seguida, transcritos. Embora as alunas tenham sido convidadas a falar sobre qualquer assunto relacionado de sua escolha, em geral suas observações focalizaram, de modo característico, o relacionamento com o pai. Como você verá, algumas delas reconheceram a ausência de algo fundamental. Outras se mostraram gratas pelos esforços do pai para fazê-las sentirem-se valiosas e respeitadas. Quase todas falaram da necessidade de mais ligação emocional com o pai.

Espero que, em vez de se colocarem na defensiva ao lerem o que essas jovens extraordinárias escreveram, os pais ouçam nesses comentários a "linguagem do coração" delas. Comecei a conversa com um agradecimento pela participação e pedi que oferecessem sugestões e conselhos sobre o conteúdo. Depois, fiz uma introdução:

> Enquanto escrevia *Educando meninas*, conversei com várias moças em idade universitária e posso resumir da seguinte forma o comentário que ouvi com mais frequência: "Meu pai é um homem bom. Sempre trabalhou bastante para sustentar nossa família e foi fiel a minha mãe [outras disseram exatamente o contrário]. Ainda assim, nunca senti que ele me admirasse ou quisesse se aproximar de mim. Estava sempre extremamente ocupado com as coisas dele, mas não tinha tempo para mim. Minha impressão era que morávamos na mesma casa, mas, muitas vezes, ele nem parecia notar minha presença".
> Algumas de vocês tiveram essa mesma experiência?

Minha pergunta foi seguida de uma discussão animada:*

> **Moça 1:** Aquilo que você acabou de dizer, dr. Dobson, descreve exatamente a forma como me sinto. E ouvi muitas de minhas amigas comentarem a mesma coisa. Na verdade, nosso maior receio em relação ao casamento é de que o futuro marido não nos valorize nem seja atencioso.
>
> **Moça 2:** As meninas precisam receber afirmação do pai, algo que não tive na infância. A razão principal de todas as minhas inseguranças é a sensação de não ter sido amada de verdade por meu pai. Essa é a origem de todas as questões com as quais estou lidando.
>
> **Moça 3:** É meu caso também. Tive um bom pai, mas ele me comparava com meninas na mídia e reclamava que eu não era parecida com elas. Costumava dizer que eu não malhava o suficiente e também chamava a atenção sobre minha alimentação. Dizia: "Você sabe onde isso vai parar? Vai se acumular nos seus quadris ou nas pernas". Como resultado [...] acho que não cheguei a me tornar totalmente anoréxica, mas me exercitava o tempo todo. Estava sempre em dieta e teve uma fase em que não comia quase nada.

---

* Os comentários foram editados para manter o anonimato das participantes e, em alguns casos, para mais clareza linguística.

Por muito tempo, disse que havia perdoado meu pai, mas isso afetou meu relacionamento com Cristo e me levou a questionar o que significava ter um Pai celestial que me ama. Felizmente, outras figuras masculinas em minha vida me deram apoio e afirmação, e meu pai tem se esforçado bastante para reconstruir nosso relacionamento.

James Dobson: Você chegou a conversar com seu pai sobre a forma como se sente?

Moça 3: Sim. E, cerca de um mês atrás, depois que eu vim para o Focus on the Family, ele me escreveu uma carta. Pediu perdão por não ter percebido o impacto negativo dos comentários dele. Foi muito bom, e acho que o único motivo pelo qual posso perdoá-lo agora é o fato de eu ter reconhecido Cristo como meu Pai celestial.

Moça 4: Quando eu estava deixando de ser menina e me tornando mulher, durante a puberdade, meu pai se afastou totalmente de mim. Era como se ele não soubesse mais como se relacionar comigo. Mas foi uma fase em que eu precisava muito dele em minha vida.

JD: Você perguntou a seu pai por que ele não estava presente nessa fase?

Moça 4: Não. Meu relacionamento com ele não é nada bom. Por causa disso, acabei desenvolvendo alguns comportamentos perigosos.

JD: Ele lhe dava atenção quando você era menina?

Moça 4: Em geral, não. E mesmo quando dava, era nos termos dele. Era extremamente envolvido com a carreira, de modo que, no dia de folga, havia certas coisas que queria fazer. Ele me convidava para acompanhá-lo, mas a ideia de diversão dele era usar armas de fogo. Com 4 anos, eu já atirava. Eu não gostava daquilo, mas era a única maneira de obter afirmação do meu pai. Quando ele me apresentava às pessoas, dizia: "Essa é minha filha. Ela acabou de acertar dezoito dos vinte alvos móveis". Ele nunca comentava sobre minhas outras aptidões.

JD: Ele nunca afirmava sua feminilidade?

Moça 4: Não. Só falava de armas. Por fim, eu me afastei dele.

JD: É tarde demais para você se aproximar do seu pai?

Moça 4: Não sei. Creio que Deus está trabalhando nessa questão, mas também houve um bocado de abuso no relacionamento. Acho que é uma daquelas situações que simplesmente acontecem...

Moça 5: Depois de ouvir essas histórias tão tristes hoje, sou grata por ter um pai amoroso que sempre me valorizou, mas ele não era perfeito. Era extremamente sarcástico em casa e fazia piadas de tudo. Nunca fui uma criança magricela. Meu porte físico é igual ao do meu pai. Minhas irmãs e eu usávamos camisetas regata e *shorts* para dormir e, de manhã, quando descíamos para tomar café, meu pai me beliscava perto das costelas e fazia piada sobre meu peso. Não era por maldade, mas ele falava sem pensar e dizia coisas que me magoavam muito.

Moça 6: Meu pai não era assim. Ele dizia para minha irmã e para mim que o importante era a beleza interior. Também comentava como éramos bonitas por fora. E foi assim que sobrevivi aos últimos anos do ensino fundamental e ao ensino médio, pois eu tinha dificuldade com questões de autoestima. Nunca me esqueço de quando eu estava no sexto ano e as pessoas me perguntavam: "Por que você não é parecida com sua irmã?". Eu demorei bastante a me desenvolver, enquanto minha irmã se desenvolveu precocemente. Por causa disso, passei por quatro anos de insegurança intensa, durante os quais ouvi outros me dizerem: "Por que você é mais baixa e tão magrinha? Você tem algum problema?". Meu pai me ajudou a superar isso tudo. Se não fosse por ele, não sei o que eu teria feito.

Moça 7: Estou aqui, ouvindo muitas de vocês contarem essas histórias [falando para as colegas] e elas me dão tristeza. Não fazia ideia de que havia tantas mulheres sofridas em nosso grupo. E é claro que todas nós estamos passando por uma porção de coisas diferentes... Puxa vida! Minha experiência foi bem diferente, e eu tenho consciência de que devo muito daquilo que sou hoje à afirmação que recebi na infância e adolescência. Adorava ouvir minha família dizer: "Você está uma graça". Parece bobeira, mas meu pai dizia isso o tempo todo e, vindo dele, era extremamente importante para mim. Sei que sou muito abençoada.

Moça 8: Meu pai era um homem bom, mas era muito passivo, e eu gostaria que ele tivesse definido mais limites e feito mais críticas construtivas. Foi disso que mais senti falta em relação a ele. Em vez de se preocupar tanto se iria me magoar, gostaria que ele tivesse expressado sua opinião a respeito do que era certo ou errado em minha vida. Ele sempre queria saber se eu estava contente com nosso relacionamento, mas eu preferia que ele tivesse sido mais assertivo e dito: "Sabe de uma coisa, acho que esse rapaz não é certo para você. É a impressão que eu tenho". Eu precisava que ele me dissesse que eu era importante o suficiente para ele me orientar.

JD: É raro ouvir uma menina dizer: "Gostaria que meu pai tivesse definido mais limites", mas esse desejo é mais comum do que as pessoas pensam. Creio que muitos adolescentes gostariam que a mãe e o pai, especialmente o pai, os orientassem. É uma forma de o pai mostrar que se importa com os filhos.

Isso me lembra um pai sozinho que trabalha aqui no Focus on the Family. Ele me contou algo que aconteceu quando sua filha tinha uns 10 ou 12 anos. Uma noite, os dois estavam assistindo à televisão juntos e começou um programa com linguagem vulgar e insinuações sexuais. O pai não quis dar uma de chato e não disse nada. Os dois assistiram ao programa por mais alguns minutos, mas, por fim, ele não aguentou mais. Desligou a televisão e disse: "Filha, eu não acho legal a gente assistir a esse programa". A filha replicou: "Pensei que você não ia desligar nunca, pai". Adolescentes precisam de limites, mesmo que se façam de ofendidos quando os adultos os impõem.

Moça 9: Quero compartilhar com vocês uma coisa legal que meu pai fez por mim. Eu tinha uns 7 ou 8 anos, e estávamos no carro, a caminho da praia onde íamos passar as férias. Eu estava no banco de trás, com o pé em cima do console entre os dois lugares da frente. Meu pai estava dirigindo e, quando parou num semáforo, pôs a mão no meu pé e disse: "Você tem pés muito lindos, sabia?". O comentário dele foi extremamente importante. Eu era dançarina e, às vezes, meus pés não tinham uma aparência muito boa, mas até hoje eu gosto demais deles. Amo sapatos. Aquele elogio simples me marcou. Foi como se meu pai tivesse escolhido essa característica para valorizar. Ainda é muito importante para mim. Nunca vou me esquecer disso.

JD: Algumas pessoas diriam que o gesto de seu pai foi insignificante e, no entanto, você se lembra dele vividamente ainda hoje. Isso mostra como a bondade e os elogios são importantes para as crianças e, mais ainda, para as meninas. Em contrapartida, até mesmo a mais leve crítica, especialmente em relação ao corpo, pode causar mágoa profunda em uma pessoa sensível.

Moça 10: Pouco tempo atrás, recebi um cartãozinho de meu pai. Foi o primeiro cartão de aniversário que ele me mandou desde que eu tinha 11 anos e foi extremamente importante para mim. Quando eu era pequena, ele era alcoólatra, mas, nos últimos dois anos, está em recuperação. É a primeira vez em 21 anos que ele fica mais de dois dias sem beber.

JD: É uma história comovente. Quantas aqui receberam um cartão ou *e-mail* de aniversário do pai? [contando] Mais ou menos 50%. Quantas saíram para almoçar ou jantar sozinhas com o pai? [várias mãos levantadas]

Moça 10: Quando eu tinha 7 anos, meu pai me levava a um restaurante para tomar café da manhã, mas sempre havia mais uns cinco amigos dele junto. Nunca saía sozinha com ele. Acho que é por isso que eu vivia tentando chamar a atenção dele. Escolhia participar dos esportes que eu sabia que meu pai gostava. Hoje eu adoro essas atividades, mas acho que as praticava para tentar me relacionar com ele de alguma forma. Não tenho palavras para explicar meu amor por ele, apesar da dor que ele causou. Eu o amo de uma forma diferente daquela que amo qualquer outra pessoa na face da terra. É indescritível e incondicional, e não sei dizer por quê.

JD: Mesmo quando o pai decepciona ou magoa a filha repetidamente, ele não deixa de ser seu pai, e ela sempre vai querer a atenção dele. Pode acontecer de ela ficar furiosa com ele e culpá-lo pelas falhas como pai, mas normalmente há algo dentro dela que anseia por uma reconciliação. Faz parte de quem ela é.

Moça 11: Por mais que a mãe elogie e valorize você quando criança, ela não é capaz de compensar inteiramente se alguma coisa estiver faltando no relacionamento com o pai. Mesmo que, na infância e adolescência, você tenha uma mãe que não trabalha fora, ainda precisa da aprovação do pai. Quando isso não acontece, afeta toda a sua vida e influencia até mesmo sua visão de mundo. Foi o que aconteceu comigo.

Moça 12: Meu pai era técnico do time de futebol americano da universidade, e esse trabalho consumia quase todo o tempo dele. É difícil um técnico, especialmente de um time universitário, ter uma família saudável. A verdade é que eu não conhecia bem meu pai, mas ele era meu herói. E era isso que me magoava, pois ele não era só meu herói; era o herói de milhares de crianças e adolescentes de todo o estado. Era um homem extraordinário, que cometeu erros e pagou caro por eles. A fim de receber alguma atenção dele, eu o acompanhava nos treinos e me perguntava se ele se importava mais com todos aqueles rapazes do que comigo.

Eu era a mais velha e, quando ele saía em viagem para um jogo ou para sondar novos jogadores, dizia para mim: "Cuide de sua mãe". Mesmo quando criança, eu era mais ou menos como o pai da família. E eu não me sentia bonita o suficiente. Minha mãe é uma mulher muito bonita e vivia rodeada de homens. Eu nunca me senti assim.

Na época em que meu pai foi demitido, ele e minha mãe se distanciaram ainda mais um do outro e logo se divorciaram. Só ouvi os dois brigarem uma vez. Eles não conversavam muito. Só sei que minha mãe chorou todo dia até o final do processo de divórcio. Era doloroso ver a angústia dela. Ela perdeu a autoconfiança, apesar de sempre ter sido uma mulher temente a Deus [várias moças chorando].

Quando os dois se divorciaram, meu pai sofreu uma reviravolta. Depois que foi demitido, passou por uma fase difícil de depressão, que durou uns quatro anos. Ele se esforçou ao máximo para reconquistar minha irmã e eu, mas eu não quis me reaproximar dele.

Parei de dizer para meus pais que os amava. Uma vez que não dizia para meu pai que o amava, decidi que também não devia dizer para minha mãe, pois não seria justo. Tornei-me aquela garota que não permite que ninguém a ame. Tentei ser durona; nunca chorava nem contava para ninguém que meus pais estavam tendo problemas, e ninguém sabia. Tentava levar todo mundo nas costas e consertar tudo. Mas meu pai se esforçou um bocado para me reconquistar. E eu o fiz passar por coisas terríveis. Nunca conversamos muito sobre o divórcio; só o mencionamos umas quatro ou cinco vezes.

JD: Você conseguiu reconstruir o relacionamento?

Moça 12: Sim, por meio do Senhor. Ele me devolveu meu pai.

Moça 13: Você está me fazendo chorar. Eu... Ai, céus. Eu não choro, pois meu pai me falou para nunca chorar. E...

JD: Seu pai estava errado.

Moça 13: Eu sei. Ele também sabe. Ele vive chorando. [risos]

JD: Essas experiências pessoais que vocês estão compartilhando são profundamente tocantes. Dá para ver que muitas de vocês trilharam um caminho parecido. Saíram-se bem na vida acadêmica e, no entanto, sentiram o mesmo vazio interior.

Alguém mais gostaria de compartilhar sua história?

Moça 9: Tenho apenas recordações vagas da infância. Lembro-me de ter ido pescar com meu pai e de haver andado de moto com ele, mas é só. Quando meus pais se divorciaram, meu pai biológico parou de fazer perguntas a respeito de minha vida. É assim até hoje. Gostaria que ele se interessasse, mas não tem jeito. Isso me marcou muito, pois eu tenho dificuldade em me abrir com as pessoas. Imagino que minhas opiniões não importam. E nem sei por que estou chorando. Ainda quero que meu pai faça aquilo que devia, mas sempre me decepciono [respirando fundo]. Acho que preciso tomar fôlego. [risos]

Minha mãe e eu somos muito próximas, e ela nunca fala mal do meu pai. Eu a admiro muito por isso. [chorando] Desculpem-me.

JD: Não precisa pedir desculpas. Você está lidando com emoções extremamente dolorosas e, no seu caso, é uma dor que vem desde o tempo em que você era bem pequena.

Moça 9: É verdade. Eu tentava contar alguma coisa para o meu pai, mas ele não dava bola, e eu ficava frustrada. Minha mãe sempre me avisava. Dizia para eu não alimentar expectativas em relação ao meu pai e para esperá-lo amadurecer. Foi o que eu procurei fazer. Almocei com o meu pai antes de vir para cá e contei para ele o que ia fazer depois. E ele só falou sobre a filha adotiva dele e aquilo de que ela precisa. Ignorou completamente o que eu disse. Desisti dele. Agora não penso mais nele como meu pai, mas como um "campo missionário", e procuro amá-lo da mesma forma que Cristo amaria, mas não como uma filha deve amar.

Moça 15: Com que frequência você o vê?

Moça 9: Às vezes no Natal, no Dia de Ação de Graças e em ocasiões desse tipo. Felizmente, minha mãe se casou com um homem maravilhoso que tem sido um pai para mim. Ele sempre me leva para almoçar ou jantar fora e se interessa por minha vida. Nunca fala dele mesmo. Ele me faz sentir que eu tenho valor e diz que tem orgulho de mim. Para mim isso é novidade. [chorando] Toda vez que eu ligo para minha mãe, ele pega a extensão e também quer ouvir o que eu tenho para contar. Ele quer participar e se preocupa. Ele vai a todos os meus jogos. Meu pai nunca foi me ver jogar, e isso me magoava muito.

Finalmente, estou recuperando minha confiança própria e a ideia de que sou importante.

Moça 16: Eu não tenho muitas lembranças da minha infância. Lembro-me de ter tido meu próprio conjunto de tacos de golfe, nos quais meu pai mandou gravar meu nome; então, é óbvio que nós dois jogávamos golfe juntos. Hoje eu me encontro com ele com frequência, mas ele não faz perguntas.

Quando eu contei que havia entrado na faculdade, ele perguntou onde e o que eu estava fazendo, mas foi só. Não quis saber por que eu ia para a faculdade nem o que eu queria estudar. Ele não cursou ensino superior, ou, como ele diz, só "visitou" a faculdade por uns dois meses e depois desistiu. Ele vivia em festas, bebia demais e largou tudo. Em termos gerais, levei minha vida por conta própria e tomei todas as decisões. Ele nunca quis me ajudar a fazer escolhas.

Tenho um relacionamento interessante com meu pai. Quando eu era pequena, ele era bem distante e tinha sérias dificuldades de se comunicar, o que era difícil para minha mãe. Tenho a mesma dificuldade, pois também não sei me comunicar com outras pessoas. Meus pais nunca foram íntimos. Eu só vi os dois se beijarem uma vez. Eu não tinha ideia, portanto, do que era intimidade ou de como expressá-la.

Sei que meu pai nos amava, mas ele nunca disse isso. Tipo assim, a gente só sabia. Apesar disso, sempre amei meu pai e nunca quis que ele ficasse sozinho. Mas minha mãe o traiu e, por isso, eles se divorciaram. Esse é outro comportamento que eu aprendi: enganar e mentir a respeito de tudo.

Minha mãe nunca contou para meu pai que ela o traíra; simplesmente pediu o divórcio. Quando o divórcio saiu, ela se casou com o amante. Minha irmã resolveu ficar com minha mãe, e eu fui morar com meu pai porque ninguém queria morar com ele, e eu não achava legal ele ficar sozinho. E todos nós meio que nos rebelamos contra Deus. Naquela época, meu pai era a única influência piedosa em minha vida. E foi impressionante como ele começou a se abrir. Ele aprendeu a me amar, sabe? E a mostrar que me amava. Hoje ele é meu melhor amigo.

Mas levou um bocado de tempo. Eu fiz muita coisa que o magoou, como minha mãe o havia magoado. Menti e fiz outras coisas que aprendi em casa. Mas ele não me abandonou. Estava do meu lado quando precisei dele. Disse-me quanto se importava comigo e como tinha orgulho de mim. E hoje, com lágrimas nos olhos, ele me diz quanto me ama e quanto é grato por ter uma filha que segue e obedece ao Senhor.

Quando meu pai começou a demonstrar quanto me amava, percebi quanto Deus me amava. Nunca me senti digna de ser amada por ninguém até que meu pai começou a mostrar afeto por mim.

Moça 17: Foi meu caso também. Meu pai foi criado em um lar abusivo. O pai dele era alcoólatra, e ele era o único cristão dentre cinco irmãos. Ele assumiu o firme propósito de que a família dele seria diferente, mas, ao mesmo tempo, ele é muito... ele é engenheiro. É muito matemático e "calculador". Para ele, A mais B é igual a C. Ele tem bastante dificuldade de revelar emoções.

Quando eu tinha 9 anos, recebi o diagnóstico de depressão clínica, e foi bem difícil para minha família. Por vários anos, recebi aconselhamento e tentei lutar contra a depressão. Mas foi nessa época que meu pai saiu de dentro da casca e me afirmou de forma extremamente importante. Eu me desculpava por estar deprimida e dizia: "Papai, não sei o que está acontecendo. Não posso fazer nada". E ele respondia: "Eu amo você do jeito que você é".

Isso me marcou muito e, até hoje, eu sei que Deus tem um propósito para minha vida, pois meu pai e minha mãe me apoiaram, especialmente meu pai. Lembro-me de ter sentado no colo dele e ouvi-lo dizer: "Sabe de uma coisa, minha filha? Eu te amo". Por isso eu entendo como o simples fato de saber que ele me amava moldou minha vida. Acho que é extremamente importante para nós, como mulheres, ouvir que somos amadas e conseguir sentir que somos. Precisamos de afirmação, precisamos de um pai que diga: "Você é a menina dos meus olhos" e nos mostre isso com um abraço.

JD: Não seria interessante se esses pais estivessem sentados atrás de cada uma de vocês, ouvindo o que vocês estão dizendo?

Moça 18: Aposto como todos eles estariam chorando também.

JD: Acho que você tem razão. Precisaríamos de outra caixa de lenços.

Moça 19: Na minha infância, tanto meu pai quanto minha mãe foram emocionalmente ausentes. Só fui perceber isso um ou dois anos atrás. Sou grata a eles por sempre suprirem minhas necessidades materiais, mas, em termos emocionais, havia um vazio, especialmente em relação ao meu pai. Eu sentia que, se não fizesse tudo direito, não tinha valor nenhum.

Só me senti respeitada por meus pais quando entrei no ensino médio e comecei a me destacar. Aí eles se orgulharam de mim. Foi quando começaram a me dar atenção e a mostrar que me amavam...

JD: Você sentiu que precisava fazer algo para merecer a atenção deles, não é? Não recebia afirmação por quem você era, mas por aquilo que realizava.

Moça 19: É verdade, mas semana passada meu pai me mandou um *e-mail* dizendo quanto se sente orgulhoso por eu ser sua filha. É difícil eu aceitar isso agora, pelo fato de ele não ter estado presente na minha infância. Com certeza é uma das questões com as quais estou lidando no momento.

Moças falam sobre os pais   107

Moça 14: Ao ouvir os comentários das outras meninas, vejo como fui abençoada por ter um pai que passava tempo comigo. E estou abismada com o que vocês estão contando. Não fazia ideia do sofrimento pelo qual tantas de vocês passaram. Sou a segunda de uma família com dez filhos. Seria de esperar que meu pai não pudesse dar muita atenção especial e, no entanto, ele gastava um bocado de tempo com cada um de nós. Ele acordava às 5 horas da manhã para nos levar para tomar café em algum lugar e passar algumas horas conosco; procurava fazer isso com cada filho pelo menos uma vez por mês. E, quando fiz 16 anos, em vez de tomarmos café juntos, ele começou a me levar para jantar fora. Nessas ocasiões ele me perguntava como estavam as coisas comigo e depois dizia: "Você faz ideia de como tenho orgulho de você? Sabe quanto a amo?". Sempre fazia essas duas perguntas depois que terminávamos de comer.

Tínhamos outro ritual que, apesar de ser uma coisa pequena, era bem importante para mim. Eu esperava por esse momento todas as noites. Ele passava pela cama de cada um dos filhos, coçava nossas costas e nos abraçava. Depois, ele orava conosco. Ele fez isso durante toda a nossa infância. Foi uma parte muito especial da minha vida quando criança. Confesso que, quando saí de casa para fazer faculdade, foi difícil não tê-lo mais por perto para orar comigo antes de dormir.

JD: Que bênção! E como era a oração que seu pai fazia todas as noites?

Moça 14: Ele dizia: "Pai celestial, eu te agradeço por ter uma filha como Sherrie. Obrigado por abençoá-la e colocá-la nesta família. Obrigado por ajudá-la a te encontrar quando ainda era pequena. Protege-a esta noite enquanto ela dorme e amanhã ao longo do dia. Guarda-a do inimigo e de todo o mal. Ajuda-a a encontrar um marido temente ao Senhor no teu tempo. Em nome de Jesus, amém".

Era sempre a mesma oração, toda noite.

JD: Você me permite transcrever essa oração no meu livro.

Moça 14: Claro. Eu ficaria feliz se você a incluísse em seu texto.

JD: Essa oração linda vai acompanhar você para o resto da vida, não vai?

Moça 14: Com certeza. E eu vou fazê-la com meus filhos também e incentivar meu marido a orar com eles.

Moça 20: Puxa, eu não imaginava que a gente ia se emocionar tanto. Alguém esperava isso? Entramos aqui e vimos esse almoço lindo preparado para nós.

Eu me senti como uma princesa e, de repente, todas nós estamos chorando. [risos]

Moça 21: Eu também fui abençoada com um pai que sempre quis participar da minha vida. Ele é um homem extremamente talentoso e atlético; tem um ar de autoridade. Conhece a Palavra de Deus de trás para a frente, e ela é sua fonte de autoridade. Ele poderia se sair bem em qualquer área que escolhesse, mas se tornou pastor assistente para poder ter tempo com a família.

Algum tempo depois, implantou uma igreja da qual se tornou pastor titular. Mas, ainda assim, tinha tempo para mim. Toda semana ele me convidava para almoçar. Insistia para sairmos juntos. Ele me levava para acampar, coisa que a maioria das meninas não tem oportunidade de fazer, pois normalmente é uma atividade de meninos. Minha irmã e eu íamos acampar com ele nas montanhas; éramos acompanhados por mais uns dez pais com os respectivos filhos. Ele fazia eu me sentir especial, pois queria a minha companhia. Queria passar tempo comigo.

Tem mais: você pediu sugestões para os pais. Gostaria de oferecer uma.

JD: Por favor.

Moça 21: Embora nosso pai gostasse de passar tempo conosco, às vezes algumas meninas são mais chegadas à mãe. Quando éramos pequenas, bem pequenininhas mesmo, tipo, uns 3 anos, queríamos nossa mãe o tempo todo. Queríamos que ela nos pusesse na cama e nos acordasse de manhã. Queríamos que ela preparasse nossas refeições. Só gostávamos do misto-quente que ela preparava. Ela começou a ficar exausta, de modo que meu pai inventou um truque. À noite, ele fazia questão de nos colocar na cama. No começo, a gente não gostava. Daí ele dizia: "Vamos fazer o seguinte, meninas: vão para a cama, abram a boca e fechem os olhos. Daqui a dois minutos eu volto com uma surpresa". Nós nunca sabíamos o que ia ser. Às vezes era um pouco de coco, ou uvas passas. Cada vez que ele voltava, dava alguma coisa gostosa para a gente comer. Minha irmã e eu adorávamos.

JD: Ele estava subornando vocês.

Moça 21: Mas funcionava, dr. Dobson! [risos] Nós não queríamos mais nossa mãe. [risos]

Mas a melhor recordação para mim, aquela que moldou minha vida, era acordar bem cedo e ver uma luzinha acesa no quarto ao lado. Eram umas 5 ou mesmo 4 horas da manhã. Eu me levantava e via meu pai sentado em uma cadeira, segurando uma xícara de café e lendo a Bíblia. Eu chegava perto e dava "bom-dia". Ele colocava o braço em volta de mim e dizia: "Olha só o que eu acabei de ler, Rosana. Eu orei este versículo por você". E ele colocava meu nome ao lado do versículo na Bíblia e orava por mim. Aliás, pouco antes de eu vir aqui para o instituto, ele orou por mim.

Moça 22: Que legal!

JD: Agora vocês vão ter de passar a caixa de lenços para ela. [risos]

Moça 22: Que coisa fantástica, Rosana!

JD: Dá para perceber que seu pai tem um compromisso sério com Cristo e com a família, não?

Moça 21: Tem sim.

JD: Precisamos encerrar nossa conversa. Foi uma experiência muito importante e emocionante. Agradeço muito a todas vocês por falarem tão abertamente e com tanta sinceridade. Usamos uma caixa inteira de lenços, mas era para isso que ela estava aqui.

Vocês são moças confiantes e talentosas e, no entanto, muitas revelaram uma profunda "fome da alma" com relação aos pais. Imagino que vocês nem sabiam da história umas das outras. Também observei um elemento em comum que não havia previsto. Não ouvi nenhuma expressão intensa de raiva ou ressentimento em relação aos pais. Apenas anseio por afirmação, algo que muitas de vocês nunca receberam na infância. Vocês poderiam ter usado esse tempo para falar sobre qualquer assunto relacionado ao tema *Educando meninas*, mas aquilo que disseram veio do âmago de seu ser. Podemos pressupor que se vocês, vindas de famílias quase sempre intactas e equilibradas, se sentem assim, milhões de outras mulheres lidam com a mesma necessidade não suprida de se relacionar com o pai.

Perdi as contas de quantas mulheres leem meus livros ou ouvem meu programa de rádio e me dizem: "Você é o pai que eu nunca tive". Cheguei à conclusão de que poucas pessoas entendem plenamente quão intenso é o desejo da menina de se ligar ao "primeiro homem" de sua vida. Se ele é ausente, ou se está por perto, mas não se envolve, ela terá de lutar contra esse vazio, às vezes para o resto da vida. Tentarei transmitir essa mensagem aos meus leitores por vocês.

Os homens normalmente entendem que os filhos são dependentes deles ao longo de toda a infância, mas tenho certeza de que as meninas precisam do pai tanto quanto os meninos, por esse e por vários outros motivos.

O senso de valor próprio e dignidade pessoal da menina é diretamente ligado àquilo que ela acredita que o pai pensa dela. As mães são importantes para as meninas de outras formas, mas há algo que somente o pai pode prover para as filhas. É por isso que as histórias que vocês compartilharam hoje refletem tanta dor. E é por isso que muitas de vocês choraram enquanto falavam. É por isso que sua identidade como mulher parece girar em torno de coisas simples que seus pais disseram ou fizeram. Quando lerem meu livro, o que espero que façam, encontrarão descrito no texto esse aspecto de sua feminilidade.

Permitam-me concluir com alguns conselhos para vocês que ainda estão lutando com aquilo que seu pai e sua mãe fizeram ou deixaram de fazer no passado. A primeira coisa a dizer é algo que vocês já sabem: não existem mães perfeitas nem pais perfeitos, assim como não existe nenhum ser humano perfeito. Somos falhos e egoístas e, por vezes, não vemos as coisas como deveríamos. Certa vez, um pai me contou que seu filho adulto morria de raiva dele por ele ter se ausentado tanto durante a infância do filho. Na época, o pai imaginou que estivesse fazendo o que era certo, mas percebeu tarde demais que poderia ter se dedicado mais à família. Teve de lidar, então, com a dor da culpa.

Sugeri que ele pedisse perdão ao filho com sinceridade e o lembrasse que educar os filhos é uma tarefa extremamente difícil. Todos nós falhamos em um ponto ou outro. E, a menos que eu esteja muito enganado, aquele rapaz também cometerá alguns erros sérios ao educar seus próprios filhos e filhas. Provavelmente serão erros diferentes daqueles que seu pai cometeu, mas é bem possível que, algum dia, ele também tenha motivos para pedir perdão por suas falhas como pai. A vida em si não é fácil, e todos nós tropeçamos em desafios com os quais deveríamos ter lidado de uma forma melhor. Peço às moças aqui reunidas hoje que perdoem aqueles que as compreenderam mal quando eram garotinhas. Algum dia, vocês precisarão pedir que seus filhos adultos tenham o mesmo espírito de perdão.

Segundo, é saudável reconhecer experiências dolorosas do passado, como fizemos hoje. Nesse processo, pode até ser benéfico conversar com um conselheiro capaz de ajudá-las a fazer as pazes com as memórias difíceis. Depois disso, porém, é preciso deixá-las para trás e prosseguir. Um dos erros mais sérios que se pode cometer é alimentar amargura, pois ela corrói o mais profundo do ser. Vocês devem perdoar, como a Escritura requer de nós, e deixar a mágoa para trás. É algo que pode e deve ser feito.

Terceiro, espero que não confundam o afeto de seu pai terreno com o amor de nosso Pai celestial. Por vezes, os seres humanos erram, mas Deus nunca rejeita, ignora, insulta ou despreza seus filhos. Ele é o "amigo mais apegado que um irmão",[2] e lemos em Salmos que ele "está perto dos que têm o coração quebrantado".[3] Hoje, ouvimos muitas de vocês dizerem que se sentem distantes de Deus porque seus pais não as valorizaram. É um erro natural, pois nosso pai terreno muitas vezes é a imagem visual que temos do Deus todo-poderoso. Não obstante, é essencial mantermos a distinção. Deus é amor. Ponto final!

Quarto e último ponto: um equívoco comum entre aqueles que tiveram infância difícil é ver-se como vítimas eternamente destinadas a sofrer. Com a ajuda de Deus e de seu toque curador, vocês podem superar até a mais dolorosa experiência da infância.

Gosto de uma canção escrita por Bill e Gloria Gaither alguns anos atrás. A letra diz: "Algo belo, algo bom. Toda a minha confusão, ele entendeu. Quebrantamento e conflito eram tudo que eu podia oferecer, mas ele transformou minha vida em algo belo".[4]

Muito obrigado, mais uma vez, por sua honestidade. Aquilo que vocês compartilharam hoje será de grande ajuda para pais e mães. Que Deus esteja com todas vocês.

Oremos:

"Pai celestial, muito obrigado por esse tempo que tivemos juntos. Foi uma conversa importante e sincera. Eu te agradeço por estas moças e pelo desejo evidente que elas têm de te seguir. Cremos que cada uma veio aqui hoje por tua vontade, para propósitos que talvez nem compreendamos. Algumas expressaram memórias dolorosas que continuam presentes no coração delas. Peço que tu cures todas as emoções feridas e ajude estas moças a perdoar aqueles que talvez não compreenderam as necessidades delas quando eram garotinhas.

Sei que algumas das pessoas ao redor desta mesa não se sentiram à vontade para compartilhar sua jornada pessoal. Esteja com cada uma delas como Pai, Encorajador e Amigo que és. Usa cada lágrima derramada para cumprir teus propósitos maiores na vida destas moças.

Também quero te agradecer, porém, pelas famílias fortes aqui representadas, pelos pais que se dedicaram inteiramente à vida dos filhos. Todos nós precisamos de orientação divina ao longo do caminho. Se for da tua vontade dar família a estas moças algum dia, ajuda-as a educar os filhos no temor e na admoestação do Senhor. Que as experiências reveladas hoje tenham repercussões positivas, e não negativas, nos anos por vir.

Em nome de nosso Senhor e Salvador, Jesus Cristo, amém".

9
Por que os papais são importantes

A INTERAÇÃO DESCRITA NO capítulo anterior com as alunas do instituto foi de valor inestimável. Permita-me resumi-la, lembrando que as participantes da discussão eram mulheres jovens, inteligentes, talentosas e cultas. Pode-se dizer que "tinham tudo". Não obstante, ansiavam por algo mais, algo inexprimível, que não podia ser preenchido com dinheiro nem com sucesso acadêmico ou social. A maioria das moças falou de um vazio interior criado pela falta de ligação emocional com o pai.

Outras foram mais afortunadas e expressaram gratidão por pais que demonstraram interesse e preocupação. Uma moça lembrou-se de um único comentário feito vários anos antes pelo pai sobre os belos pés dela. É provável que esse comentário banal tenha sido feito de forma espontânea e esquecido logo depois pelo pai, mas ficou gravado na memória da filha.

O que essas observações indicam? O anseio por afirmação e afeição paternas é algo exclusivo a esse grupo? De jeito nenhum! O que as moças do grupo descreveram é quase universal para meninas e mulheres. Há um lugar na alma feminina reservado para o papai (ou para uma figura paterna) e que sempre anseia por afirmação. Claro que cada menina ou mulher é diferente, mas quase toda menina almeja uma ligação próxima com o homem mais importante de sua vida. Se ele a amar e proteger e se ela encontrar segurança e afeição nos braços dele, ela o estimará profundamente. A menos que o pai a decepcione, a filha terá grande afeto por ele para o resto da vida. A tendência será que ela veja todos os homens sob a óptica desse relacionamento. Se o pai a rejeitar e ignorar ou, pior, se abusar dela e abandoná-la, o anseio por ela experimentado se tornará mais intenso e, com frequência, será marcado por ressentimento e raiva.

Permitam-me esclarecer mais uma coisa, mesmo sabendo que alguns de vocês não gostarão do que estou prestes a escrever: as mães não são capazes de preencher esse vazio específico. Elas podem e devem suprir necessidades semelhantes de amor e carinho e, de fato, ocupam um espaço todo seu no coração da filha. É triste ver uma menina sem amor materno, e não tenho a intenção de minimizar o papel da mãe em nenhum sentido. Mas as mães não têm como ser pais, e vice-versa. É por isso que a atual defesa de casamentos entre indivíduos do mesmo sexo e adoção de filhos por casais homossexuais é contrária àquilo que é melhor para as crianças.

Algumas meninas fazem grandes esforços para obter um relacionamento próximo com o pai. Lembro-me do relato de um pai que deu carona para seu filho adolescente até a casa da namorada do rapaz, uma menina de 13 anos. Quando chegaram, uma garotinha "descolada" saiu de casa vestida como uma prostituta. Usava meias-calças arrastão e um vestido transparente escandaloso que mostrava praticamente tudo, inclusive a calcinha e o sutiã. O pai dela estava no jardim na frente da casa e, quando a filha passou, ele levantou a cabeça e disse: "Divirta-se".

Uma vez dentro do carro, a menina explicou, entre lágrimas, que estava usando aquele vestido *sexy* porque queria ver se o pai se importava o suficiente para impedi-la. Era evidente que não. A filha usara a roupa para testar o amor e a preocupação do pai, e ele fora reprovado. Quando chegaram ao local de destino, a garota foi ao sanitário feminino e trocou de roupa.

Deixe-me detalhar uma questão fundamental da qual tratei no capítulo 3: Por que meninas e mulheres têm uma necessidade tão intensa de afirmação dos pais e por que a mágoa causada pelo abandono ou pela rejeição muitas vezes tem repercussões para o resto da vida? Como você deve se lembrar, essa dor interior é causada, em grande parte, pelo fato de o senso de confiança e valor próprio da filha ser ligado de forma direta ao seu relacionamento com o pai.[1] Aquilo que ele pensa a respeito dela e a forma como ele expressa sua afeição são elementos fundamentais na percepção dela acerca de seu valor próprio como ser humano. Também afetam sua feminilidade e a ensinam como se relacionar com meninos e homens. Tendo em vista esse papel essencial no desenvolvimento das meninas, é trágico que 34% dessas garotinhas queridas nasçam em lares sem pai.[2] Elas são destituídas da influência e do apoio paternos desde o instante em que vêm ao mundo!

O conselheiro e autor H. Norman Wright trata da questão do senso de identidade feminino em seu excelente livro *Always Daddy's Girl* [Sempre a garotinha do papai]. Seu texto traz uma observação contundente voltada para a leitora do sexo feminino:

> O relacionamento com o pai foi sua interação inicial crítica com o sexo masculino. Ele foi o primeiro homem cuja atenção você desejou obter. Foi o primeiro homem com o qual você flertou, foi o primeiro homem a abraçar e beijar você, o primeiro homem a valorizá-la como uma menina extremamente especial entre as outras meninas. Todas essas experiências com seu pai foram fundamentais para desenvolver o elemento que a distingue dele e de todos os outros homens: sua feminilidade. A atenção lisonjeira do pai para com a filha a prepara para seu papel singularmente feminino como namorada, noiva e esposa.
>
> Se alguma coisa ficou faltando no relacionamento com seu pai quando você era criança, o desenvolvimento da feminilidade será a área que mais sofrerá. Isso porque, como menina, você expressou, por natureza, todos os primeiros traços do sexo feminino. Se seu pai estava física ou emocionalmente ausente, ou a tratava com severidade, rejeição ou raiva, você associará, de forma automática e subconsciente, a desaprovação dele com sua feminilidade. Desprovida da capacidade intelectual para entender a rejeição dele e sem estrutura defensiva interior para se proteger dessa rejeição, em sua ingenuidade você simplesmente raciocinou: "Quero que papai goste de mim; papai não gosta de mim do jeito que eu sou; vou mudar meu jeito de ser para que papai goste de mim".
>
> Quando o pai não valoriza ou não interage de forma apropriada com a feminilidade da filha, cria barreiras para o crescimento dela. Ela é obrigada a descobrir a própria feminilidade sozinha, algo que muitas vezes traz consequências trágicas para seu relacionamento com os homens.[3]

A análise perspicaz de Wright explica por que as moças que citei no capítulo anterior se mostraram tão emotivas a respeito da rejeição que sentiam da parte do pai. Indica por que até mesmo um comentário negativo banal feito por um pai anos atrás ainda ecoa no coração da filha. Também deve tocar profundamente os pais de hoje a respeito da vulnerabilidade de suas filhas.

Por favor, entendam que não é minha intenção intimidar os homens ou depreciar seus esforços para suprir as necessidades dos filhos. A maioria deles tem um compromisso sério com a família e deseja ser um bom pai. Não obstante, considerando-se o ritmo de vida agitado e as pressões do trabalho, é difícil nos lembrarmos do que realmente importa em termos mais amplos. Na letra de uma de suas últimas músicas, o ex-beatle John Lennon dizia: "A vida é aquilo que acontece enquanto você está ocupado fazendo outros planos".[4] Lennon não fazia ideia, mas lhe restavam apenas alguns dias de vida.

Uma vez que sou pai e tenho uma personalidade tipo A, ao olhar para minhas experiências na educação de filhos, lembro-me de ocasiões em que poderia ter me saído melhor. Gostaria de poder reviver em ritmo mais lento alguns dos dias corridos. Infelizmente, não temos como voltar atrás e consertar o passado. Uma vez finalizado nosso registro, nenhuma palavra e nenhum ato podem ser alterados.

Seria muita falta de modéstia eu dizer que também fiz coisas acertadas nos meus primeiros anos como pai e que, hoje, as lembranças de momentos especiais com meus filhos ocupam o topo da minha lista de realizações? Algumas de minhas memórias prediletas são de Danae quando ela estava com 5 anos. Nas manhãs de sábado, costumávamos passear juntos de bicicleta até um parque próximo a nossa casa. Brincávamos com pás e baldes na caixa de areia. Eu a ensinava a construir castelos, explicando suas partes, como o fosso e a ponte elevadiça, e conversava sobre tudo que parecia interessá-la. Em seguida, íamos até uma lanchonete próxima e almoçávamos juntos antes de pedalar de volta para casa. À tarde, ouvíamos canções do musical "Cinderela", de Rodgers e Hammestein, em um pequeno gravador Craig e cantávamos juntos. Danae adorava os passeios e, ainda hoje, é capaz de descrevê-los em detalhes. E sabe de uma coisa? Eu também adorava passar esses momentos com ela.

Meu filho Ryan e eu também realizávamos aventuras divertidas juntos. Quando ele tinha 3 anos, eu escondia seus ursos, leões, cervos e girafas de pelúcia pela casa. Quando escurecia, nós dois pegávamos minhas lanternas e as armas de brinquedo dele e rastejávamos de um lado para o outro em uma grande caçada. Quando ele completou 12 anos, começamos a pescar e caçar de verdade. Nunca me esquecerei dos dias que passei ao ar livre com meu único filho. Até hoje, ainda caçamos juntos.

Se alguém me perguntasse hoje, eu diria que, no final das contas, nada, *absolutamente nada* daquela época foi mais importante do que as horas que passei com minha pequena família. Os relacionamentos que desfrutamos hoje se desenvolveram ao longo daqueles anos, quando teria sido fácil para mim correr atrás das realizações e recompensas profissionais e ignorar aquilo que era mais importante no lar.

Minha mensagem neste capítulo é voltada especificamente para o pai que ainda está educando os filhos e deseja atender aos desejos do coraçãozinho deles. Meu conselho também é relevante para o pai de filhas adultas. A menina que costumava ser a "princesinha do papai" talvez ainda anseie por aquilo que não recebeu quando era criança. Embora esse pai não possa mais brincar com sua garotinha de 5 anos na caixa de areia, nunca é tarde demais para dizer: "Você é muito querida para mim".

Alguns anos atrás, pedi aos ouvintes de nosso programa de rádio que ligassem para nossa organização e gravassem uma mensagem para o pai. Mais de seiscentas pessoas participaram. Ouvi uma porção dessas mensagens e coloquei algumas no ar no Dia dos Pais. Nenhuma delas focalizava a vida profissional dos pais. Nenhum ouvinte disse: "Obrigado, pai, por ganhar bastante dinheiro", ou "Obrigado pela casa enorme que você proveu para nós", ou "Obrigado pelo Cadillac [ou Mercedes ou BMW]". Nenhum mencionou o fato de morar em um bairro de classe alta. Ouvinte após ouvinte, a mensagem foi: "Obrigado, pai, por me amar e estar sempre ao meu lado". Alguns disseram, emocionados: "Obrigado por me deixar interromper você mesmo quando estava ocupado". Quase todas as mensagens de mulheres mencionavam o carinho em seu relacionamento.

Mantivemos uma transcrição dessas gravações, e há uma delas que eu gostaria que todos lessem. Eis as palavras da ouvinte, ditas em tom sereno:

Olá, aqui é Kathy, da Geórgia, com uma carta para o meu papai. Não sei quando as coisas desandaram, quando a dor, os remédios e o álcool entraram em cena. Eu era pequena. Você se esforçava para nunca me decepcionar, papai, mas muitas vezes decepcionava. Em 1978, eu continuava, como sempre, pensando em você perto do Dia dos Pais. Procurei o cartão perfeito para você, meu papai querido, e o coloquei no correio em cima da hora. Tentei ligar para você o dia todo, mas seu telefone só dava ocupado. Você morreu sozinho, no chão, ao lado do telefone fora do gancho, no Dia dos Pais. Quando cheguei a Portland, meu cartão estava na sua caixa de correio. Você não ficou sabendo, pai. Foi tarde demais. Deus, ajude-me sempre a lembrar que tarde é melhor do que nunca, mas não é o suficiente. Papai, você morreu sem sentir meu carinho e meu amor por você no Dia dos Pais.

As palavras de Kathy ecoam em minha mente até hoje: "Eu continuava, como sempre, pensando em você". Passaram-se décadas desde as experiências dolorosas da infância, mas essa mulher continua a se entristecer com seu pai renegado. A gravação não revela nenhuma raiva nem ressentimento algum em sua voz. Apenas tristeza contínua porque seu "papai querido" sempre foi ausente. Perdi as contas de quantas mulheres adultas relataram histórias semelhantes sobre o pai que as decepcionou tantas vezes.

Há alguns anos, li uma carta comovente escrita por uma menina de 14 anos, chamada Catherine, para o editor de uma revista. Na carta intitulada "Às vezes a vida é assim mesmo", a garota descreve um momento extremamente doloroso de sua vida:

Quando eu tinha 10 anos, meus pais se divorciaram. Claro que foi meu pai quem me contou, pois ele era o meu predileto. [Observem que Catherine não diz "Eu era a predileta dele".]
— Filha, eu sei que os últimos dias têm sido difíceis para você e não quero piorar as coisas, mas preciso lhe contar algo. Sua mãe e eu vamos nos divorciar.
— Mas pai!
— Eu sei que você não quer isso, mas é o que a gente precisa fazer. Sua mãe e eu não conseguimos nos entender mais como antes. Já fiz as malas e meu voo sai em meia hora.
— Por que você precisa ir embora?
— Por que sua mãe e eu não conseguimos mais viver juntos, filha.

— Eu sei. Mas por que você precisa ir pra outra cidade?

— Porque tem uma pessoa me esperando em Minnesota.

— Eu vou ver você de novo?

— Claro que vai, filha. A gente vai dar um jeito.

— Que jeito? Você vai estar em Minnesota, e eu, aqui na Pensilvânia.

— Quem sabe sua mãe deixa você passar duas semanas comigo no final do ano e duas semanas no meio do ano.

— Só isso?

— Pode ser que sua mãe nem deixe você ficar tanto tempo.

— Não custa tentar.

— Eu sei, filha. Mas a gente vê o que faz depois. Agora eu tenho que ir. Meu voo sai em vinte minutos e eu preciso ir para o aeroporto. Vou pegar minha bagagem e quero que você vá para o seu quarto para não me ver partir. E nada de despedidas longas.

— Tá bom, pai. Tchau. Não se esqueça de escrever para mim.

— Não vou esquecer, não. Tchau. Agora vá para o seu quarto.

— Tá, pai. Mas, pai, eu não quero que você vá embora.

— Eu sei filha, mas eu preciso.

— Por quê?

— Você não entenderia.

— Entenderia, sim.

— Não entenderia, não.

— Então, tchau.

— Tchau, filha. Pare de enrolar e vá para seu quarto.

— Tá. Acho que às vezes a vida é assim mesmo.

— É, filha, às vezes a vida é assim mesmo.

Depois que meu pai foi embora, nunca mais tive notícias dele.

Ainda é doloroso ler as palavras de Catherine, escritas cerca de quatro anos depois que o pai saiu de casa, mais de trinta anos atrás. Pergunto-me se ela ainda pensa no pai que a abandonou para ficar com a amante em Minnesota. Imagino como essa experiência arrasadora afetou o restante da adolescência de Catherine, a escolha de marido e a vida dela hoje. Pergunto-me se o pai dela sentiu algum arrependimento por ter partido o coração da filha tanto tempo atrás. Só podemos imaginar, mas, na verdade, creio que sei a resposta. *Tenho certeza* de que sei a resposta.

A seguir, consideraremos como a dinâmica familiar costuma se desenrolar em casa e explicaremos por que as filhas muitas vezes são as mais prejudicadas. Primeiro, os maridos entendem que a esposa tem certas necessidades românticas diferentes e mais urgentes que as deles. É claro que nem todos os homens procuram suprir essas necessidades, mas, sem dúvida, sabem da existência delas.

Semelhantemente, maridos que são pais costumam entender que é responsabilidade deles ensinar o filho a ser homem. A mãe não tem os requisitos necessários para realizar essa tarefa, e cabe ao pai transmitir ao filho o significado da masculinidade. Também nesse caso, os homens podem ou não estar dispostos a aceitar essa incumbência, mas, pelo menos, sabem que é seu dever.

Isso nos leva a entender a posição que as meninas normalmente ocupam na família. Agora preste atenção, pois vou lhe dizer algo que considero de suma importância: *as filhas costumam ocupar o terceiro lugar na fila para receber atenção do homem da casa.* Cheguei a essa conclusão depois de trabalhar muitos anos com famílias. Para enfatizar, repito: os pais sabem intuitivamente que os meninos precisam de atenção especial, disciplina e liderança, mas, muitas vezes, não têm consciência de quanto as filhas também precisam deles. Ao que parece, alguns pais consideram esse anseio das garotas por afirmação responsabilidade exclusiva das mães. A tarefa de educar meninas é vista, com frequência, como "trabalho de mulher".

Se já é difícil os homens entenderem a esposa em alguns momentos, o que dizer das garotinhas efervescentes que estão sempre tentando chamar a atenção deles? Deixe-me falar mais uma vez: as meninas precisam do pai tanto quanto os meninos. Para alguns homens, trata-se de uma ideia revolucionária, mas pesquisas detalhadas revelam que é exatamente assim que funciona.

Concluiremos nossa discussão apresentando aos pais algumas ideias práticas para formar vínculos relevantes com as filhas. Não é nada complicado, mas todos nós precisamos ser lembrados de coisas óbvias de vez em quando. Um dos alicerces dos relacionamentos humanos pode ser resumido em uma só palavra: *conversação*. Meninas e mulheres, mais do que meninos e homens, se relacionam emocionalmente por meio de palavras. Quando ocorre um rompimento na comunicação com as pessoas que amam, as mulheres muitas vezes se sentem magoadas e frustradas. Não é raro a menina se sentir abandonada quando o pai não se relaciona verbalmente com ela.

Você deve se lembrar das duas moças do instituto que falaram dessa questão entre lágrimas. Uma disse que o pai não demonstrava interesse nenhum por ela nem por aquilo que ela fazia. Outra comentou que o pai "tinha sérias dificuldades de se comunicar" e, como resultado, ela nunca entendeu o significado da intimidade. Nunca a testemunhou nem experimentou.

Todo conselheiro profissional ouve relatos pessoais semelhantes. Mulheres de todas as idades costumam interpretar o silêncio masculino como sinal de rejeição. A melhor coisa que um pai pode fazer, portanto, para formar vínculos com a filha é conversar com ela sobre qualquer assunto que a interesse. Faça perguntas e ouça as respostas com atenção. Essa interação contribui para produzir a afirmação da qual estamos falando. O diálogo significativo e afetuoso com a filha comprova que ela tem valor, está segura e é amada. Esses efeitos benéficos podem ser obtidos de forma extremamente simples por meio de um diálogo sincero.

O toque é outro elemento de ligação essencial para as meninas. Como as mães, as filhas precisam ser abraçadas com frequência, talvez todos os dias. Abraçar é algo fácil de fazer quando as meninas são pequenas e veem o pai como grande herói e melhor companheiro. Com a chegada da puberdade e dos sinais de amadurecimento, porém, os pais muitas vezes se sentem pouco à vontade e têm a tendência de evitar o contato físico. As meninas conseguem perceber esse constrangimento com a precisão de um raio *laser*.[5]

Em nossa conversa com as alunas, uma moça apresentou um exemplo clássico da forma como os pais reagem às filhas durante a puberdade e a adolescência. Vale a pena repetir:

> Quando eu estava deixando de ser menina e me tornando mulher, durante a puberdade, meu pai se afastou totalmente de mim. Era como se ele não soubesse mais como se relacionar comigo. Mas foi uma fase em que eu precisava muito dele em minha vida.

Imagino que o constrangimento desse pai tivesse a ver com o desenvolvimento dos seios da filha e a aparência de mulher que ela adquiriu. Algumas meninas de 14 ou 15 anos já têm corpo de mulher, fato no qual os pais não deveriam reparar, mas reparam. O pai amoroso tem medo de tocar a filha no lugar errado ou de ofendê-la de alguma forma. Por isso, tenta manter uma distância prudente.

Em contrapartida, a menina que brincou com o pai, abraçou-o e beijou-o ao longo de toda a infância não consegue entender por que ele se inclina para trás quando ela joga os braços em volta dele. Um comentarista chamou esse fenômeno de "torre inclinada de Pisa". Não há como o pai explicar o que o deixa constrangido. Sua atração por ela é involuntária e, em geral, bastante inocente. Para piorar a situação, os filhos mais novos da família, tanto meninos quanto meninas, ainda podem se aconchegar junto ao pai e dizer que o amam. A menina que está entrando na adolescência vê essa afeição e sente vontade de chorar por aquilo que perdeu.

A aluna do instituto observou que o pai se afastava dela e concluiu, naturalmente, "papai não me ama mais". Essa situação se repete com milhões de pais e filhas ao redor do mundo.

Quero enfatizar para cada um desses pais que sua menina púbere ou adolescente está passando por um período de grande insegurança e precisa muito de você. Você é o protetor e a fonte de estabilidade dela. Seu amor nessa fase é de importância crítica para a capacidade dela de lidar com a rejeição, a mágoa e o temor que enfrenta em relação aos colegas. Os abraços são mais necessários do que nunca.

Pais, continuem a prover o contato físico que consideravam apropriado nos estágios anteriores, durante a infância. Obviamente, esse contato não deve ser de natureza sexual, mas a demonstração de carinho de um pai amoroso ainda é muito importante. A última coisa que você deve fazer nesse momento, mesmo que seja de modo não intencional, é transmitir a ideia de que seu amor se evaporou. Portanto, pai, esconda o acanhamento e abrace sua filha como se ela tivesse 6 anos!

Aprendi bem cedo uma lição sobre a importância do toque físico quando meu filho e minha filha tinham 3 e 7 anos, respectivamente. Desde a mais tenra idade, Danae sempre gostara de expressar seu afeto por mim por meio da linguagem física. Quando eu assistia a jogos de futebol na televisão nas tardes de sábado, ela costumava sentar no meu colo e brincar com sua boneca Barbie. Em seguida, ia para as minhas costas e sentava-se nos meus ombros. Quando meu time marcava um gol, ela ria e se agarrava com força ao meu pescoço enquanto eu dançava de um lado para o outro. Ela sempre foi a garotinha do papai.

Quando Danae e Ryan tiveram catapora, a situação se complicou. Eu nunca pegara essa doença e não queria pegar! Quando contraída por um adulto, pode ser terrível. Por isso, durante cinco dias, mantive distância dos meus filhos. Tentei disfarçar, mas Danae percebeu. Por fim, correu para a mãe chorando e disse: "Papai não quer mais encostar em mim".

Suas palavras foram como uma punhalada no coração. Serviram para me mostrar, porém, que minha filha ainda precisava de contato físico comigo. Era uma das formas como eu afirmava meu amor por ela. Assim que ela começou a se recuperar, voltei a abraçá-la. Essa lição prática foi bastante útil mais tarde, quando Danae começou a se desenvolver. A propósito, não peguei catapora naquela ocasião e, até hoje, não tive a doença. Estou guardando essa experiência para quando tiver uns 80 anos, para que todos sintam pena de mim.

Deixe-me dizer algo aos papais: "Continuem a fazer o que estavam fazendo". E nada de se inclinar! Sua filha notará se vocês começarem a parecer a torre de Pisa.

Uma sugestão final simples, mas, ainda assim, eficaz: os papais que desejam se relacionar com suas garotinhas ou com suas filhas que não são mais tão pequenas, precisam passar tempo a sós com elas. É uma excelente forma de derrubar barreiras e construir pontes. Leve sua filha a um restaurante ou lanchonete para almoçar ou jantar. Não precisa ser nada sofisticado. Apenas crie um tempo sossegado para que vocês dois possam sentar e conversar. Joguem minigolfe juntos ou procurem um DVD a que vocês dois possam assistir em casa. Se sua filha é pequena, vá ao cinema assistir a um filme infantil ou leve-a a um parque de diversões. Anote essas atividades no calendário e *não permita* que sejam canceladas ou adiadas. Nunca deixe seus filhos se perguntando por que você não apareceu e nem mesmo telefonou. Para uma menina, isso pode ser mais doloroso do que se você não tivesse prometido nada.

Uma vez que a adolescência entra em cena de supetão, sua adolescente talvez tenha vergonha de ser vista com você. Tudo bem. Jogue de acordo com as regras que ela estabelecer, sejam quais forem.

Nunca se esqueça de que as meninas são feitas da mesma matéria-prima que as mães. Coloque bilhetinhos carinhosos no bolso do casaco de sua filha ou dentro do sapato dela. Escreva uma oração curta e ponha debaixo do travesseiro dela. Meninas adoram flores. Faz parte do DNA delas! Ficam radiantes quando você diz para os outros quanto se orgulha delas. Fique atento para todas as oportunidades de trazer sua filha para seu mundo ou entrar no mundo dela. Toda vez que estiverem juntos, aproveite e diga para ela quanto a ama. Você será o herói de sua filha para sempre.

Gosto demais de escrever sobre esse assunto, pois é bem próximo do meu coração. Aposto como muitos de vocês sentem o mesmo. No capítulo seguinte, falarei de outro assunto que também será do interesse de todos.

* * *

Quando há afinidade, os pais podem contribuir para o bem-estar das filhas em quase todas as dimensões da vida. Eis um breve panorama de algumas descobertas a esse respeito. Depois de lê-lo, você verá, mais uma vez, por que os papais são importantes.

- Meninas que recebem afeto e controle do pai alcançam maior sucesso acadêmico.[6]
- Meninas que têm um relacionamento próximo com o pai apresentam menos ansiedade e comportamentos menos introvertidos.[7]
- A ligação com o pai e a mãe é um dos fatores que contribuem para evitar que as meninas tenham relações sexuais antes do casamento, usem drogas e consumam bebidas alcoólicas.[8]
- Meninas que acreditam que o pai se preocupa com elas apresentam incidência consideravelmente mais baixa de tentativas de suicídio, insatisfação com o corpo, depressão, baixa autoestima, abuso de drogas e álcool e peso fora dos limites saudáveis.[9]

- Meninas envolvidas com o pai têm duas vezes mais probabilidade de não desistir dos estudos.[10]
- Meninas que têm pai ou uma figura paterna se sentem mais protegidas, têm maior probabilidade de tentar cursar o ensino superior e menor probabilidade de desistir da faculdade.[11]
- Meninas cujos pais se divorciam ou se separam antes de elas completarem 21 anos costumam ter uma expectativa de vida quatro anos mais baixa.[12]
- Meninas com um bom pai têm menor probabilidade de se oferecerem ostensivamente para buscar a atenção de homens.[13]
- Meninas que moram com a mãe e o pai (e não apenas com a mãe) têm bem menos atrasos no desenvolvimento, distúrbios de aprendizado, distúrbios emocionais e problemas de comportamento.[14]
- Meninas que moram apenas com a mãe têm bem menos capacidade de controlar os impulsos e adiar a gratificação e menos consciência de certo e errado.[15]
- Tanto meninos quanto meninas se saem melhor em termos acadêmicos quando o pai define regras e demonstra afeição.[16]

O estudo a seguir talvez lhe pareça engraçado. Pesquisadores observaram que mulheres que tiveram um bom relacionamento com o pai na infância costumam ser atraídas por homens com traços faciais semelhantes. Algumas filhas adultas se casam com homens que apresentam semelhança física espantosa com o pai delas.[17]

Mulheres não casadas talvez não se empolguem com essa informação!

Outro estudo relacionado foi publicado pela primeira vez mais de trinta anos atrás e, a meu ver, ainda é válido. Os resultados dessa pesquisa — bem documentada naquela época — foram registrados em um livro intitulado *Daddy's Girl, Mama's Boy* [Filhinha do papai, filhinho da mamãe], de James Rue, ph.D., e Louise Shanahan. De acordo com a tese da obra, o relacionamento com o sexo oposto (das meninas com o pai e dos meninos com a mãe) é um fator extremamente importante, em termos positivos ou negativos, para todas as decisões românticas futuras. Meninas com um pai carinhoso e dedicado costumavam procurar um cônjuge com personalidade e outras características semelhantes à dele. Meninas com um pai abusivo, irresponsável e que as rejeitara procuravam um homem completamente diferente dele. O mesmo valia para os meninos em relação à mãe. Logo, mãe e pai continuavam a moldar os interesses românticos de filhos e filhas bem depois da infância.

A moral da história é: "Escolha seus pais com sabedoria". Além de ter os genes deles, você também será influenciado, de uma forma ou de outra, pelos pensamentos, comportamentos, valores, crenças, virtudes, fraquezas, esperanças, sonhos, tendências, inteligência, erros, falhas, sucessos, enfermidades, saúde, alegrias e tristezas deles. Assustador, não? É por isso que bons pais e boas mães são verdadeiros tesouros.

10 De pai para filha

Seguem, agora, algumas "observações fortuitas", mas muito felizes, que desejo transmitir aos pais e também às mães. Os provérbios curtos selecionados foram compilados ou escritos por Harry Harrison e publicados em um livrinho encantador chamado *Father to Daughter: Life Lessons on Raising a Girl* [De pai para filha: lições de vida sobre como educar uma menina]. Ao ler os ditados espirituosos e as sugestões, talvez você queira sublinhar aqueles que lhe parecerem mais reveladores. Foi exatamente o que eu fiz.

- Aceite o fato de que [sua garotinha] derreterá seu coração na hora em que ela quiser.
- Participe da vida dela agora. Não espere até ela completar 15 anos para tentar desenvolver um relacionamento.
- Cante para ela enquanto a embala. Ela adora ouvir sua voz, e essa é uma ótima forma de passar o tempo quando é 1 hora da manhã.
- Lembre-se: se você gritar com o menino para ele não mexer numa tomada de parede, ele sairá batendo o pé ou mexerá assim mesmo. A menina se desmanchará em lágrimas.
- A mãe dela a ensinará a fazer biscoitos. Você a ensinará a mergulhá-los no leite.
- Ensine-a a contar. Primeiro os dedos. Depois bolinhas de cereal, confeitos coloridos de chocolate, dentes-de-leão e vaga-lumes.
- Prepare-se para assistir aos filmes da Disney com ela umas duzentas vezes. Cada um.
- Nunca perca o encanto de observar filha e mãe juntas.

- Aproveite bem os momentos em que ela caminha até você com passos vacilantes e, sem nenhum motivo, joga os braços ao redor de seu pescoço. Resista à tentação de dar o mundo inteiro para ela.
- Acredite que a mãe dela entende o mistério das garotinhas. Sua parte é tentar entender o mistério das que já cresceram.
- Nunca, jamais, zombe dela.
- Lembre-se sempre de que, desde os primeiros dias, sua personalidade moldará a dela.
- Nunca se esqueça de que o pai incentivador educa filhas com autoestima elevada.
- Leia para ela com frequência. Em pouco tempo, ela estará lendo para você.
- Presenteie sua filha com uma foto sua para ela colocar na primeira bolsa dela. Se você tiver sorte, ela sempre carregará uma foto sua.
- Não tolere acessos de birra. Nem agora, nem quando ela tiver 15 anos. Desse modo, seu lar será mais sereno.
- Limite o tempo na frente da televisão, a menos que você queira ver sua filha crescer com os valores que Hollywood ensina.
- Garotinhas são fascinadas por escadas rolantes. Ande sempre de mãos dadas com suas meninas.
- Faça um cartão de aniversário para ela — todos os anos.
- Deitem-se de costas na grama juntos e procurem formas nas nuvens. É uma boa maneira de encarar a vida quando se é jovem.
- Extremamente importante: volte para casa em tempo para o jantar.
- Pergunte a sua filha como foi o dia dela. Faça essa pergunta todos os dias. Maravilhe-se junto com ela.
- Guarde os segredos dela. Desse modo ela começará a confiar nos homens.
- Leve-a para caminhar no mato. Mostre-lhe como são as urtigas, ensine-a a atravessar um riacho e a encontrar o caminho de volta para casa.
- Deixe-a ensinar você sobre o que ela aprendeu na escola hoje — sobre os colonizadores, a tabuada ou os peixes-boi —, sobre como cantar a canção predileta dela, como fazer um bolo ou como trançar o cabelo da Barbie.
- Elogie-a com frequência. Diga-lhe que a ama do jeito que ela é. Se você repetir essas palavras com regularidade suficiente, é possível que ela se lembre delas na adolescência.

- Inventem histórias para contar um para o outro à noite. Exercite a imaginação dela.
- Surpreenda sua filha ao buscá-la na escola para almoçar e levá-la a uma lanchonete.
- Nunca discuta com sua esposa na frente de sua filha. Por mais difícil que seja, deixe esse tipo de conversa para depois.
- Lembre-se de que os valores da sociedade são transmitidos 24 horas por dia, 7 dias por semana. Você precisa ter determinação ainda maior para ensinar os *seus* valores.
- Não permita jamais que sua filha responda de forma ríspida a você ou à mãe dela. Aliás, a qualquer pessoa.
- Ensine-a a agir com paciência, bondade e tolerância. Se não o fizer, você se arrependerá no futuro mais distante.
- Se você pratica algum esporte, leve sua filha com você e pense em formas criativas de incluí-la na atividade.
- Pense antes de falar. Você pode acabar magoando sua filha, mesmo que não tenha essa intenção.
- Nunca ria dos sonhos dela.
- Ensine-a a ler nas entrelinhas. Lembre-se, porém, que ela provavelmente terá mais aptidão natural para isso do que você.
- Pelo menos uma vez por ano, leve-a a algum lugar que ela não conhece. Desse modo, você desenvolverá o espírito de aventura de sua filha.
- Não perca um recital, concerto, peça ou qualquer outra apresentação de que ela participe. Nem agora, nem até ela se formar na faculdade.
- Incentive-a a ser gentil até mesmo com a menina da qual ninguém gosta.
- Certifique-se de que ela tenha um modo de se comunicar com você 24 horas por dia.
- Lembre-se de que ela precisa desenvolver uma autoimagem forte antes de se tornar uma adolescente desajeitada. O amor do pai pode fazer toda a diferença.
- Aceite o fato de que o anjo meigo e carinhoso com o qual você passou a última década talvez desapareça. Mas ele voltará.
- Lembre-se de que as adolescentes passam horas no quarto fazendo alguma coisa. Até hoje, nenhum homem adulto sabe o quê.
- Não se afaste dela quando ela começar a se desenvolver física e sexualmente.

- Conheça os amigos dela. O final do ensino fundamental é o ápice da influência dos colegas.
- Lembre-a de que a coisa mais sagrada entre pai e filha é a confiança.
- Leve-a para a escola e dê carona para as colegas dela. Você descobrirá em primeira mão o que ela faz todos os dias.
- Se você está lidando com uma menina de 13 anos, lembre-se de que, para todos os efeitos, está lidando com uma louca varrida.
- Converse com ela sobre sexo e sobre como tomar decisões. Falem também sobre a pressão dos colegas, sobre amor, romance, Deus. Você nunca sabe quando dirá exatamente aquilo que ela precisa ouvir.
- Cuide de seu linguajar perto dela. Exija que ela faça o mesmo.
- Aceite o fato de que as meninas soltam gritinhos quando estão alegres, confusas, empolgadas, assustadas ou quando acabaram de ver determinado menino na fila.
- Quando ela estiver particularmente zangada, sente-se com ela e peça para ela tentar descrever o que está acontecendo. Lembre-se: quanto mais tempo você ouvir, mais coisas descobrirá.
- Não compre revistas que exploram a imagem feminina. Elas mostram como você vê todas as mulheres.
- Se você não aprovar o modo como sua filha está arrumada para sair, mande-a de volta para o quarto e peça que se arrume de novo. Seja delicado, mas firme.
- Alguns dias você terá a impressão de que educou uma alienígena. Nesses mesmos dias, sua filha terá a impressão de que *ela* foi educada por um ser de outro planeta.
- Não deixe que ela coloque você e a mãe dela um contra o outro.
- Nunca destrate sua filha. Não importa quão bravo esteja com ela. Não importa o que ela tenha dito. Se o fizer, ela lembrará para o resto da vida.
- Lembre-se de que muitas meninas consideram o fim do ensino fundamental a pior época da vida. Mantenha-se atento e envolvido.
- Se sua filha for ao cinema com as amigas, ofereça uma carona. Enquanto dirige, preste atenção na conversa delas.
- No dia em que ela nascer, peça a Deus para guiar você em todos os aspectos da educação dela.
- Arraste-a para a igreja... toda semana. Pode ser que ela não compartilhe de seu entusiasmo, mas depois de 18 anos a ficha terá caído.

- Perdoe-a quando ela pedir perdão. Essa é melhor maneira de ela aprender a perdoar outros.
- Ensine-a como ser virtuosa em uma era que a bombardeia com imagens e insinuações sexuais.
- Pergunte de vez em quando sobre a vida espiritual dela. Se ela quiser saber a que você está se referindo, esteja preparado para conversar sobre o assunto.
- Ensine-a a orar pelos inimigos. É possível que isso inclua um elenco rotativo de colegas de escola e ex-namorados.
- Ensine-a a considerar cada dia algo sagrado.
- Ensine-a que, às vezes, Deus tem outros planos.
- Por maior que seja a tentação, não grite com o técnico do time nem xingue o juiz. Você a fará passar vergonha e parecerá um idiota.
- Você terá de ensiná-la a dirigir... sem fazê-la chorar.
- Deixe bem claro que você espera que ela use o cinto de segurança. Mesmo com o vestido do baile de formatura.
- Convença-a a abastecer quando o mostrador indicar um quarto de tanque e não quando o carro estiver andando só com o cheiro de combustível.
- Garotos de aparência esquisita começarão a aparecer em sua casa. Trata-se de algo esperável, pois todos os garotos adolescentes têm aparência esquisita.
- Use o modo como você trata sua esposa como exemplo da maneira que um homem deve tratar uma mulher.
- Ensine-a a olhar nos olhos de um garoto e dizer "não".
- Não faça brincadeiras sobre namorados. Talvez ela nem esteja namorando e você a faça pensar que é hora de arranjar alguém.
- Entenda que se, de repente, ela se tornar fanática por futebol, mesmo que deteste esse esporte, sem dúvida há um garoto envolvido.
- Ensine-a que, se ela agir como uma idiota para atrair garotos, atrairá garotos idiotas.
- Explique para ela que existem garotos honrados e garotos perigosos e ensine-a a distinguir entre um e outro.
- Se um garoto estacionar em frente a sua casa e buzinar para chamar sua filha, vá lá fora e converse com ele. Explique que sua filha só atende à campainha.
- Espere-a chegar à noite. Saber que o pai a receberá na porta terá um efeito extremamente positivo sobre as decisões que ela terá de tomar.

- Lembre-se de que toda garota sofre uma desilusão amorosa. Não há nada que se possa fazer a respeito. Tentar acertar as contas com o garoto não ajudará. Em contrapartida, ela também partirá alguns corações.
- Se deseja manter sua sanidade, evite um envolvimento emocional excessivo com a vida amorosa dela.
- Não deixe as variações de humor ou a raiva dela afastá-lo. Ela nunca precisa tanto de você como nesses momentos.
- Você não tem controle nenhum sobre quanta maquiagem, xampu, filtro solar, cremes hidratantes, tinturas para cabelo, rímel, delineador, perfume, desodorante e sabonetes ela comprará. Aceite esse fato e siga com sua vida.
- Seja firme a respeito da observância de tradições de família. Elas se tornarão mais importantes para sua filha do que você pode imaginar.
- Faça longas caminhadas com ela. Basta que você a ouça para que, mais cedo ou mais tarde, ela lhe diga tudo que está se passando pela mente dela.
- Lembre-se de que se o lar dela for desestruturado o resto da vida também será.
- Ensine-a a ter respeito próprio.
- Não a deixe faltar na escola a fim de arrumar o cabelo para uma festa, a menos que você queira ter uma filha que vive em função de acontecimentos sociais.
- Lembre-se de que, para ela, você é a definição de homem. Se você beber, fumar ou usar drogas, é bem provável que os outros homens da vida dela façam o mesmo.
- Entenda que, quando ela tiver 15 anos, estiver vestida de preto, com o cabelo preso e maquiada, você pensará duas vezes antes de deixá-la sair de casa.
- Quando ela estiver no penúltimo ano do ensino médio, visite algumas universidades com ela. (Não é hora de ficar todo emotivo. Você terá tempo de sobra para isso depois.)
- Haverá ocasiões em que lhe parecerá mais confortável espetar agulhas nos olhos do que ter certas conversas com ela. É nessas horas que você precisará agir como pai.
- Prepare-se para o dia em que você deixará de ser o homem mais importante da vida dela.
- Converse com ela sobre as três chaves da sabedoria: não acreditar em tudo que se ouve, não gastar tudo que se tem, não dormir o tanto que se deseja.

Essas três coisas só se tornarão mais fáceis para ela depois que se formar na faculdade.
- Olhe o quarto dela. Veja os quadros, pôsteres, fotos, lembranças. Essas são as recordações de sua filha. Essa foi a infância que você proporcionou para ela.
- Lembre-se de que ela partirá seu coração quando sair de casa. Mas você sobreviverá.
- Diga-lhe que ela é a filha que você sempre sonhou ter.
- No final, abra as mãos e libere-a.

Está sentindo um nó na garganta? Se não estiver, volte e leia as sugestões novamente.

11 Cinderela no baile

Pouco tempo atrás, tive o prazer de convidar um casal especial, Randy e Lisa Wilson, para participar do programa de rádio Focus on the Family. Randy é diretor nacional de ministérios eclesiásticos do Family Research Council, autor e criador de um conceito chamado Baile da Pureza, que se tornou fenômeno nacional e internacional. Lisa é mãe de sete filhos extraordinários para os quais ela lecionou em casa.[1]

A família Wilson apareceu em vários programas de televisão, como *Glenn Beck*, *Today*, da NBC, *ABC World News Tonight*, *Dr. Phil*, *Good Morning America*, *The Tonight Show*, *The View* e *The Tyra Banks Show*, além de noticiários noturnos. Pessoas do mundo inteiro têm buscado mais informações sobre o conceito com o qual essa família trabalha.

Revistas e jornais como *Glamour*, *O, The Oprah Magazine*, *The Economist*, *USA Today*, *Rocky Mountain News*, *Denver Post* e vários outros publicaram artigos sobre o Baile da Pureza. Randy e Lisa também deram entrevistas para diversos programas de rádio nos Estados Unidos, Canadá, Irlanda e Inglaterra.

O *site* do Baile da Pureza descreve seu conceito básico e explica a fonte de todo esse interesse.

> O Baile da Pureza para pais e filhas é uma cerimônia inesquecível na qual os pais assinam o compromisso de serem homens responsáveis e íntegros em todas as áreas da pureza. O compromisso inclui, ainda, o voto de protegerem as filhas nas escolhas relacionadas à pureza. As filhas se comprometem silenciosamente a viver de modo puro diante de Deus por meio do gesto simbólico de colocar uma

rosa branca aos pés da cruz. Uma vez que consideramos nossas filhas princesas (1Pe 3.4 diz que são "de grande valor para Deus"), desejamos tratá-las como tais.

"Não há como medir o valor do olhar de uma garotinha de 11 anos para você (enquanto ambos aprendem, sem muito jeito, a dançar o foxtrote juntos), cheio de inocência e alegria incontida que diz: 'Papai, estou tão emocionada!'", comenta Wesley Tullis em uma carta na qual fala de sua grata participação. "Compareci a dois bailes da pureza com minhas filhas Sarah e Anna. É impossível descrever o que vi no doce espírito delas, em sua alma delicada, ainda em formação, quando as levei para seu primeiro grande baile. Todo seu ser absorve a atenção que lhes ofereço com amor, e o resultado é uma sensação radiante de valor próprio e identidade". Pense nesse evento do ponto de vista [da filha]. [Uma menina escreveu:] "Meu papai me considera bela a minha própria maneira. Ele me trata com respeito e honra. Ele separou tempo para se divertir e até passar vergonha aprendendo a dançar. Meu papai me ama de verdade!".[2]

O jornal *The New York Times* publicou um artigo de página inteira sobre o Baile da Pureza, redigido por Neela Banerjee e intitulado "Dançando a noite toda, com um propósito mais elevado". No artigo, Banerjee descreve o nono Baile da Pureza para pais e filhas, um evento anual no qual setenta moças trajando vestido longo, com penteado elaborado e tiara, entraram no salão de baile do Hotel Broadmoor acompanhadas de pais, padrastos e até futuros sogros.

Banerjee observa: "As duas primeiras horas do evento foram como qualquer programa de filhas um tanto acanhadas com os pais. Os homens falaram a maior parte do tempo enquanto as meninas se concentravam em cortar o frango. Depois da sobremesa, porém, 63 homens se levantaram e leram em voz alta um voto "firmado diante de Deus, de proporcionar a minha filha autoridade e proteção na área da pureza".[3]

Randy e Lisa organizaram os primeiros bailes da pureza para pais e filhas mais de dez anos atrás, quando as filhas deles estavam entrando na adolescência. "A sociedade diz que você pode dormir com quantas pessoas quiser", comenta Khrystian Wilson, de 20 anos, "mas o que se ganha com isso, além de caos total?".

Tendo em vista que o sexo antes do casamento é particularmente destrutivo para as garotas, o pai desempenha um papel fundamental em ajudá-las a permanecer puras. "Uma das coisas que preciso de meu pai é afirmação, é ouvir ele dizer que sou bonita", diz Jordyn Wilson, de 19 anos, outra filha de Randy e Lisa. "Se não recebermos afirmação em casa, iremos procurá-la na sociedade e obtê-la de outros".

No artigo do jornal *The New York Times*, Banerjee faz referência a vários estudos recentes que indicam como o relacionamento próximo entre pais e filhas pode reduzir o risco de atividade sexual e gravidez na adolescência entre meninas. Por esse motivo, o baile focaliza, na verdade, os pais e pede que sirvam de exemplo para as filhas ao viverem de acordo com padrões morais e espirituais elevados.

Nossa entrevista no estúdio de rádio com o casal Wilson e três de seus filhos foi um dos programas de maior audiência do ano. Comecei a conversa perguntando a Randy como o Baile da Pureza havia começado. Ele respondeu que o objetivo nunca fora começar o movimento que se desenvolveu desde então. Antes, a intenção era celebrar a transição para a vida adulta de sua filha mais velha, Lauren, que estava para completar 13 anos. Não tinham nenhuma outra ambição. Todo o resto simplesmente se desenvolveu dessa ideia. Em pouco tempo, ficou evidente que outras famílias desejavam fazer o mesmo para suas filhas.

Em seguida, perguntei a Lisa por que ela se dedicou inteiramente a lecionar para todos os filhos em casa. Os olhos dela se encheram de lágrimas, e ela disse: "Você vai me deixar emocionada". Seguiu-se este diálogo:

> **Lisa**: A Escritura diz que o temor de Deus é o início da sabedoria, e queríamos ensinar nossos filhos a reverenciar o Senhor. Randy e eu nos ajoelhamos diante de Deus e perguntamos: "Como educar nossos filhos de modo que eles te conheçam e temam?". O Senhor mostrou que estava nos chamando a lecionar para nossos filhos em casa, e nós atendemos a esse chamado. Foi a decisão mais acertada que poderíamos ter tomado. Grande parte dessa instrução consiste em abrir a Palavra de Deus todos os dias, pois ela é base para todo o resto. É uma grande honra apresentar Deus, o Pai, para nossos filhos.

James Dobson: Lecionar para os filhos em casa também deve ter sido um sacrifício para você, tanto em termos financeiros quanto pessoais, não é?

Lisa: Sem dúvida. Ao longo de minha vida adulta, tive de dizer não muitas vezes: não para atividades e oportunidades interessantes. Mas atividade não promove intimidade. Em vez disso, reúno meus filhos ao meu redor e olho no rosto deles todos os dias. É uma bênção enorme. Não há chamado mais sublime que investir no coração e na alma de nossas crianças preciosas.

JD: Randy, você valoriza o que Lisa tem feito por sua família?

Randy: Provérbios 19 diz que a esposa é uma dádiva de Deus, e, sem dúvida, a Lisa tem sido uma dádiva para mim.

JD: Minha esposa, Shirley, também é um tesouro para mim. Agora, gostaria de saber mais detalhes sobre o Baile da Pureza e os conceitos por trás dele. Há vários anos, tenho trabalhado em um livro que reflete minha preocupação crescente com as meninas de hoje. Minhas pesquisas não deixam dúvida de que milhões de meninas têm problemas sérios, e a situação piora a cada dia. Como você interpreta a influência da cultura sobre nossos filhos?

Randy: Temos aí fora uma geração de meninas perdidas resultante, principalmente, da ausência de pais comprometidos. Muitos homens não se interessam nem se envolvem com o próprio lar. Sua presença, contudo, é fundamental para desenvolver, tanto nos meninos quanto nas meninas, um forte senso de identidade e confiança própria e para ajudá-los a entender em que eles creem. Há uma carência desse tipo de envolvimento na sociedade de hoje. Na falta de homens dedicados, jovens de ambos os sexos lutam contra uma porção de desafios.

JD: A curiosidade da mídia popular com o que vocês têm feito é evidente. Tanto quanto eu sei, vocês nunca contrataram um assessor de imprensa para apresentar suas ideias ao público. Ainda assim, bailes da pureza parecem estar surgindo em todo lugar. Com quanta exatidão a imprensa tem retratado seus objetivos e intenções?

Randy: Os repórteres não entendem o que estamos tentando fazer; parecem não querer entender. Abordam-nos com um conjunto preestabelecido de ideias e, ao escreverem, fornecem sua própria interpretação. Por exemplo, estava conversando com a repórter do jornal *The New York Times* enquanto as meninas ensaiavam antes do baile, em Colorado Springs. Eu lhe disse: "Há mais de um ano, contamos essa história para várias organizações da mídia e sempre digo a mesma coisa. A ideia central do Baile da Pureza é levar os pais a assumirem suas responsabilidades. É definir um padrão de integridade para as filhas e ajudá-las a desenvolver relacionamentos saudáveis. Nosso objetivo não é controlar as meninas".

Não obstante, os repórteres continuam a relatar exatamente o oposto. Acusam-nos de sermos excessivamente patriarcais e de superprotegermos as meninas. É uma distorção. Estamos tentando apoiar nossas filhas e ajudá-las a resistir a uma cultura confusa que pode ser prejudicial para elas. Como é possível alguém criticar o esforço de pais que desejam demonstrar amor pelas filhas e prometem viver de modo íntegro diante delas? De acordo com a mídia, trata-se de algo "extremamente controverso".

JD: Vocês também transmitem uma mensagem para os rapazes que participam da vida de suas filhas, não é?

Randy: Sim. O Baile da Pureza visa a oferecer um modelo para nossos filhos também e a lhes mostrar como devem tratar as mulheres do convívio deles.

JD: Conte mais sobre o baile e sobre o que acontece nessa noite encantada.

Lisa: Depois de um jantar maravilhoso, Randy apresenta um desafio aos homens sobre suas responsabilidades como pais. Convida-os a se colocarem no meio do salão, onde formam um círculo em volta das meninas que estão em pé ali, todas resplandecentes em seu vestido de baile. Os pais colocam as mãos sobre as filhas e, juntos, oram para ter pureza de mente e corpo. Em seguida, os homens leem o voto em voz alta.

JD: Vocês trouxeram uma cópia do voto. Poderiam lê-la para nós?

Randy: Estas foram as palavras que eu disse a Lauren, nossa filha mais velha: "Eu, pai de Lauren, escolho, diante de Deus, ser a autoridade e o protetor de minha filha na área da pureza. Serei puro em minha própria vida como homem, marido e pai. Serei um homem íntegro e responsável ao liderar, guiar e orar por minha filha e minha família como sumo sacerdote do lar. E essa proteção será usada por Deus para influenciar as gerações vindouras".

Lisa: Em seguida, pode-se ouvir as máquinas fotográficas por todo o salão, registrando o instante em que os pais assinam esse voto.

JD: E lágrimas correndo pelo rosto de muitos, sem dúvida.

Lisa: Com certeza! É um momento muito forte. As filhas também assinam como testemunhas do voto.

Randy: É um momento sagrado.

JD: É como uma noite de Cinderela, com tudo, menos o sapatinho de cristal e a carruagem de abóbora.

[Uma das filhas, presente no estúdio, comentou: "Com certeza. É o máximo, e a gente se sente muito amada".]

Outra filha escreveu a seguinte descrição sobre o voto: "Quando todos os pais se levantaram a fim de ler o voto para as filhas, senti o poder daquelas palavras chegar ao fundo de meu coração. Meu pai prometeu, por amor a mim, levar uma vida de integridade e pureza. Assinou o nome dele, e eu assinei o meu como testemunha de suas palavras. E, quando ele me acompanhou até a pista de dança, senti-me fortalecida pela promessa dele de lutar por meu coração por meio de uma vida de pureza e soube que minha vida havia mudado para sempre".

Lisa: Convidamos pais que adotaram órfãs na África. Padrastos, tios e avós também participaram dos bailes. Uma mulher de mais de 40 anos telefonou para o pai, de 79 anos, com o qual nunca havia tido um bom relacionamento. A princípio, ele recusou o convite, mas depois resolveu comparecer. Vimos esse homem dançar com a filha a noite toda, com lágrimas correndo pelo rosto. Na manhã seguinte, ele entregou o coração a Cristo...

JD: Que coisa incrível.

Lisa: Não é emocionante?

Randy: O Baile da Pureza abre o coração do pai. Pela primeira vez na vida, esse homem de mais idade proferiu uma bênção para a filha dele. A nosso ver, é um meio de honrar e valorizar nossas filhas. É um chamado para os pais resgatarem sua área de responsabilidade. É um chamado para restaurar aquilo que foi abdicado em nossa cultura e renovar e restabelecer o relacionamento entre pai e filha.

Lisa: A Bíblia mostra vários exemplos de pais abençoando os filhos. Para simbolizar essa bênção, os pais apresentam espadas junto à cruz a fim de mostrar a determinação de proteger as filhas. Em seguida, pais e filhas se ajoelham, e as filhas colocam rosas brancas aos pés da cruz para representar integridade e pureza diante de Deus. É lindo!

Também temos microfones disponíveis para que os pais possam abençoar as filhas e vice-versa. Ao longo de todo o evento, há sempre indivíduos esperando para falar. É emocionante tanto para as meninas quanto para os pais. Nossa cultura não tem lugar para expressar honra e bênção entre diferentes gerações, mas é o que acontece nesses eventos, e é extremamente tocante ver essa expressão. No ponto culminante da programação, os pais começam a dançar com as filhas, outra coisa muito bonita de se ver.

JD: Você veio de uma família disfuncional, não?

Lisa: Sim. Meu pai abandonou minha mãe quando eu tinha 2 anos. Aos 21 anos, minha mãe tinha três filhos para cuidar. Meu pai passou o resto da vida tentando, sem sucesso, reatar o relacionamento comigo. Seis semanas antes de ele falecer [emocionada], ele me olhou nos olhos e disse: "Só queria que você soubesse que eu sinto muito e gostaria de poder fazer tudo de novo, de uma forma diferente".

Quando olho para meu marido que se coloca diante dos nossos filhos toda semana, põe a mão sobre a cabeça deles e os abençoa, não consigo conter as lágrimas, pois estamos recuperando território que havia sido perdido. Muitos pais vivem com arrependimentos, mas Deus pode redimir o que foi perdido; é algo que está acontecendo.

JD: O que vocês dizem à mãe sozinha que tem uma filha, mas não tem marido para proteger e defender essa menina?

Randy: Costumamos perguntar se há um avô, irmão mais velho ou tio que possa tomar o lugar do pai. Ouvimos vários casos de homens de outras famílias que levam uma menina ao Baile da Pureza e se comprometem a ser a figura paterna da qual ela necessita. Dizem: "Lutarei por você. Estarei ao seu lado como mentor e modelo enquanto você trilha esse caminho de vida".

JD: Um homem pode contribuir de forma importante para a vida de uma menina que não tem pai ou cujo pai saiu de cena.

Randy: Ouço muitos pais comentarem sobre como as filhas falam do evento o tempo todo no caminho de volta para casa e perguntam se o pai pode levá-las de novo no ano seguinte.

John Fuller (coapresentador): Randy, voltando a algo que o dr. Dobson comentou sobre os homens antes de entrarmos no ar, é possível que alguns sujeitos estejam um tanto aflitos. Sentem-se atraídos por aquilo que você e Lisa disseram, mas estão pensando: "Fiz tudo errado e não tenho mais como consertar as coisas". Mas você diz: "Nunca é tarde demais. Participe do baile e levante-se na frente de outros pais. Faça um voto, dance com sua filha. Seja o homem que ela precisa que você seja". Como incentivar esses homens a dar o primeiro passo?

Randy: Eles podem começar conversando com as filhas. Podem levá-las para tomar um lanche ou jantar em um restaurante e fazer algumas perguntas do tipo: "Gostaria que você me dissesse o que precisa que eu lhe dê", "Qual é seu maior medo?", "Qual é sua maior alegria?", "Se você pudesse ter qualquer coisa que quisesse na vida, o que seria?". As respostas são janelas para a alma das filhas. Essa conversa pode servir para iniciar um relacionamento totalmente novo. O Baile da Pureza pode também dar acesso ao coração da filha.

John: Alguns homens ficam sem jeito?

Randy: Com certeza, mas é extremamente fácil. Estarão em um salão junto com vários outros homens. Só precisam olhar em volta e fazer como os outros.

Lisa: Haverá outros que estarão participando pela primeira vez. Haverá padrastos representando famílias de um segundo casamento. Vemos esses homens fazerem coisas das quais jamais se imaginaram capazes. Alguns usam o microfone para pedir perdão por não terem sido presentes na vida das filhas. É um recomeço para eles. E choramos com eles porque o Pai celestial, com seu coração de Pai, os está conduzindo. Afinal, essa é a história da salvação: pedir perdão e ver Deus se manifestar.

JD: Que testemunho poderoso. Enquanto você falava, eu estava pensando em algo. Se eu tivesse dúvidas quanto ao relacionamento com minha filha, a primeira pergunta que eu lhe faria seria: "Você faz ideia [emocionado] de quanto eu te amo?". É um excelente ponto de partida...

Lisa: É sim.

JD: Precisamos encerrar nossa conversa. Antes disso, porém, gostaria que Randy nos falasse sobre o rumo que o Baile da Pureza está tomando.

Randy: Na verdade, dr. Dobson, não sabíamos para onde o movimento estava caminhando dez anos atrás e ainda não temos muita certeza de seu rumo. Posso dizer apenas que ele tem crescido e se espalhado. Desde a reportagem no jornal *The New York Times*, tenho recebido muitos *e-mails* de vários lugares perguntando se há um Baile da Pureza neste ou naquele estado. Tenho dito para essas pessoas começarem o evento em sua comunidade e sugerirem aos pais que o façam. Não podemos viajar pelo país para organizar esses eventos, mas as pessoas podem vir a Colorado Springs e participar de um dos nossos bailes. E...

Lisa: Pessoas de dezessete países pediram informações. Algumas delas nos telefonaram usando intérpretes para perguntar sobre o Baile da Pureza. A rede de televisão Al Jazeera entrou em contato conosco e...

JD: Vocês ainda não viram nada. O programa Focus on the Family chega a 150 países. [risos] Não poderíamos encerrar a entrevista sem fornecer detalhes sobre como as famílias interessadas podem obter mais informações sobre o conceito do Baile da Pureza.

Randy: Os interessados podem adquirir um *kit* sobre o Baile da Pureza no *site* <http://www.fatherdaughterpurityball.com>. Também podem encontrar informações sobre nosso livro, *Celebrations of Faith*, e outras novidades. Entrem em contato conosco, atenderemos ao seu pedido e começaremos a dialogar.

JD: Para finalizar, Randy, resuma para nós a sua mensagem.

Randy: Pedimos que famílias se curvem diante de Deus e lhe perguntem o que ele quer que seja feito em sua vida, seu lar e sua comunidade nesta geração. Creio que ele ouvirá o clamor do coração delas e começará a promover cura. E, se Deus é por nós, quem será contra nós?

* * *

No dia 21 de maio de 2008, o cantor cristão Steve Curtis Chapman e a esposa, Mary Beth, perderam sua filha querida de 5 anos, Maria Sue, que foi atropelada por um carro. A forma como essa família forte lidou com a morte de Maria Sue tem sido exemplo de fé e coragem para outras famílias que passam por tragédias. Pouco depois do acidente, Steven lançou um tributo comovente a sua filha querida, intitulado "Cinderela".

Eis a letra profundamente tocante dessa canção:

> Ela rodopia e balança com qualquer canção,
> Sem nenhuma preocupação.
> E eu aqui sentado com o peso do mundo sobre os ombros.
> O dia foi longo, e ainda há o que fazer,
> Ela me puxa e diz: "Pai, preciso de você!
> Há um baile no castelo. Eu fui convidada e preciso ensaiar os passos de dança.
> Por favor, papai. Por favor!"
> Dançarei com a Cinderela,
> Enquanto aqui em meus braços ela estiver,
> Pois sei de algo que o príncipe nunca entendeu.

Dançarei com a Cinderela,
Não quero perder nem uma canção sequer,
Pois logo o relógio baterá meia-noite
E ela partirá.
Ela diz que ficarei impressionado,
O rapaz é um sujeito legal.
Quer saber se gosto do vestido;
Ela diz: "Pai, o baile é semana que vem
e preciso ensaiar os passos de dança.
Por favor, papai. Por favor!".
Dançarei com a Cinderela,
Enquanto aqui em meus braços ela estiver,
Pois sei de algo que o príncipe nunca entendeu.
Dançarei com a Cinderela,
Não quero perder nem uma canção sequer,
Pois logo o relógio baterá meia-noite
E ela partirá.
Ela partirá.
Ela voltou para casa hoje,
Com uma aliança no dedo,
Radiante, contando o que haviam planejado.
Ela diz: "Pai, ainda faltam seis meses para o casamento,
Mas preciso ensaiar os passos de dança.
Por favor, papai. Por favor!"
Dançarei com a Cinderela,
Enquanto aqui em meus braços ela estiver,
Pois sei de algo que o príncipe nunca entendeu.
Dançarei com a Cinderela,
Não quero perder nem uma canção sequer,
Pois logo o relógio baterá meia-noite
E ela partirá.[4]

12 A obsessão com a beleza

O CONCEITO DE CINDERELA e outras princesas lendárias da "terra do faz de conta" cativa o coração de quase todas as garotinhas de hoje. Graças ao gênio criativo do falecido Walt Disney e da empresa que ele fundou, o movimento das princesas, como é conhecido, exerce impacto considerável sobre mais uma geração de meninas. Também gera mais de 3 bilhões de dólares por ano em vendas para a organização Disney.[1]

Peggy Orenstein comentou sobre esse fenômeno em *The New York Times*:

> Estamos vivendo um momento de realeza. Chamar as princesas de "tendência" entre as meninas é como dizer que Harry Potter é apenas um livro. Existem, hoje, mais de 25 mil itens das princesas da Disney [...]. E elas estão a caminho de se tornar a maior linha de produtos para meninas no planeta [...]. Ao que parece, o cor-de-rosa é o novo ouro.[2]

Eis como a colunista e professora universitária de inglês Beth Thames, do *Huntsville Times* (do Alabama), descreve o movimento das princesas em seu artigo intitulado "Linda de rosa, mas também poderosa":

> Estou presa em um mundo de princesas.
>
> Nesse mundo, tudo é cor-de-rosa, desde os lençóis na cama até a mochila no canto e as fantasias graciosas, feitas de tule e *voile*.
>
> Rostos de princesas sorriem das prateleiras de brinquedos e cabides de casacos, um panteão do poder das princesas.
>
> E de poder de *marketing*. A equipe da Disney reuniu todas as suas personagens femininas e, "Bibidi-babidi-bo", agora temos uma equipe de princesas,

constituída de membros bem conhecidos, como Branca de Neve e Cinderela, bem como Ariel e Bela, sejam lá quem forem.

Cada princesa tem um enredo e até uma receita para seu prato predileto. No forno cor-de-rosa das princesas, uma voz informa os ingredientes para a torta de abóbora da Cinderela (entendeu?) e para a sobremesa de maçã da Branca de Neve. O bule de chá assobia, e o chá é servido com bananas, cachorros-quentes e bolinhos, tudo de plástico.

Princesas vivem de bolinhos. E a Disney vive dos dólares das princesas que, com certeza, são cor-de-rosa.

Um passeio pelos *shopping centers* de Huntsville fornece amplas evidências do poder das princesas. Lojas de brinquedos oferecem jogos de chá, vestidos e quebra-cabeças de princesas. Há CDs e filmes de princesas.

Todas as princesas têm voz parecida, de modo que é difícil identificar se você está ouvindo Branca de Neve ou Pocahontas, esta última coroada princesa honorária em consonância com o espírito de diversidade cultural. Todas as vozes de princesas são doces e melodiosas.

Só porque todas nós lemos Branca de Neve, como provavelmente foi o caso, isso não significa que nos tornaremos adultas a fim de cozinhar e fazer faxina para sete homenzinhos, escondendo-nos na floresta densa da madrasta perversa que deseja acabar conosco.[3]

A questão que precisa ser respondida é: Por que as meninas se encantam tanto com a fantasia de princesa? Desde muito pequena, nossa filha, Danae, era fascinada por ela. Eu lhe perguntei o que tornava o mundo das princesas tão cativante. Eis o que ela escreveu em resposta:

1. *Beleza*. Toda menina deseja ser considerada fisicamente atraente, e as princesas representam o ápice da beleza. De acordo com o espelho mágico, Branca de Neve é "a mais bela de todas as mulheres", e todos os olhos se voltam para Cinderela no alto da escadaria quando ela entra no salão de baile. (Até mesmo os músicos param de tocar por um instante.) Um dos presentes que Bela Adormecida recebeu das fadas madrinhas quando nasceu foi a beleza. A descrição da bênção, conferida na forma de canção, inclui frases do tipo: "Ouro dos raios de sol em seus cabelos" e "lábios de fazer inveja a uma rosa vermelha [...] por onde ela andar, a primavera a acompanhará".

2. *Canções*. Todas as princesas da Disney têm voz linda, e alguns dos enredos se baseiam nesse talento. Aurora (a Bela Adormecida) também recebe o dom de cantar quando nasce, e é sua voz extraordinária que atrai o príncipe Filipe na floresta. A Pequena Sereia tinha uma voz tão linda que o vilão perguntou se ela não desejava trocá-la pela capacidade de andar em terra seca. Branca de Neve e Cinderela também cantam alegremente enquanto se dedicam aos afazeres domésticos (uma de suas canções se chama "Assobie enquanto trabalha"), e todas as princesas cantam sobre seus sonhos em vez de falar a respeito deles.

3. *Roupas lindas*. As princesas usam vestidos maravilhosos, de cores vivas, e as meninas adoram imitar suas heroínas, vestindo trajes parecidos. É só ir à Disneylândia (ou a Disney World) e você verá uma porção de miniaturas de Branca de Neve, Bela e Cinderela andando pelo parque com suas fantasias prediletas de princesas.

4. *Pretendentes charmosos*. A princesa sempre é galanteada por um pretendente bonitão, em geral um príncipe, alguém que qualquer menina do reino gostaria de ter para si. Depois de muitos encontros e desencontros ao longo da história, no final a princesa sempre consegue ficar com o amor de sua vida. Até mesmo na história da Bela e a Fera, quando a maldição sobre o castelo é quebrada, a Fera se transforma em um príncipe charmoso, e ele e Bela dançam juntos no salão de bailes.

5. *Da pobreza à riqueza*. Algumas das princesas já fazem parte da realeza (Ariel e Jasmine), outras alcançam esse *status* ao se casarem com o príncipe (Cinderela e Bela), e outras, ainda, nascem princesas (Branca de Neve e Aurora), mas só conseguem desfrutar a vida de luxo no final da história. Todas elas têm um elemento em comum: no final, vão viver em um castelo com o homem de seus sonhos e riquezas incontáveis (suficientes para comprar todos os vestidos lindos que desejarem).

6. *E viveram felizes para sempre*. É o que acontece com todas as princesas da Disney, mas, infelizmente, não com o resto das pessoas. Não obstante, o conceito de se casar com um príncipe encantado e viver feliz para sempre (sem conflitos ou problemas) atrai as jovens sonhadoras que esperam, um dia, ter o mesmo privilégio. "Felizes para sempre" soa tão romântico e atraente, não?

7. *Sonhos que se realizam*. A princesa expressa seus desejos e sonhos no início da história e, no final, eles sempre se realizam. Assim como Cinderela canta com tanta eloquência no início do filme: "Não importa a mágoa que você

carrega, se você continuar acreditando, o sonho que você deseja se realizará". E Branca de Neve canta junto ao poço dos desejos: "Um dia, meu príncipe virá...".

Ser princesa é ser considerada linda, ser cortejada e ver todas as suas esperanças e seus sonhos se realizarem. Diante disso tudo, quem não gostaria de ser princesa?

Não é difícil entender por que as garotinhas desejam fazer parte desse clube feliz. A fim de explorar o fenômeno mais a fundo, porém, perguntei a uma jovem mãe muito perceptiva, Kristin Salladin, o que levou suas filhas adolescentes a se envolverem tanto na fantasia de princesa desde pequenas. Eis o que Kristin escreveu:

> A maioria das meninas *adora* romance, e as princesas preenchem essa necessidade mais do que qualquer outra coisa. Ser uma princesa também celebra as meninas e sua feminilidade. Também nos distingue dos meninos. Minhas filhas, Jenna e Julia, de 16 e 17 anos, ainda gostam de se vestir de princesas da Disney no Halloween. Ao mesmo tempo, adoram ler as histórias de Ester e Rute na Bíblia. As meninas se sentem atraídas por histórias de garotas bonitas e bem-sucedidas que conseguem o "cara certo" ou príncipe encantado; a Disney capitalizou esse desejo e soube aproveitar o momento apropriado.

Muito bem colocado, Kristin! Quase toda garotinha compartilha do gosto de sua mãe por amor e romance, e o sonho das princesas sempre inclui um elemento romântico. Dá expressão ao anseio interior por amar e ser amada e viver "feliz para sempre". Esses e vários outros fatores são a força motriz da fantasia de Cinderela.

Perguntei a opinião de outra jovem mãe, Riann Zuetel, sobre o conceito das princesas. Seu ponto de vista é um pouco diferente:

> A meu ver, o desejo de ser princesa vai além da vontade de ser bonita. Meninas e mulheres anseiam ser tratadas como pessoas especiais e preciosas. É comum a sociedade tratar as mulheres como objetos sexuais sem cérebro, colocadas neste planeta para satisfazer os desejos dos homens, por vezes às custas de seu senso de valor próprio. As meninas crescem sendo bombardeadas com essas mensagens

pela mídia, como se pode ver, por exemplo, nos canais E!, MTV e BET, em emissoras de rádio que tocam música *pop* e em periódicos como *Cosmopolitan* e outras revistas para adolescentes. Crianças pequenas e especialmente meninas adolescentes têm uma percepção aguçada dessas imagens negativas.

Imagino que as mães dessas meninas desejam que suas filhas sejam tratadas como pessoas inteligentes, respeitadas, igualmente valiosas e capazes de contribuir para a sociedade. Esse é um dos motivos pelos quais mães vestem suas filhas com fantasias de princesa na esperança de mudar a atitude das meninas em relação a si mesmas e a outras mulheres.

Quando uma menina se vê como princesa, sente-se valorizada por quem ela é. Ser bonita é apenas a cobertura do bolo, por assim dizer. Ela não é inferior a ninguém; antes, é preciosa e especial. Mais importante ainda é o fato de ela ser segura de si o suficiente para esperar pelo príncipe encantado e não se contentar com qualquer sujeito de segunda categoria, por mais longa que seja a espera.

Também concordo com o ponto de vista de Riann. O movimento das princesas ajuda a contrabalançar parte da mensagem degradante que as meninas recebem. Como vimos, o universo da moda e do entretenimento continua a anunciar uma variedade infindável de produtos extremamente sexualizados para pré-adolescentes e até crianças em idade pré-escolar. Essas crianças são forçadas a desenvolver comportamentos adolescentes muito antes de estarem preparadas para lidar com a adolescência em si. Muitas mães entendem esse fato e buscam um refúgio seguro para suas filhas. Cinderela e suas irmãs princesas ajudam a prover esse refúgio.

Evidentemente, nem todos se encantam com o reaparecimento do movimento das princesas. Algumas feministas o criticam acidamente há anos. Aliás, há uma discussão enérgica em andamento entre estudiosos que temem que as fantasias estejam solapando uma ideologia politicamente correta. A escritora Jennifer Dowd se preocupa, por exemplo, com o fato de as princesas transmitirem às crianças a ideia de que "as mulheres são mais fracas do que os homens".[4] A última coisa que esses críticos desejam é que as meninas leiam sobre donzelas em apuros que são salvas por príncipes encantados. Não conseguem escapar do dilema, porém, de que suas filhas adoram as princesas.

Peggy Orenstein, que considera o movimento "preocupante" e reconhece sua situação conflituosa com respeito à própria filha, diz:

> Como mãe feminista [...] fui pega de surpresa pela febre das princesas e a cultura cor-de-rosa que se desenvolveu em torno dessa moda. O que aconteceu com o William[5] que queria uma boneca e com a ordem para não colocar um avental no gato?[6] Onde foi parar Marlo Thomas?[7] Vejo outras mães como eu, mulheres que, em outros tempos, juraram que jamais dependeriam de um homem, sorrirem complacentemente para as filhas que cantarolam "Então isso é amor"[8] ou insistem em serem chamadas de Branca de Neve. Pergunto-me se cederiam com tanta facilidade a filhos que pedissem uniforme de combate e fuzil AK-47.
>
> Mais especificamente, quando minha própria filha se dirige todos os dias para o cantinho das fantasias na sala da pré-escola (estou convencida de que sua principal intenção é me torturar), preocupo-me com o que ela está aprendendo ao brincar de Pequena Sereia. Passei grande parte de minha carreira escrevendo sobre as experiências que prejudicam o bem-estar das meninas, advertindo pais de que a preocupação com o corpo e a beleza (incentivada por filmes, programas de TV, revistas — e não vamos nos esquecer dos brinquedos) é nociva para a saúde física e mental de suas filhas. Será que agora devo dar de ombros e esquecer tudo isso? Se lançar mão de estereótipos não é problemático aos 3 anos de idade, quando passa a ser? Aos 6? Oito? Treze?[9]

Sharon Lamb, professora de psicologia na Saint Michael's College, declarou, sem rodeios:

> A tônica da questão é, na verdade, a pureza sexual. E, no final do arco-íris, encontra-se uma armadilha.[10]

Lamb objeta ao fato de a pureza estar em voga outra vez — pelo menos no movimento das princesas —, o que a incomoda, bem como a outros comentaristas liberais. É estranho. Tenho dificuldade em entender por que uma mãe se incomodaria ao ver sua filha ser exposta à pureza. Um dos motivos pelos quais gosto do movimento é a forma como ele fornece exemplos de virtude. As histórias de Disney apresentam, de maneira sutil, uma imagem saudável da virgindade antes do casamento e do amor para o resto da vida depois dele. Também promovem feminilidade, bondade, cortesia, ética profissional, serviço a outros e "boas vibrações" a respeito de si mesma. Em que outra parte da cultura popular encontramos esses valores representados de modo tão atraente?

Rachel Simmons, do Girls Leadership Institute, expressa aprovação às brincadeiras de princesa e elogia a maneira como evitam comportamentos agressivos, como os das gangues de rua que estavam na moda alguns anos atrás. Ela também gosta das roupas tradicionais de princesa, que incentivam as meninas a serem crianças e não modelos ostensivamente sexualizadas. Simmons observa que Cinderela e Branca de Neve não vestem calças *jeans* de quadril baixo e calcinhas fio-dental. Comenta, ainda:

> Afinal de contas, o que o fenômeno das princesas ensina a nossas meninas? Que é divertido se arrumar bem. Que o príncipe pode aparecer a qualquer momento no castelo para beijar a moça ou dançar com ela; mas, depois disso, ele sai de cena. No ambiente das princesas, ele é periférico.
>
> A cultura das princesas é um matriarcado. Diga adeus ao príncipe encantado. O sapatinho pode até servir, e a carruagem pode estar esperando, mas essas princesas são extremamente ocupadas. A água do chá está fervendo e o telefone não para de tocar.
>
> As princesas têm muito que fazer antes de o relógio bater meia-noite.[11]

Orenstein e outras feministas expressam mais duas preocupações que merecem consideração. A primeira diz respeito ao tema eternamente otimista das histórias. No final, tudo dá certo, e "todos vivem felizes para sempre". Orenstein deseja que suas meninas, e as nossas, vivam no mundo real, não em um universo de fantasia. Ela pergunta: "A palavra 'Princesa' escrita na frente da camiseta da menina de 3 anos mudará para 'Mimada' quando ela completar 6 anos, e 'Estrela Pornô' quando ela tiver 12?".[12]

Não vejo nenhuma evidência que corrobore a suposição de que existe uma probabilidade maior de garotinhas que se consideram princesas tornarem-se meninas chatas ou *strippers* quando se aproximarem da adolescência. A meu ver, trata-se de uma suposição ridícula.

Devemos reconhecer, porém, que a vida não é uma jornada de Cinderela, e Orenstein não é a única entre os pais a se preocupar com histórias que "fazem de conta". Mas estamos falando de crianças. Elas terão tempo de sobra para aprender sobre dor, tristeza e outras complicações da vida adulta. Ou, como uma mãe observou, elas têm o resto da vida para se desgastar. Deixemos que as crianças sejam crianças enquanto são crianças.

Orenstein levanta uma última questão a respeito do movimento das princesas, a qual, em minha opinião, é válida e deve ser considerada em maior profundidade. Nem toda garotinha é a "mais linda de todas as mulheres" e se parece com Ariel ou Aurora. Existe, portanto, um aspecto da fantasia de princesa que os pais precisam reconhecer e tratar com sabedoria e sensibilidade. Uma ênfase excessiva sobre a atratividade física ao longo de toda a infância pode gerar expectativas que algumas crianças nunca preencherão. Mais adiante, ofereceremos sugestões a esse respeito. Entrementes, permita-me lembrar que quase tudo na vida tem um lado negativo. Podemos usar ou abusar de brinquedos, livros, desenhos animados, *video games* e da internet. Podemos jogá-los todos fora, como quem joga fora o bebê junto com a água do banho, e tentar proteger nossos filhos de tudo que não seja perfeito.

A melhor abordagem, a meu ver, é analisar cuidadosamente e selecionar a que permitiremos que nossos filhos tenham acesso. Nosso trabalho consiste em ensinar e interpretar para eles aquilo que precisam entender. Eles aprenderão muito mais coisas diretamente de nós do que dos contos de fadas. Podemos lidar com o movimento das princesas dessa maneira. Em última análise, as mães precisarão decidir se permitirão que suas meninas tenham contato com essa e outras formas de faz de conta. Acredito que os benefícios do movimento das princesas excedem os pontos negativos e, sem dúvida, Branca de Neve e sua turma são melhores do que as bonecas Bratz e o universo adolescente da Barbie.

Os pais precisam manter-se extremamente atentos para as pressões que a cultura exerce sobre as crianças. O culto à beleza é tão difundido que influencia todos os aspectos da infância e continua a exercer impacto ao longo de toda a vida.

Tenho escrito sobre esse assunto desde os primeiros anos em que atuei como psicólogo, e essa continua sendo uma de minhas maiores preocupações em relação ao bem-estar das crianças. Tratei da questão no livro *Building Confidence in Your Child* [Como desenvolver a autoconfiança de seu filho] e creio que meu conselho ainda é válido em nossos dias.

A criança começa a aprender bem cedo sobre a importância social da beleza física. Não há como manter os valores da sociedade afastados dos pequenos ouvidos, e muitos adultos nem sequer tentam esconder seus preconceitos. [Toda criança é capaz de perceber] que quem não é atraente não se torna "Miss América", nem líder de torcida, nem estrela de cinema.

É surpreendente como somos eficazes ao ensinar as crianças pequenas a aceitarem o culto à beleza. Na verdade, parecemos obcecados com esse sistema de avaliação do valor humano. Por exemplo, um dos livros aprovados tempos atrás para leitura no quarto ano das escolas estaduais da Califórnia era um conto de fadas sobre três meninas. Duas das meninas eram extremamente belas, com cabelos e traços faciais lindos. Por causa de sua beleza, eram amadas pelas pessoas e receberam reinos para governar. A terceira garotinha era muito feia. Ninguém gostava dela, pois sua aparência não era agradável. Ela não recebeu um reino para governar e ficou triste e magoada. A história termina, porém, em tom animador, pois a garotinha recebe um reino entre os animais. Não é uma solução maravilhosa? Graças a sua falta de beleza, ela foi banida do mundo da elite, como acontece com frequência. Suas imperfeições físicas são descritas de modo consideravelmente detalhado para os leitores do quarto ano, permitindo que identifiquem colegas com as mesmas características na sala de aula. Só uma criança obtusa não seria capaz de notar que a natureza criou bem providos e desprovidos, e que todos os alunos da classe sabem quem se encaixa em cada categoria.

Que sistema de valores mais distorcido nós propagamos! Que danos irreparáveis sofre a criança com dificuldades e cujos pais não intervêm como seus aliados. Ela não tem como se explicar nem se desculpar. Não tem nem como se esconder. Vozes cruéis a seguem por toda parte, sussurrando mensagens perniciosas em seus ouvidos: "As outras crianças não gostam de você", "Viu, eu disse que você não ia conseguir", "Você é diferente", "Você é boba", "Eles te odeiam", "Você não vale nada!". Com o passar do tempo, as vozes se tornam mais altas e urgentes, até suprimirem todos os outros pensamentos do adolescente.[13]

Para exemplificar, apresento a seguir uma carta que recebi há pouco tempo de uma adolescente que está lutando justamente com essa questão.

Prezado dr. Dobson,

Meu nome é Renee. Li seu artigo sobre "A verdadeira beleza" e, apesar de minha infância e educação terem sido bastante estáveis, me identifiquei com o que você escreveu. Nunca sofri abuso nem nada, mas encontrei consolo em suas palavras. Todas as pessoas lidam com algum problema na vida. Em meu caso, é uma autoimagem negativa. Descobri que podia melhorar minha aparência vestindo roupas da última moda e cobrindo meu rosto de maquiagem. Apesar de acreditar que é errado depender das coisas deste mundo, também creio que, ao usar essa forma de esconder minha verdadeira beleza, escondo meu medo. Mesmo que estivesse doente, eu nunca deixava de passar horas na frente do espelho melhorando minha imagem. Meu mundo desabou quando fui proibida de usar maquiagem [suponho que por motivos de saúde]. Sei que para a maioria das pessoas parece besteira, mas tive muita dificuldade em aceitar o que aconteceu. Ficava horas na frente do espelho, com os olhos vermelhos e sem maquiagem, dizendo para mim mesma que era uma pessoa feia, medíocre, boba e sem valor. Acreditava de verdade que me odiava. Meus pais e Deus me ajudaram a passar por essa fase. Creio que a verdadeira luta não foi a proibição de usar maquiagem; foi perceber que era e sou verdadeiramente bela aos olhos Deus. Creio que algumas pessoas precisam ouvir o que estou compartilhando, pois muitos pais e adolescentes não fazem ideia de quantas jovens lutam com isso. Gostaria de saber o que vocês pensam sobre essa questão.

Que Deus os abençoe.

Observe que quem ajudou Renee em sua luta contra a aversão a si mesma foram "os pais e Deus". Peço encarecidamente às mães e aos pais que caminhem lado a lado com seus filhos quando eles estiverem sob pressão. Vocês têm a chave para a sobrevivência deles. Não devemos estar ocupados demais a ponto de não perceber o que está acontecendo. Meus pais atravessaram comigo uma crise semelhante quando eu tinha 13 anos e me ajudaram a entrar em um mundo ensolarado. Vocês podem fazer o mesmo pelos filhos que precisam desesperadamente de senso de identidade; tratem-nos com dignidade e respeito, mesmo quando, por vezes, não forem dignos desse tratamento. Escolham suas palavras com muito cuidado durante os períodos de maior sensibilidade, e os ajudem a fazer amigos, abrindo seu lar e coração para crianças perdidas e em busca de um refúgio. Não há respostas mágicas, mas há *boas* respostas. Lembrem-se de que a menina que está tirando vocês do sério agora um dia será sua melhor amiga se vocês a tratarem com carinho.

Renee e milhões de garotas de sua geração são vítimas de paradigmas falsos que medem o valor pessoal com base em padrões temporais, desonestos e tirânicos. A mídia e a indústria do entretenimento são culpadas, em medida considerável, por esse sistema: louvam imagens de perfeição física, como as de "supermodelos", "coelhinhas da *Playboy*", "gatas" e "colírios". Não apenas nos Estados Unidos, mas ao redor do planeta, o efeito cumulativo disso tudo sobre crianças e adolescentes é profundo.

Vejamos, agora, o outro lado da moeda. Aqueles que são abençoados com beleza muitas vezes têm seus próprios conflitos. Considere a experiência de Farrah Fawcett, uma das mulheres mais atraentes do mundo. Já no ensino médio ela era absolutamente linda e se tornou uma versão humana da Barbie. No primeiro ano da faculdade, os estudantes organizaram uma festa na qual os rapazes eram convidados a escolher qual garota dentre as universitárias eles gostariam de conhecer. A maioria das garotas foi escolhida por dois ou três rapazes. No caso de Farrah, formou-se uma fila que dava volta no quarteirão e incluía o capitão do time de futebol americano da universidade.[14] Tempos depois, trajando um maiô vermelho, ela posou para um calendário que vendeu mais de 8 milhões de unidades e consolidou sua imagem como "gatinha sensual" internacional.[15]

Farah tinha qualidades com as quais a maioria das outras garotas (sem falar nos rapazes) parecia sonhar e, no entanto, sabemos hoje que ela considerava sua beleza uma maldição. Sua aparência a fazia sentir-se pouco à vontade, pois, quando estava em algum lugar público, tanto homens quanto mulheres olhavam para ela. Acreditava que as pessoas não a levavam a sério como mulher e como atriz.

No auge de sua carreira, comentou: "Existe uma pressão constante para ter uma boa aparência e se sentir bem. Será que você gostaria de ser fotografado todos os dias de sua vida?".[16]

Farrah desenvolveu câncer em 2006 e sofreu um declínio lento e agonizante. Perdeu a cabeleira lendária, as forças e grande parte da beleza. Faleceu em 25 de junho de 2009, aos 62 anos.[17]

Milhões de pessoas que acompanharam sua carreira do começo ao fim se entristeceram por ela ao verem a devastação causada pelo tempo e a enfermidade terrível. Infelizmente, em questão de meses, a pantera admirada por todos se foi.

Essa história tem alguma mensagem sobre nossa cultura maníaca por juventude e beleza? Em caso afirmativo, devemos compartilhar essa mensagem com nossas filhas? Sem sombra de dúvida.

Considere mais um exemplo triste da vida e morte de outro ícone da beleza. Seu nome era Anna Nicole Smith; ela foi modelo da Guess e, em 1993, elegeu-se "coelhinha da *Playboy*" nos Estados Unidos. A modelo era comparada à provocante atriz Jean Harlow e sonhava ser a nova Marylin Monroe. Aos 26 anos, Anna Nicole se casou com um magnata do petróleo texano de 89 anos.[18] A moça morreu em 8 de fevereiro de 2007, depois de ser encontrada inconsciente em um quarto de hotel. A causa da morte foi uma *overdose* de nove tipos de medicamentos.[19] Nesse aspecto, Anna alcançou seu objetivo de ser como Marilyn Monroe: as duas morreram de overdose e sozinhas.

O autor Marc Gellman escreveu um artigo revelador e perturbador sobre Anna Nicole, publicado uma semana depois de sua morte. Como você verá, ele descreve de forma vívida a tragédia de mulheres belas que são tratadas diariamente como "pedaços de carne".

> Aquilo que os homens consideram bonito nas mulheres muda com o tempo. Na Antuérpia do século 16, Peter Paul Rubens ensinou os homens holandeses a desejarem morenas gorduchas e baixinhas. Nos Estados Unidos do século 20, Hugh Hefner ensinou os homens norte-americanos a desejarem loiras de busto grande, mulheres como Anna Nicole Smith. Quaisquer considerações a respeito de seu falecimento devem ter como ponto de partida a tristeza profunda por mais uma morte prematura e desnecessária que feriu nosso mundo. Mulheres de 39 anos não deveriam morrer. Também devemos nos entristecer por sua filha pequena que, não obstante a possível fortuna, está entregue, agora, à sina de crescer sem mãe, assim como Anna Nicole foi levada, pelo mesmo destino cruel,

a crescer sem pai. Em seguida, devemos nos obrigar a lembrar que essa manchete se repete em milhares de histórias não contadas sobre mulheres desconhecidas que morreram, foram mortas ou levadas a vícios fatais só porque eram bonitas. Essas mulheres morreram porque eram carne na mesa de banquete de homens predadores. A morte de cada uma delas não deve ser considerada mero acidente trágico, mas uma advertência para todos nós, especialmente para os homens ensinados a ver as mulheres como objetos de seu prazer, e não como seres humanos criados (conforme diriam os religiosos como eu) à imagem de Deus.

Tratar mulheres, especialmente mulheres bonitas, como carne não é uma patologia social nova nem um pecado inédito. É um problema tão antigo quanto mulheres e homens. Sem dúvida, entre os primeiros hominídeos havia mulheres com pelos corporais deslumbrantes que eram constantemente abordadas e assediadas. Na Bíblia, tratar mulheres como se fossem carne é chamado de prostituição. Em Levítico 19.29, encontramos a seguinte advertência na forma de lei: "Ninguém desonre a sua filha tornando-a uma prostituta, se não, a terra se entregará à prostituição e se encherá de perversidade". Leia isso e diga-me que você não acredita em profecias!

Hoje em dia, o termo politicamente correto para descrever o tratamento de mulheres como se fossem carne é "objetificação". Qualquer que seja o rótulo, a essência dessa perversão da dignidade humana permanece inalterada ao longo dos séculos. A ideia de que metade dos seres humanos do planeta só tem valor por causa de sua aparência física continua sendo uma violação ultrajante da dignidade humana das mulheres.

Anna Nicole era estigmatizada por vir de um contexto de pobreza e ignorância. É uma ilusão cruel, porém, acreditar que somente mulheres bonitas e pobres se tornam vulgares, *strippers* e interesseiras que farão qualquer coisa para sair da miséria. Volta e meia, vejo meninas pequenas da minha sinagoga em um bairro de classe média-alta serem vulgarizadas. Infelizmente, algumas das adolescentes mais brilhantes tentam se emburrecer lá pelos 12 anos a fim de conseguir atrair um namorado que não se intimide com sua inteligência. Também vejo reflexos de Anna Nicole nas mulheres de 20 ou 30 anos cujo vestidinho preto formal revela o busto e esconde o desespero diante da ideia de que lutar por uma carreira significa abandonar a busca por amor e família. O movimento feminista conquistou vitórias importantes em favor do igualitarismo, mas também entregou as mulheres a homens abusadores para os quais a liberdade feminina recém-descoberta é a oportunidade perfeita de abrir mão de toda responsabilidade sexual, respeito e cavalheirismo. É possível se alegrar com essa liberdade recém-descoberta sem distorcer o preço a ser pago por ela.

A dificuldade em tratar mulheres como se fossem pedaços de carne é que muitas das soluções oferecidas são muito piores que o problema. O Talibã ofereceu uma solução fácil e desarrazoada, a saber, transformar as mulheres em prisioneiras. Cobrir completamente as formas femininas com uma burca e excluir as mulheres da vida pública e profissional do Afeganistão é ainda pior do que ser obrigado a ouvir sobre as últimas façanhas de Paris, Lindsay e Britney. Em contrapartida, argumentar que não há nada de errado com as mulheres que exibem o corpo como bem entendem e usufruem de sua sexualidade como acham melhor é igualmente desarrazoado, pois promove a pornografia que vulgariza nossa cultura, degrada as mulheres e provocou a morte de uma mulher cuja filha pequena precisa dela. Temos de achar logo um meio-termo entre puritanismo e pornografia, pois o futuro de nossa cultura e a dignidade de homens e mulheres dependem de encontrarmos esse equilíbrio.

Um passo importante no sentido de aprender a não tratar as mulheres como pedaços de carne é restaurar o vínculo rompido entre amor e sexo. Quando o sexo é visto pela maioria como expressão de amor, a pornografia se torna inviável. Se o sexo não passa de um modo de coçar uma comichão, não tem como ser a consequência física do amor e da confiança. Há quem diga que a melhor maneira de restabelecer esse vínculo entre amor e sexo é o casamento. Concordo, mas esse não precisa ser o primeiro passo para recuperar uma cultura mais recatada. Se homens e mulheres simplesmente decidissem ter sexo apenas com pessoas que amam e nas quais confiam profundamente, nós, como sociedade, teríamos um avanço considerável.

Num mundo assim, Anna Nicole Smith talvez ainda estivesse viva.[20]

Em seu texto, Marc Gellman esclarece uma verdade monumental: nossa cultura hipersexualizada transforma mulheres lindas em prostitutas, e devemos, sempre que possível, proteger nossas filhas da influência dessa cultura.

Não é minha intenção condenar Farrah Fawcett, Anna Nicole Smith, Marilyn Monroe ou qualquer outra deusa lendária que tenha percorrido o caminho solitário rumo à fama e à fortuna. Entristeço-me por elas. Antes, desejo repetir que as percepções de valor humano não devem depender indiscriminadamente da atratividade física. Ademais, como vimos, aqueles que nascem com beleza extraordinária podem não se ver em circunstâncias mais favoráveis que as dos indivíduos de aparência comum. Ser considerado aceitável ou não com base em atributos físicos é prejudicial a todos. Até mesmo os meninos são atingidos por isso hoje em dia.

Antes de concluir, preciso compartilhar mais uma história real. Kim Davis, esposa de um colega meu, reconhece que não foi dotada da beleza pela qual ansiava. A forma como Kim aprendeu a lidar com a aversão que sentia de si mesma e a superá-la é inspiradora e instrutiva. Talvez a experiência dela seja proveitosa para você que está tentando proteger sua pequena Cinderela de uma cultura brutal tanto com os bem providos quanto com os desprovidos. Eis o testemunho de Kim:

A feminilidade começa com respeito próprio

Fui criada em um lar cristão sólido. Meu pai era evangelista e estava sempre viajando e organizando encontros de reavivamento. Durante quatro anos, nossa família inteira o acompanhou em período integral nessas viagens. Vivíamos em um *trailer* de pouco mais de 8 metros de comprimento (dois adultos, quatro crianças e um cachorro!). Lembro-me de que meu pai sempre buscou um relacionamento mais profundo com Deus. À medida que Deus se revelava a ele, meu pai compartilhava essas experiências com a família. Éramos bem unidos e cada um sabia, sem sombra de dúvida, que era amado.

Apesar dessa criação piedosa, eu enfrentava lutas. Desde que consigo me lembrar, estava certa de que era feia e não merecia ser amada. Esses sentimentos moldaram muitas de minhas escolhas e comportamentos na infância e adolescência.

A crise começou quando entrei em uma faculdade cristã conservadora. Lembro-me de ter visto sorrisos ao passar pelo dormitório dos rapazes em um dos primeiros dias depois que cheguei. Senti de imediato em meu coração: *Está vendo só, até aqui eles conhecem você. Kim, você é uma piada! Por que alguém iria te querer?*

Na verdade, os rapazes no dormitório não faziam nem ideia de que eu estava ali, do lado de fora. Estavam rindo sabe-se lá de quê. Mas o inimigo de nossa alma é maldoso e mentiroso. Magoada demais para reconhecê-lo, acreditei em tudo que ele disse.

Minha mãe e minha irmã, que haviam me levado de carro para a cidade onde ficava a faculdade, estavam prontas para a viagem de quatro horas de volta para casa. Nos últimos momentos juntas, eu desabei. Jamais havia desrespeitado minha mãe abertamente, mas meu espírito ferido não podia mais suportar a dor. Gritei para ela: "Por que você me deixou nascer? Não deveria ter permitido que eu vivesse!".

Creio que Deus concedeu a minha mãe uma medida extraordinariamente abundante de graça naquele dia. Ela olhou para mim e, depois de uma pausa momentânea, disse: "Kim, eu não sei o que fazer. Sua vida toda eu lhe disse quanto você é estimada e valiosa. Agora, Deus vai ter de lhe mostrar isso, pois eu não tenho como fazê-lo".

Hoje, tenho um filho na faculdade e não posso imaginar a dor que [minha mãe] sentiu naquele dia quando ela e minha irmã voltaram para casa. Posteriormente, ela me contou que passou um bocado de tempo orando.

Fui para o meu quarto no dormitório e me prostrei diante de Deus. Estava quebrantada e magoada. Clamei ao Senhor e lhe fiz as mesmas perguntas que havia feito a minha mãe: "Por quê, Deus? Por quê? Por que o Senhor deixou que eu nascesse, mesmo sabendo que eu só causaria decepção? Sou feia e não valho nada!". As palavras jorravam de meu coração; a vida inteira, eu sentira medo de ser tão honesta com Deus. Passei horas deitada de bruços no chão. O quarto ficou escuro quando o sol se pôs. Foi então que ouvi: — Kim, você foi formada de modo especial e admirável.

— Não é possível — respondi.

E ele disse, sem palavras: — No ventre de tua mãe eu te teci. Eu conhecia teu nome. Eu te amo e tu és minha.

Deus foi tão paciente comigo. Com calma e ternura, ele me chamou pelo nome e trouxe a minha memória passagens da Bíblia como se as tivesse escrito só para mim. Meu espírito começou a se aquietar, e o Espírito de Deus desceu sobre aquele quarto de maneira maravilhosa. Deus começou a me curar.

Eu estava certa de que era desagradável, desamável e sem valor. Agora sei que era tudo mentira. Por isso considero extremamente importante que as meninas reconheçam seu valor. Se o respeito próprio não se arraigar em nosso coração, jamais seremos capazes de concretizar o pleno potencial de quem Deus nos criou para sermos e jamais poderemos respeitar os outros de fato. Quanto mais me vejo como Deus me vê, mais posso ver os outros como Deus os vê. Sou professora desde 1984. Ao longo dos anos, tenho observado um declínio no comportamento das adolescentes. Sinto um peso no coração por elas quando vejo tanta mágoa e dor. Ao notar nelas as mesmas lutas que enfrentei, comecei a procurar maneiras de tratar de algumas dessas questões.

Enquanto participava de um congresso de professores, vi um broche de bijuteria em formato de coroa. Pensei imediatamente em minhas alunas do segundo ciclo do ensino fundamental que não se valorizavam, não sabiam como ser mocinhas distintas e não respeitavam a si mesmas. Comprei o broche sabendo que o brilho atrairia as meninas.

Usei-o no dia seguinte na escola e, como era de esperar, as meninas me perguntaram a respeito dele. Consegui o convite que desejava. De maneira despretensiosa, comentei que o broche me lembrava de que, se eu quisesse ser tratada como princesa, devia agir como tal e esperar que outros me tratassem como tal. Fiquei impressionada com a reação. O conceito de ser tão valorizada era novidade para elas e se tornou o foco de nossa turma (eu lecionava para uma classe só de meninas).

Elas não faziam ideia de que podiam esperar ser tratadas como moças distintas, e muito menos agir como tais.

Descobri que muitas meninas para as quais leciono:
- estão sendo educadas por mães sozinhas que trabalham fora;
- estão sendo educadas por pais que foram criados sem os princípios morais necessários para desenvolver um comportamento saudável;
- não têm nenhuma influência masculina positiva em sua vida.

Embora muitas jovens que saem de lares como esses sejam fortes e saudáveis, vi mais perdas e dores do que qualquer outra coisa. As meninas que não recebem orientação moral de uma mãe ou um pai participativo costumam tomar decisões infelizes. Pela graça de Deus, descobri que um envolvimento mais próximo com essas garotas poderia ajudar muitas delas a perceberem que eram mais valiosas do que imaginavam e levá-las a esperar que os outros as tratassem com respeito saudável. Essa ideia vai muito além da expectativa de que os garotos sejam cavalheiros. No caso dessas meninas, tem a ver com respeito próprio, com aceitar quem elas são e chegar ao ponto de celebrar quem elas foram criadas para ser.

O que começou com um broche em forma de coroa se tornou um enfoque sobre a feminilidade que durou o ano todo. Tive muitas conversas com as meninas e elas compartilharam as lutas que acabavam com seu respeito próprio. Como resultado desse enfoque, testemunhei a transformação de vidas e até orei com alunas (algo surpreendente em uma escola pública). As meninas querem saber quem elas são! Querem ser aceitas e amadas. Por isso tantas fazem escolhas infelizes. Creio que nós, mulheres, temos sido remissas na tarefa de orientá-las, daí a situação calamitosa de nossas meninas. Não podemos perdê-las; elas são preciosas demais.

Obrigado, Kim, por essa mensagem tão linda e honesta e por oferecer conselhos úteis para os pais. Sou grato por você permitir que eu compartilhe suas palavras com meus leitores.

Isso me lembra uma passagem bíblica que nos ajuda a enxergar de forma correta as atitudes de nossa sociedade em relação às mulheres: "A beleza é enganosa, e a formosura é passageira; mas a mulher que teme o Senhor será elogiada" (Pv 31.30). Vender esse conceito para uma menina que se odeia pode ser uma tarefa difícil, mas é possível e necessário argumentar nesse sentido.

É evidente que não sou o único escritor a condenar esse sistema falso de valores. Tenho prazer em informar que, desde 2004, existe uma iniciativa chamada The Real Truth about Beauty: A Global Report [A verdade absoluta sobre a beleza: um relatório mundial].[21] Seu objetivo é mudar a maneira como mulheres e crianças são vistas. Esse projeto, patrocinado pela marca Dove, da Unilever, relatou que mais de dois terços das mulheres ao redor do mundo acreditam que "a mídia e a publicidade definem um padrão irreal de beleza inatingível para a maioria das mulheres".[22] A pesquisa revelou que apenas 13% das mulheres estavam satisfeitas com o peso e a forma do corpo. Apenas 2% se consideravam bonitas, e mais da metade expressou aversão ao próprio corpo.[23]

A dra. Nancy Etcoff, professora da Universidade de Harvard e diretora do Programa de Estética e Bem-Estar do departamento de psiquiatria do Massachusetts General Hospital, comenta a respeito das mulheres e da beleza: "Quando apenas uma minoria das mulheres está satisfeita com o peso e a forma do corpo em uma sociedade controlada por programas de dieta e transformação da aparência, é hora de fazer mudanças".[24]

Com certeza! Foi isso que levou a Dove a lançar, em 2005, a Campanha em Favor da Beleza Verdadeira, que incluiu várias peças publicitárias lançadas em todo o território norte-americano. Silvia Lagnado, vice-presidente da empresa, declarou:

> Ao questionarmos a definição aceita de beleza, esperamos ajudar as mulheres a mudar a forma como percebem o próprio corpo e incentivá-las a sentirem-se bonitas todos os dias.[25]

Comuniquemos essa mensagem a nossas filhas.

13 Perguntas e respostas sobre a infância

P Você disse que meninas e mulheres exercem grande influência sobre os homens e que elas têm a chave para o comportamento masculino. Por vezes, é difícil acreditar nisso. Será que você pode explicar em mais detalhes como funciona essa dinâmica e como posso usá-la ao tentar educar minha filha para ser uma jovem distinta?

R É evidente que essa declaração não se aplica a todos os casos, mas as mulheres exercem influência considerável sobre os homens quando há afinidade e forte atração. Em geral, o homem precisa mais da mulher do que ela precisa dele. Na verdade, ela pode edificá-lo ou destruí-lo. Por isso o casamento é tão importante na sociedade; ele serve para canalizar a agressividade masculina de modo a beneficiar a família. Embora haja muitas exceções em casos individuais, os homens solteiros são mais propensos a mudar com frequência de emprego, beber demais, dirigir em velocidade muito alta, gastar dinheiro de forma imprudente e ser sexualmente irresponsáveis. O compromisso com uma mulher não apenas canaliza a energia e a paixão do homem, mas também ajuda a formar uma sociedade mais saudável. A meu ver, essa ligação entre homem e mulher faz parte de um plano divino.

Deus concedeu essa forte influência às mulheres e elas devem usá-la não para manipular ou controlar os homens, mas para ajudá-los a caminhar em direção à responsabilidade, ao compromisso e à moralidade. Nenhum homem deseja ser importunado, intimidado ou humilhado. Esse tipo de abordagem só faz aumentar sua obstinação. Antes, ele quer e precisa ser respeitado, admirado e valorizado. Quando uma mulher o vê genuinamente dessa forma e se orgulha de estar ao lado dele, ele adquire confiança e poder para ser bem-sucedido em um mundo extremamente competitivo. Foi exatamente isso que minha esposa fez por mim no início de nosso casamento, quando eu ainda estava cursando a pós-graduação. Ela acreditou em mim e disse que estava ansiosa para ver o que Deus faria com o talento que ele havia me dado. Ela também incutiu esse respeito por mim em nossos dois filhos.

A mulher sábia entende como funcionam as emoções do homem e o incentiva a realizar os quatro papéis principais para os quais ele foi criado: prover, proteger, liderar e proporcionar direção espiritual à família. Quando o homem se sente à vontade com essas responsabilidades, ele interage com a esposa de forma diferente: sente o desejo de prover o que ela precisa dele, ou seja, segurança, bondade, sensibilidade e amor romântico. Ela também quer que ele se lembre do primeiro encontro dos dois, do aniversário de casamento, do aniversário dela e das coisas de que ela mais gosta. O homem astuto guarda tudo isso na memória.

Eis uma história trivial de minha infância que exemplifica a influência de uma mulher (nesse caso, de uma menina). Provido de uma grande quantidade de testosterona quando era menino, eu tinha o hábito de correr riscos e fazer coisas bobas. Certa vez, caí de uma árvore quando tentava balançar e saltar de um galho, como o Tarzan. Infelizmente, essa experiência não me ensinou muita coisa. Quando eu tinha 14 anos, minha mãe me mandou colher cerejas em nosso quintal. Todos os galhos da árvore estavam carregados de frutas, e eu comecei a apanhá-las. Quando terminei de colher as frutas dos galhos mais baixos, peguei uma escada de quase 2 metros para alcançar os mais altos. Por fim, pisei no último degrau da escada e me inclinei para pegar as cerejas do meio da árvore. Qualquer um com um mínimo de bom senso teria percebido o que estava para acontecer, mas nem me passou pela cabeça.

No momento fatídico, calhou que a menina mais bonita da escola estava passando por lá. O nome dela era Laurie, e ela morava na vizinhança. Claro que eu a vi chegando e fiquei feliz da vida quando ela parou a fim de me observar. Depois de um momento, ela disse docemente: — Cuidado para não cair. — A preocupação daquela criatura deslumbrante com minha segurança fez meu coração disparar.

— Não vou cair, não — respondi, movendo a metade inferior do corpo para mostrar que era destemido e estava no controle de tudo.

Não tenho dúvidas de que foi a testosterona de alta octanagem que me levou a fazer isso. Em um instante, minhas pernas foram para a esquerda, e o resto do meu corpo foi para a direita. Pela segunda vez em minha vida, fui de encontro ao solo de Oklahoma e perdi todo o fôlego. (A primeira vez foi no ápice do episódio do Tarzan.). Laurie correu para chamar minha mãe, e as duas se curvaram sobre mim. Eu ofegava, gemia e queria morrer. Foi horrível.

Não tente me dizer que as meninas não podem afetar o comportamento de um sujeito de forma positiva ou negativa. *Claro* que podem. Laurie me fez cair da escada só por ter demonstrado uma ligeira preocupação por mim. Espero que as mães ensinem esse princípio a suas filhas e instem-nas a não desperdiçar sua influência poderosa, que um dia será usada de modo mais apropriado.

P Você mencionou que meninas e meninos muitas vezes encaram de maneira totalmente diferente os esportes organizados. Eis a nossa experiência: ano passado, colocamos nossa filha Marilyn, de 8 anos, na escolinha de futebol. Nossa intenção era que ela se exercitasse, passasse algum tempo ao ar livre, conhecesse outras crianças e simplesmente se divertisse!

Ela não entendia nada de futebol, mas sua equipe era do nível iniciante, formada por meninos e meninas da sua idade. Muitos dos meninos, porém, jogavam futebol há uns três anos! Colocá-los todos juntos não foi uma boa ideia.

No primeiro jogo, Marilyn marcou um gol. Infelizmente, chutou para o gol de seu próprio time! Os meninos ficaram zangados com ela. Aliás, um dos meninos foi matriculado na escola dela no ano seguinte, e a primeira coisa que ele disse quando a viu foi: "Você fez gol contra!". Imagine o vexame.

Marilyn teve outros momentos difíceis durante o primeiro jogo. Viu um garotinho levar um chute no rosto, o que a deixou em pânico e a levou a fazer todo o possível para ficar longe da bola no resto do campeonato!

Eu me pergunto se teria sido diferente caso os times fossem só de meninos e só de meninas. Depois de participar da apresentação teatral de *Annie* este ano, Marilyn disse: "Sabe, mãe, futebol não era minha praia, mas participar do teatro é legal". Nós a incentivamos a experimentar coisas diferentes e descobrir do que ela gosta.

Ela ainda fala sobre o gol contra. Em sua opinião, é certo formar times mistos com meninos e meninas?

R Em termos gerais, não creio que seja uma boa ideia meninos e meninas praticarem esportes juntos. Com certeza não é uma boa ideia depois da puberdade. É verdade que minha opinião é controversa, e muitos de meus leitores discordarão. Fui fortemente influenciado pelo sociólogo George Gilder, em seu livro clássico *Men and Marriage* [Homens e casamento]. Sua oposição aos esportes de times mistos se baseia naquilo que ele considera melhor para as garotas, mas, especialmente, nos efeitos da presença das meninas sobre os meninos, que são mais tardios em amadurecer. Gilder observa:

> Os esportes são, possivelmente, o mais importante de todos os rituais masculinos na sociedade moderna.
>
> Não obstante o que dizem os críticos, para os homens os esportes corporificam um universo moral. No time, o grupo aprende a cooperar e descobre a importância da lealdade, do esforço, da persistência e do autossacrifício em busca de um ideal nobre. Numa fase da vida em que o corpo está sendo inundado pelos hormônios da agressividade em concentrações sem precedentes, os meninos aprendem que a combatividade precisa ser disciplinada antes de ser usada em sociedade. Aprendem a sensação indispensável da competição em solidariedade.

O ingresso de um grande número de meninas adolescentes que estão no final do ensino fundamental e no ensino médio, em uma fase na qual elas costumam ser mais altas que os meninos, tem efeitos desastrosos para os garotos de desenvolvimento mais lento. Os coordenadores dos programas de educação física da organização Outward Bound, que atende a crianças moradoras do centro da cidade, por exemplo, constataram que os melhores atletas mantêm o nível elevado de desempenho (ainda que com um espírito diferente) quando há mulheres presentes. Os meninos menores, mais acanhados ou menos desenvolvidos, porém, são completamente intimidados pelas meninas e se recusam a se esforçar com mais determinação. Ademais, as lições de moralidade comunitária se perdem. Os garotos bem-sucedidos, aqueles que trabalham em equipe e incentivam outros em grupos constituídos só de meninos, simplesmente se exibem para as meninas nos times mistos. As meninas também não são beneficiadas. Algumas delas se saem bem, mas seu desempenho é dirigido mais para os meninos que para os valores reais da atividade.

Nos esportes em que meninos e meninas jogam juntos, as garotas subvertem a masculinidade dos meninos mais fracos ou de desenvolvimento mais lento sem que elas próprias colham qualquer benefício atlético relevante. Pouquíssimas meninas se disporiam a jogar em um time misto no ensino médio. De qualquer modo, elas acabariam por transtornar e deturpar um dos rituais mais preciosos dos meninos.[1]

Concordo com Gilder nessa questão, especialmente no que diz respeito a meninos e meninas durante a puberdade e depois dela. Quanto a inscrever os filhos em esportes com times mistos, essa é uma decisão que os pais precisam tomar de acordo com cada criança. Minha tendência é recomendar que se evite a coeducação esportiva até mesmo na infância, devido às diferenças consideráveis entre os sexos. A experiência frustrante de Marilyn é comum.

P Tenho um filho de 3 anos e uma bebezinha e amo muito os dois. Neste momento de vida, minha maior prioridade é o bem deles. Meu marido pensa da mesma forma. Tenho, porém, uma carreira desafiadora e sempre pretendi voltar ao trabalho assim que possível após o nascimento do segundo bebê. Depois de ler seus comentários sobre o apego entre mãe e filho, porém, não sei muito bem o que fazer. Meus conhecidos me disseram que há excelentes creches e escolinhas no meu bairro, e que poderia ser bom para os meus filhos ficar em um desses lugares enquanto eu trabalho. Qual é sua opinião a esse respeito?

R Muitos casais enfrentam esse dilema quando chegam os filhos. Como observei no capítulo 7, algumas famílias acreditam que não têm escolha, devido a seus compromissos financeiros prementes. Entendo seu impasse. Mas, para aqueles que *têm* opção, a meu ver não há muita dúvida quanto ao que é melhor para os filhos. Posso afirmar categoricamente que as crianças se saem melhor física, emocional e intelectualmente quando os pais cuidam delas em casa. Essa conclusão é extraída de inúmeros estudos científicos, inclusive do mais extenso levantamento já realizado, uma pesquisa multimilionária de longo prazo feita pelo governo dos Estados Unidos, por meio do National Institute of Child Health and Human Development (NICHD), e que até hoje é considerado emblemática.

Os pesquisadores do NICHD forneceram provas conclusivas de que as crianças que passam, em média, trinta horas por semana na creche, em comparação com as que passam dez horas ou menos, apresentavam probabilidade bem mais alta de demonstrar comportamento agressivo. Discussões, crueldade, brigas, intimidação, birra, variações emocionais intensas, desejo de chamar a atenção, interrupções na aula e outros comportamentos afins foram alguns dos resultados. Aos 6 anos, essas crianças continuavam a apresentar os efeitos do tempo que haviam passado na creche.[2]

Jay Belsky foi um dos pesquisadores que participaram do estudo do NICHD, iniciado em 1991. Belsky, que também é diretor do Institute for the Study of Children, Families and Social Issues e profissional altamente conceituado em sua área, comenta os resultados da pesquisa:

> Contrariando as expectativas (e desejos) de muitos nessa área, o estudo do NICHD mostra que, quanto mais tempo as crianças passam na creche antes

dos 4 anos e meio, mais agressividade, desobediência e conflito com adultos elas manifestam aos 54 meses de idade e no jardim de infância. A tendência permanece mesmo depois de se levar em consideração diversas características das famílias das crianças, bem como a qualidade e o tipo das creches onde elas ficaram [...].

Esse fato não aparece nos informes divulgados pelo NICHD à imprensa nem nas discussões de muitos comentaristas. Afinal de contas, os resultados não são politicamente agradáveis: muitos construíram sua carreira apresentando a educação infantil de boa qualidade como a solução para males sociais de toda espécie. De acordo com essa linha de argumentação, uma vez que as creches e escolinhas estão aqui para ficar, a única coisa que importa é a melhoria de sua qualidade. Qualquer um que destaque evidências desconcertantes é considerado avesso à educação infantil. E o homem do tempo que informa que haverá chuvas é avesso aos dias ensolarados.

É de se perguntar por que, depois de o governo ter investido dezenas de milhões de dólares nessa pesquisa, tanta gente está se desdobrando para fazer pouco dos resultados. Trata-se de algo particularmente espantoso tendo em vista estarmos falando das primeiras experiências de vida de dezenas de milhares de crianças. Hoje em dia, é quase uma regra colocar as crianças norte-americanas sob os cuidados de terceiros no primeiro ano de vida, muitas vezes por mais de vinte ou trinta horas por semana. Tal situação persiste até entrarem na escola.

Por mais desconcertantes que sejam, os resultados recentes concordam com outras descobertas relatadas durante o estudo. Há registros de que, quanto mais tempo passam numa creche ou escolinha, não obstante a qualidade da instituição, mais as crianças de 2 anos apresentam problemas de comportamento, menos sensível é a atitude materna em relação a crianças de 6, 15, 24 e 36 meses e menores são os índices de apego firme à mãe entre crianças de 15 e 36 meses, caso a educação proporcionada pela mãe seja relativamente insensível.[3]

Outro especialista na área de desenvolvimento infantil que respeito é o dr. Burton White. Ex-diretor do Harvard Preschool Project e uma das principais autoridades sobre os três primeiros anos de vida, White também comenta a questão da educação infantil:

> Depois de mais de trinta anos de pesquisa sobre o desenvolvimento saudável das crianças, não cogitaria colocar um bebê ou uma criança pequena de minha família em nenhuma instituição de educação infantil em período integral, especialmente uma creche [...].
> A menos que você tenha motivos muito prementes, [...] insto-o a não delegar a responsabilidade fundamental de educar seus filhos a ninguém nos três primeiros anos. [...] Os bebês formam seus primeiros vínculos com outras pessoas apenas uma vez na vida. [...] O resultado desses processos exerce influência considerável sobre a configuração do futuro de cada criança.[4]

Por que nos surpreenderíamos ao descobrir os sérios problemas relacionados à educação infantil institucionalizada? O bom senso mostra que o governo não tem dinheiro para pagar educadores em número suficiente para fazer aquilo que as mães fazem de graça. É bem provável que a mãe e o pai sejam intensamente dedicados a seus próprios filhos, e que ninguém cuide tão bem deles. Também é óbvio que a atenção individual e a interação verbal entre pais e filhos são claramente superiores ao que funcionários de uma instituição são capazes de oferecer ao cuidarem de um grupo grande de crianças. Trata-se de uma questão de suma importância, pois a competência intelectual da criança é influenciada principalmente por aquilo que se chama de "linguagem ao vivo" entre mãe e filho. O fato é que não há comparação entre a qualidade do cuidado da mãe e a do cuidado oferecido em uma instituição para um grupo de crianças.

Estou convicto de que os drs. White e Belsky e outras autoridades na área do desenvolvimento da criança estão certos e concordo enfaticamente com suas conclusões.

Em resposta a sua pergunta, portanto, recomendo que, se possível, você cuide de suas crianças em casa, pelo menos na fase pré-escolar. Não obstante, essa é uma decisão que você e seu marido terão de tomar. Se você voltar a trabalhar fora em período integral, sugiro que se esforce para encontrar alguém próximo em sua família, talvez uma avó, irmã, amiga de confiança, outra mãe ou uma pequena associação particular para cuidar de seus filhos durante o dia. Idealmente, essa pessoa-chave deve ser alguém que suas crianças conheçam e amem, alguém que esteja sempre presente na vida delas. As crianças precisam de rotinas e não lidam bem com mudanças drásticas. Quanto mais bem estruturada for a rotina diária delas, menos estresse causará para os pequenos e para você também.

P Você se referiu a vários problemas associados às instituições de educação infantil. Existem outros dos quais precisamos estar a par?

R Sim, existem outras questões extremamente preocupantes. A mais séria é a propagação de doenças infecciosas. Em seu livro *Day Care Deception* [A ilusão da creche], Brian Robertson trata dessa questão sem rodeios. Os dados que ele usa estão desatualizados, mas as constatações ainda são relevantes:

> A incidência drasticamente elevada de doenças infecciosas entre crianças de creches não é segredo para pediatras e epidemiologistas. O problema veio à tona de forma dramática uma década atrás, quando o *Pediatric Annals* dedicou uma edição especial às doenças relacionadas às creches. O principal editorial era intitulado "Creche, creche: SOS! SOS!". As estatísticas são alarmantes. De acordo com uma estimativa publicada pela American Academy of Family Physicians, crianças que ficam em creches têm probabilidade dezoito vezes maior do que outras crianças de ficarem doentes; em qualquer momento, é provável que 16% das crianças que frequentam creche estejam doentes. (Dessas, 82% continuam a frequentar a creche mesmo doentes.) Crianças de creches têm probabilidade de três a quatro vezes e meia maior de serem hospitalizadas do que crianças criadas em casa. De acordo com a estimativa de um estudo, "para cada ano que passam na creche, essas crianças correm risco 50 a 100% mais elevado de contrair [certas] doenças fatais ou que causam danos permanentes".[5]

As descobertas recentes acerca dos efeitos prejudiciais das creches sobre o comportamento e o vínculo entre mãe e filho são apenas confirmações mais atuais das advertências feitas por inúmeros especialistas em desenvolvimento da criança nos últimos quarenta anos. A maior parte dessas advertências, contudo, foi abafada pelo sistema dominante de instituições de ensino infantil apoiado por pesquisadores, jornalistas e lobistas. A verdade é que os especialistas, particularmente os que se dedicam ao estudo do "apego do bebê", encontraram, vários anos atrás, evidências conclusivas contrárias aos cuidados proporcionados a crianças pequenas em creches.

Eu teria mais a dizer a esse respeito, mas tudo se resume à vulnerabilidade e à sensibilidade das crianças em seus primeiros anos. Elas precisam do melhor cuidado que podemos lhes oferecer para começarem bem a vida. Embora as pesquisas sobre educação de crianças no restante da infância não seja tão conclusiva, a meu ver, elas devem ser educadas em casa pelo maior tempo possível. Até mesmo os adolescentes são beneficiados quando voltam da escola para uma casa onde a mãe está presente. Mas essa é outra questão.

P Fico imaginando se você sabe quão difícil é para mim ouvir sua opinião a esse respeito. Sou mãe sozinha e preciso trabalhar fora para sustentar minha pequena família. Estou fazendo o melhor que posso para educar meus três filhos sozinha.

R *Sim, eu entendo*, pois tenho contato com muitos pais sozinhos que lutam diariamente com essa questão. Por isso disse que criar filhos é "o trabalho mais difícil do Universo". Minha avaliação do contexto em que as crianças são educadas em grupos não deve ser entendida como insensibilidade em relação àqueles que precisam se valer de creches e afins. Há anos procuro dar apoio aos pais sozinhos que precisam encarecidamente de auxílio compassivo de famílias intactas e de outras pessoas que possam ajudá-los. É admirável, por exemplo, quando homens se dispõem a convidar crianças sem pai para acompanhar seus filhos em pescarias e eventos esportivos. Não é raro vermos mães sozinhas se esforçando para não naufragar durante os primeiros anos de educação dos filhos.

Tenho grande respeito e oro por vocês. Como você disse, está se esforçando ao máximo para lidar com as circunstâncias de seus filhos, e isso é extremamente louvável. A última coisa que desejo fazer é acrescentar mais um peso sobre seus ombros e, se pareci insensível ao criticar as creches, por favor, me perdoe. Meus comentários eram dirigidos àqueles que têm a opção de cuidar dos filhos em casa e desejam saber a verdade.

P Uma das amigas de minha filha só tem pai. As meninas querem organizar uma festa do pijama na casa dela. Minha filha tem 11 anos. Gostaria de saber se é apropriado deixá-las dormir lá. Estou totalmente disposta a recebê-las em nossa casa a qualquer hora.

R Exceto quando você tem certeza de que seus filhos estarão seguros, não recomendo permitir que passem a noite em uma casa onde não há uma mãe de sua confiança. O pai em questão pode ser uma ótima pessoa, mas ele não é o único motivo de cautela. Lembre-se de que crianças (bem como irmãos mais velhos e os amigos deles) também abusam de outras crianças menores. É por isso que, a meu ver, a época das festas do pijama passou. Há coisas demais em jogo para colocar os filhos em risco dessa forma.

Infelizmente, o mundo mudou nas últimas décadas e não é mais um lugar seguro para os pequenos. Pedófilos e abusadores nunca foram tão comuns. É por esse motivo que os pais precisam ser diligentes em proteger os filhos a qualquer hora do dia ou da noite. Há casos de crianças que foram raptadas do quarto enquanto os pais estavam em casa. Alguns devem se lembrar de Polly Klaas, uma garota de 12 anos que foi violentada e morta depois de ser raptada de sua casa durante uma festa do pijama, em 1993.[6]

Quem nunca teve contato com crianças molestadas, como eu tive, nem viram a dor em seus olhos talvez não compreendam plenamente os efeitos devastadores desse tipo de abuso, que tem impacto sobre toda a vida da vítima, inclusive sobre seu futuro relacionamento conjugal. Logo, os pais devem pensar no impensável em todas as situações. A ameaça pode vir de qualquer parte, até mesmo de tios, padrastos, avôs, professores de escola dominical, técnicos esportivos, professores de música, chefes escoteiros e babás. Até banheiros públicos são perigosos hoje em dia.

Em uma tentativa infeliz de acabar com aquilo que os legisladores chamaram de discriminação, o estado do Colorado passou a permitir que travestis e homossexuais usassem os sanitários femininos.[7] Não é absurdo? Uma garotinha, ou mesmo uma mulher adulta, pode ser surpreendida por um homem enquanto usa o banheiro. Imagine o medo e a vergonha que uma criança poderia sentir numa situação dessa. Infelizmente, poucas pessoas no Colorado levantaram objeções a essa lei ridícula.

Eis o maior desafio de todos: vocês, pais, precisam encontrar um modo de proteger seus filhos do perigo sem superprotegê-los ou torná-los medrosos. Chamamos isso de estar entre a cruz e a caldeirinha. Você pode começar ensinando a seus filhos a diferença entre um "toque bom" e um "toque mau", insistindo para que nunca falem com estranhos e dizendo-lhes para gritarem caso alguém os aborde etc. Ao mesmo tempo, contudo, deve cuidar para não dar a impressão de que *você* vive com medo, ou que entes queridos e professores estão tentando lhes fazer mal. Pastoreá-los entre esses dois extremos prejudiciais requer grande habilidade e sabedoria.

Saibam que os pedófilos normalmente são peritos em atrair crianças para suas garras. Costumam passar tempo em *shopping centers*, lanchonetes, parques de diversões e até salas de bate-papo na internet frequentadas por meninos e meninas sem supervisão dos pais. São capazes de identificar uma criança solitária em questão de minutos e lhe oferecem o "amor" e a atenção que ela anseia. Uma vez que esses crápulas tenham estabelecido um relacionamento com ela, o abuso é fácil e dura, em média, sete anos. É impressionante que, por medo e intimidação, a criança normalmente não conta para ninguém que está sendo abusada. Alguns pedófilos dominam essa técnica de tal modo que são capazes de abusar, em média, de 280 crianças ao longo da vida.[8]

Não permita que seu filho ou sua filha seja uma dessas crianças! Proteja seus pequenos e supra as necessidades que os tornam vulneráveis!

P E quanto a deixar as crianças com babás jovens ou adolescentes? É prudente?

R A meu ver, é relativamente seguro deixar os filhos com babás mais velhas. É importante deixar claro, porém, que elas não podem convidar o namorado para lhes fazer companhia enquanto elas cuidam das crianças. Não recomendo deixar crianças de nenhum dos sexos com garotos adolescentes, uma vez que há tanta coisa acontecendo com a sexualidade deles nessa fase. Embora seja provável que não haja nenhum problema na maioria dos casos, você deve fazer todo o possível para se certificar de que a tragédia do abuso não ocorra nem uma vez sequer na infância de sua filha.

P Meu marido trabalha na polícia e tem vários dias de folga seguidos. Eu trabalho de segunda a sexta. Logo, ele tem mais contato do que eu com os colegas de nossos filhos. Uma amiguinha de minha filha quer dormir em nossa casa em uma data em que só meu marido e minha filha estarão lá. A mãe da menina não tem nenhum problema com isso. A meu ver, porém, não é apropriado. Qual é sua opinião?

R É bem possível que as motivações de seu marido sejam absolutamente honestas. Também neste caso, porém, creio que não é prudente deixar uma garotinha dormir em sua casa. Embora seja improvável, o potencial para um desastre é grande demais. A meu ver, é sempre melhor pecar por excesso de cautela, não apenas para proteger a criança, mas também para evitar qualquer dano à reputação de seu marido. Talvez minha atitude seja superprotetora, mas é melhor ter cuidado agora que se arrepender depois.

P Por que a pedofilia se tornou um problema tão sério? Existem mesmo mais casos de abuso sexual de crianças do que no passado? Ou os mecanismos de denúncia são mais eficientes hoje em dia?

R Sem dúvida, os mecanismos de denúncia são melhores, mas a incidência de abuso cresceu de forma exponencial como resultado, principalmente, da proliferação da obscenidade na internet, inclusive da pornografia infantil ilegal. Os pedófilos procuram obter DVDs ou fotos de crianças nuas, tiradas, se possível, enquanto elas sofrem abuso. Essas imagens podem ser vendidas ou trocadas com outros pedófilos.

Conheço bem essa tragédia, em função de meu trabalho com a Comissão sobre Pornografia da Procuradoria-Geral da União Norte-Americana, em 1985 e 1986. Durante esse período, tive acesso a materiais do FBI que jamais esquecerei, inclusive fotos tiradas enquanto um menino de 8 anos era assassinado. Não consigo tirar essas imagens de minha mente. Durante essa mesma reunião, um representante da União Americana pelas Liberdades Civis (ACLU, na sigla em inglês), Barry Lynn, atual diretor executivo da organização Americanos Unidos em Favor da Separação entre Igreja e Estado, relatou à comissão que, de acordo com o posicionamento da ACLU, a pornografia infantil não deve ser produzida, mas, uma vez que vem a existir, não se deve aplicar restrições a sua venda ou distribuição.[9]

Se a ACLU conseguisse impor sua posição desprezível, uma criança que sofreu terrível abuso sob a lente de uma câmera não poderia fazer nada para impedir que essas imagens fossem vendidas a qualquer um, para o resto de sua vida. A experiência mais hedionda da existência de uma criança se tornaria a mina de ouro de um pornógrafo. Os membros da comissão ficaram horrorizados com esse depoimento.

É necessário entender que a obscenidade é extremamente viciadora e progressiva. O que começa com uma atração por pornografia causa uma transformação gradativa no indivíduo que a cobiça, conduzindo-o a obsessões cada vez mais pesadas e depravadas. Logo, os viciados em pornografia passam daquilo que é chamado de sexualidade "normal" a uma obsessão por imagens cada vez mais pervertidas, como violência hétero e homossexual, abuso de mulheres, bestialidade, necrofilia (sexo com mortos) e, o que é muito comum hoje em dia, pornografia infantil. Esse é, com frequência, o ponto de origem das perversões. É o que levou assassinos em série — como Ted Bundy, que entrevistei dezessete horas antes de sua execução na Penitenciária Estadual da Flórida — a matar mais de trinta mulheres e meninas. A última vítima antes de Bundy ser preso e condenado foi uma menina de 12 anos, que ele matou e largou em um chiqueiro.[10]

Embora a mídia raramente revele essa ligação, casos de rapto e assassinato de meninos e meninas quase sempre envolvem pornografia. Eis o motivo pelo qual esses crimes horrendos são mais corriqueiros hoje em dia. Quando os fatos se tornam conhecidos, é comum encontrar material obsceno na casa ou na garagem dos criminosos. Isso significa que mães e pais devem permanecer sempre atentos na tarefa de proteger os filhos. Deixe-me dizer mais uma vez: recomendo que não se corra *nenhum* risco desnecessário em festas do pijama, nos *shopping centers*, em sanitários públicos, nas casas dos vizinhos ou no caminho da escola para casa.

P Minha filha é do tipo que gosta de agradar as pessoas. O que devo fazer?

R Que problema maravilhoso! Não vejo necessidade de você "fazer" nada a esse respeito. É evidente que sua filha veio ao mundo equipada com um temperamento dócil. Normalmente, indivíduos que gostam de agradar as pessoas refletem sensibilidade e necessidade da aprovação de outros. Essas crianças são consideradas meigas pelos adultos, que sentem-se atraídos por sua personalidade agradável. Lembro-me de uma canção do filme *Uma garota genial*, na qual Barbara Streisand diz: "Pessoas que precisam de pessoas são as pessoas mais sortudas do mundo".[11] Quem escreveu a letra estava muito certo.

Gostaria, porém, de fazer duas observações. Primeira: pessoas que precisam de pessoas podem se magoar com mais facilidade. Enquanto as crianças menos sensíveis estão preparadas para se defender de insultos ou ataques, aquelas que se preocupam em agradar os outros esperam receber afirmação. Os pais precisam estar cientes dessa vulnerabilidade ao pastorearem o filho rumo à vida adulta.

A segunda "desvantagem" do aparato emocional de indivíduos que gostam de agradar as pessoas é que, por vezes, eles passam por um período de rebelião moderada durante o final da adolescência ou aos 20 e poucos anos. Enquanto a criança geniosa frequentemente exaspera os pais, a obstinação tardia da criança dócil se manifesta de formas menos agressivas.

Transtornos alimentares, por exemplo, ocorrem ocasionalmente entre "garotinhas bem-comportadas" que nem pensariam em questionar o pai autoritário. Antes, expressam sua individualidade nos alimentos que ingerem ou deixam de ingerir e podem resistir a todas as tentativas de fazê-las comer. Outra reação comum de quem se preocupa em agradar os outros é a rejeição da fé adotada na família. Em geral, mas nem sempre, essa rejeição é temporária.

Por ora, recomendo que você aceite a personalidade individual de sua garotinha exatamente como Deus a criou e desfrute cada instante da infância dela.

* * *

Voltaremos a atenção agora para crianças cujo temperamento se encontra no outro extremo. Refiro-me a crianças que desafiam e testam os pais várias vezes por dia. A seu modo, são igualmente queridas e podem até ser mais bem-sucedidas na vida adulta. Desde o início, porém, é mais difícil lidar com elas. A fim de lhe dar um gostinho de como é a vida com uma criança geniosa, compartilharei com você uma série de perguntas enviadas por pais frustrados. Embora seus questionamentos assumam formas diferentes, todos focalizam a disciplina de crianças rebeldes.

P Minha filha tem 6 anos e, ultimamente, tem se comportado como um pequeno terror. Às vezes, quando estamos assistindo a um filme, ela desliga a TV e tem um ataque de birra "do nada". Ela cospe no chão e libera um amplo vocabulário de palavrões. Comporta-se bem por algum tempo e, de repente, sem nenhum motivo, faz algo que ela sabe ser errado. Pouco tempo atrás, jogou uma bola e quebrou coisas de valor, só porque estava a fim. Não sei o que deu nela. Ela recebe bastante atenção, talvez até demais, mas não tem motivo para agir desse modo. Tento não perder a calma, mas o que posso fazer quando minha filha começa a gritar comigo? As palmadas não a intimidam mais. Por favor, me ajude.

Perguntas e respostas sobre a infância   181

P Minha filha completará 4 anos em junho e é uma criança geniosa. Estou no quinto mês de gestação de nosso segundo filho. Os outros podem até dizer que é coincidência, mas, quando minha barriga começou a aparecer, minha filha passou a ter sérios problemas de comportamento em casa e na pré-escola. Tudo é difícil, desde vestir-se pela manhã até dar ouvidos a pessoas de autoridade. Ela não quer participar das atividades em grupo na escola e parece estar evitando demonstrar afeição por membros da família. Será que esse tipo de comportamento é diretamente relacionado ao bebê que está para chegar ou pode ser uma fase?

P Minha filha de 20 meses só dorme depois de muita luta. Minha esposa está grávida de nosso segundo filho, e eu gostaria de saber o que fazer.

P Meu filho e minha nora estão tendo muitos problemas com a filha de 4 anos, que grita com frequência e bate neles. Os dois estão esgotados e não sabem o que fazer. Que conselho você lhes daria?

P Sou pai de uma garotinha de 5 anos que desafia a mãe, mas me respeita. Como posso ensiná-la a respeitar nós dois?

R Eu poderia oferecer respostas específicas para cada uma dessas perguntas, e provavelmente é o que devo fazer, pois as circunstâncias descritas envolvem crianças de diversas idades. Uma criança de 20 meses que não quer dormir deve ser tratada de forma bem diferente da menina de 6 anos que tem ataques de birra e cospe no chão. Não obstante, não gastarei tempo oferecendo sugestões específicas porque esse trabalho já foi feito. Meus livros *Ouse disciplinar* e *Educando crianças geniosas* falam sobre a educação de crianças e tratam de questões desse tipo. Em vez de reinventar a roda, citarei trechos do segundo livro, no qual discorro sobre a natureza das crianças duronas e ofereço alguns conselhos aos pais. Assim, talvez, terei mais tempo para apontar a direção certa para mães e pais aflitos.

É evidente que as crianças têm consciência do conflito de vontades entre as gerações, algo que, aliás, se transformou numa espécie de jogo. Lisa Whelchel, que quando criança trabalhou como atriz no programa de televisão *The Facts of Life* [Os Fatos da Vida] descreve uma situação cômica com o filho de 4 anos, Tucker. O relato desse episódio encontra-se em seu excelente livro, *Creative Correction* [Correção criativa]. Lisa e o marido estavam saindo para jantar e deixaram as crianças com a babá. Quando estavam na porta, Lisa disse para o filho:

— Quero que você se esforce ao máximo para obedecer à babá hoje à noite, certo?

— Não sei se eu consigo fazer isso, mãe — respondeu Tucker sem piscar.

— Por que não?

E com uma expressão muito séria, ele respondeu:

— Tem tanta bobeira dentro do meu coração. Acho que não sobrou espaço para a bondade e a sabedoria.

— Bem, talvez a gente tenha de se fechar no banheiro e fazer a bobeira sair — disse Lisa.

— Caramba! Eu tô sentindo a bobeira sair sozinha. Olha só a bondade entrando agorinha mesmo! — replicou o garotinho mais que depressa.

Esse diálogo entre Lisa e o filho não representou um desafio sério à autoridade dela, e a reação mais apropriada é apenas sorrir — como Lisa fez. Mas, quando ocorre um conflito sério entre gerações, é de suma importância os pais "vencerem". Isso porque uma criança que se comporta de maneira desrespeitosa ou prejudicial para si mesma ou para outros, com frequência tem um motivo tácito. Quer ela reconheça, quer não, normalmente está procurando verificar a existência ou estabilidade dos limites.

Esse teste tem a mesma função que um hábito peculiar de certos policiais de antigamente. Durante a noite, quando faziam a ronda em ruas de comércio e escritórios, viravam a maçaneta das portas para verificar se estavam trancadas. Apesar de estarem tentando abrir as portas, esperavam que estivessem bem fechadas e trancadas. Semelhantemente, uma criança que desafia a liderança dos pais sente-se mais tranquila quando eles demonstram autoconfiança e firmeza mesmo sob pressão. Essa postura dá uma sensação de segurança para a criança que vive dentro de um ambiente estruturado, no qual os direitos de outras pessoas (e dela própria) são protegidos por limites claramente definidos.

Sabendo disso, prossigamos agora para as maneiras de moldar a vontade de uma criança. Procurei resumir esse tema em seis diretrizes claras e espero que elas lhe sejam úteis. A primeira é a mais importante [...].

Primeira: Comece a ensinar o respeito pela autoridade enquanto as crianças ainda são pequenas
O conselho mais enfático que posso dar aos pais de uma criança agressiva e independente é: estabeleçam posição de líderes firmes, porém amorosos, enquanto a criança ainda está na idade pré-escolar. Esse é o primeiro passo no sentido de ajudá-la a aprender a controlar seus impulsos fortes. Trata-se de uma questão séria e não há tempo a perder. Como vimos, uma criança naturalmente rebelde encontra-se em alto risco de apresentar comportamentos antissociais mais adiante na vida. Há uma probabilidade maior de ela desafiar os professores na escola e questionar os valores que lhe foram ensinados. Em função do temperamento, ela se opõe a qualquer um que tenta lhe dizer o que fazer. Felizmente, isso não é inevitável, pois os vários e complexos aspectos da personalidade humana tornam impossível prever comportamentos com precisão. Porém, tudo aponta para essa direção. Portanto, insisto em meu conselho mais enfático aos pais: comecem a moldar a vontade da criança particularmente agressiva logo cedo. (Observe que não estou dizendo para anular, destruir ou reprimir a vontade, mas sim controlá-la, para o bem da própria criança.) Mas como fazer isso?

Em primeiro lugar, deixe-me dizer como você *não* deve buscar esse objetivo. Rispidez, indelicadeza e severidade não funcionam no processo de moldar a vontade de uma criança. Semelhantemente, palmadas, ameaças e críticas constantes são destrutivas e contraproducentes. Os pais que se mostram rispidos e zangados na maior parte do tempo criam ressentimentos que ficarão guardados e que irromperão no relacionamento durante a adolescência ou mesmo depois. Portanto, é necessário aproveitar todas as oportunidades de tornar o ambiente do lar agradável, divertido e receptivo. Ao mesmo tempo, contudo, os pais devem manter uma conduta firme e austera. São vocês, pais e mães, que estão no controle. São vocês que mandam. Se os pais tiverem essa convicção, a criança rebelde também aceitará o fato. Infelizmente, muitas mães tratam os filhos pequenos com insegurança e hesitação. Se você as observar com os filhos no supermercado ou no aeroporto, verá como estão frustradas, zangadas e totalmente confusas sobre a maneira de lidar com este ou aquele mau comportamento. São pegas inteiramente desprevenidas pelas crises de birra, como se nunca as esperassem, quando, na verdade, comportamentos desse tipo vêm se repetindo há algum tempo.

Segunda: Defina os limites antes de impô-los
Antes de qualquer prática disciplinar, é necessário determinar expectativas e limites razoáveis para a criança. Ela deve estar ciente daquilo que é aceitável e daquilo que é inadmissível com relação ao seu comportamento antes de ser responsabilizada por ele. Essa precondição elimina a sensação de injustiça que a criança experimenta quando é castigada ou repreendida por quebrar uma regra vaga ou não identificada.

Terceira: Faça distinção entre rebeldia obstinada e irresponsabilidade infantil
[Há uma] distinção entre o que chamo de irresponsabilidade infantil e "desafio intencional". Existe uma diferença enorme entre os dois. Uma compreensão clara dessa distinção ajudará a interpretar o significado de um comportamento e a reagir de maneira apropriada. Deixe-me explicar.

Suponhamos que o pequeno Davi esteja fazendo gracinhas na sala de estar e caia em cima da mesa de centro, quebrando várias xícaras de porcelana valiosas e outros bibelôs. Ou suponhamos que Amanda perca sua bicicleta ou esqueça a cafeteira da mãe na chuva. Talvez a pequena Bianca de 4 anos de idade estenda a mão para pegar algo no prato do irmão e derrube o copo de leite com o cotovelo, dando um banho de leite no bebê e fazendo uma bagunça terrível no chão. Por mais frustrantes que sejam esses episódios, representam apenas atos de irresponsabilidade infantil, sem grande significado a longo prazo. Como todo mundo sabe, as crianças com frequência derrubam coisas, perdem coisas, quebram coisas, esquecem coisas e bagunçam coisas. Crianças são assim mesmo. Esses comportamentos mostram o mecanismo pelo qual as crianças são protegidas das preocupações e dos fardos da vida adulta. Quando acontece algum acidente, a reação mais adequada é de paciência e tolerância. Se o episódio demonstrou uma insensatez particularmente pronunciada para a idade e maturidade do indivíduo, a mãe ou o pai podem julgar apropriado pedir que a criança ajude a limpar a bagunça ou mesmo a ressarcir alguma perda material. Se esse não é o caso, creio que o acontecimento deve ser ignorado. Como dizem, são ossos do ofício.

Existe outra categoria de comportamento inteiramente distinta. Ocorre quando uma criança desafia de forma ostensiva a autoridade do pai ou da mãe. Pode ser que ela grite: "Não vou!", "Cale a boca!" ou "Você não pode me obrigar". Pode acontecer de o garoto pegar um punhado de balas perto do caixa do supermercado e se recusar a devolvê-las, ou então ter um ataque de birra a fim de conseguir o que quer. Esses comportamentos representam um espírito obstinado e arrogante e uma determinação de desobedecer. Nessas horas, o que se passa é algo muito diferente. Você demarcou uma linha, e a criança deliberadamente colocou a pontinha do pé do outro lado. Ambas as partes estão perguntando: *Quem vai vencer? Quem vai ter mais coragem? Quem manda aqui?* Se você não responder a essas perguntas de forma conclusiva para sua criança geniosa, ela provocará outros confrontos com o objetivo de levantar essas mesmas questões. É por isso que você deve estar preparado para reagir de imediato a esse tipo de rebeldia obstinada. Era a isso que Susanna Wesley estava se referindo quando escreveu: "Alguns [comportamentos errados] devem ser ignorados, e outros devem ser observados. Mas nenhuma transgressão intencional por parte da criança deve jamais ser perdoada sem disciplina proporcional à natureza das circunstâncias da transgressão". Susanna chegou a essa conclusão 250 anos antes de eu entrar em cena. Aprendeu com as dezenove crianças que a chamavam de "mamãe".[...]

Quarta: Terminado o confronto, tranquilize e ensine
Depois de um momento de confronto em que a mãe ou o pai tenha demonstrado seu direito de liderança (especialmente se isso fez a criança chorar), é bem provável que a criança entre 2 e 7 anos (ou mais) deseje ser tranquilizada e saber que é amada. Não pense duas vezes: abra seus braços para ela! Segure-a junto de si e diga-lhe que a ama. Embale-a suavemente e diga-lhe mais uma vez por que foi castigada e como pode evitar que isso

aconteça no futuro. Esse momento oferece uma oportunidade de ensinar e de explicar o objetivo da disciplina. Uma conversa desse tipo é difícil ou impossível quando uma criança rebelde e arrogante está de punho fechado desafiando você. Mas, terminado o confronto — especialmente quando houve lágrimas —, a criança normalmente deseja abraçar você e ter certeza de que você se importa com ela de verdade. Abra seus braços, aconchegue-a junto ao peito. E, para a família cristã, é extremamente importante orar com a criança nessa ocasião, reconhecer diante de Deus que todos nós pecamos e que ninguém é perfeito. O perdão divino é uma experiência maravilhosa, até mesmo para uma criança pequena.

Quinta: Evite exigências impossíveis
Esteja absolutamente certo de que sua criança é capaz de cumprir aquilo que você está exigindo. Nunca a castigue por fazer xixi na cama acidentalmente ou por não se sair bem na escola quando enfrenta dificuldades na área acadêmica. Essas exigências impossíveis colocam a criança dentro de um conflito sem solução: ela não tem saída. Tal situação, por sua vez, apresenta riscos desnecessários para as emoções do ser humano. Além disso, é simplesmente injusto.

Sexta: Deixe que o amor seja seu guia!
Um relacionamento caracterizado por amor e afeição autênticos tem mais probabilidade de ser saudável, mesmo considerando-se que erros e falhas da parte dos pais são inevitáveis.

A meu ver, esses seis passos devem constituir o alicerce do bom relacionamento entre pais e filhos.

Como comentei, essa breve sinopse oferece apenas um esboço geral de uma discussão bem mais detalhada sobre disciplina em meus livros anteriores. Quem precisar de mais informações poderá encontrar outras sugestões nessas obras.

14 O rio da cultura

Quer você tenha garotinhas fofas em idade pré-escolar andando a passos vacilantes pela casa ou jovens à beira da idade adulta e prestes a deixar o ninho, é importante entender como a cultura influencia o coração e a mente das meninas em seus diferentes estágios de desenvolvimento. Não devemos jamais subestimar sua força, semelhante à de um rio caudaloso que carrega tudo correnteza abaixo. Você pode e deve ajudar suas meninas a não serem levadas pela correnteza rumo a águas desconhecidas. Claro que é muito mais fácil protegê-las dos efeitos devastadores dessa força quando elas são pequenas e a tarefa se torna cada vez mais complicada com o passar do tempo. Por isso, um dos principais alvos da educação dos filhos deve ser a introdução de valores morais e espirituais logo nos primeiros anos de vida. Esses fundamentos os ajudarão a manter a cabeça fora da água quando vierem as enchentes de primavera.

Falemos desse desafio. Em outros tempos, o rio da cultura era um córrego tranquilo que conduzia as crianças à vida adulta. A maioria dos meus amigos e eu fizemos essa jornada sem grandes transtornos. Hoje, os pais sabem que as águas serenas se tornaram violentas como o rio Colorado que corta o Grand Canyon. Em vários pontos, as corredeiras ameaçam afogar aqueles cujos botes não são pilotados por remadores experientes.

Muitos dos adolescentes de hoje passam por um rio que transbordou sobre suas margens nas décadas de 1960 e 1970, muito anos antes de a geração atual entrar em cena. Foi nesse período que a revolução sexual e social inundou o Ocidente. Da noite para o dia, uma ideologia esquerdista varreu a paisagem e convenceu a geração mais jovem de que todas as experiências agradáveis eram válidas e deviam ser buscadas, e que não havia consequências negativas de se desprezar padrões tradicionais de certo e errado. Deus supostamente morreu em 1966,[1] e um psicólogo de reputação duvidosa chamado Timothy Leary disse aos jovens para "se ligarem, se sintonizarem e caírem fora".[2] Eu estava em um *campus* universitário nessa época e vi em primeira mão o impacto do terrível conselho de Leary. Embora eu fosse jovem, aquilo que testemunhei me assustou e ofendeu.

Agora, décadas depois, vemos os efeitos dessa revolução. O casamento como instituição foi devastado, mais de 50 milhões de abortos foram cometidos,[3] a violência subiu à estratosfera, as doenças sexualmente transmissíveis se propagam desenfreadamente, e o uso de drogas ainda é comum. No entanto, poucos jornalistas contemporâneos se dispõem a reconhecer que algo deu muito errado naquela época em que cautela, convenções e moralidade foram jogadas para o alto. É mesmo?

Os revolucionários determinados a "mudar o mundo" tanto tempo atrás exerceram forte influência sobre sua época e, na verdade, continuam a ter impacto sobre o rio da cultura. A maioria dos nomes caiu no esquecimento, e algumas de suas façanhas são risíveis hoje. (Pergunte a alguém que viveu naquela época sobre as "queimadoras de sutiãs" do final da década de 1960.) As crenças e convicções impetuosas da revolução, porém, não apenas sobreviveram, mas permanecem inseridas nos conceitos atuais daquilo que é politicamente correto. Eis uma versão dessas ideias que o rio da cultura arrastou para a sociedade adolescente de hoje.

- As experiências sexuais precoces são saudáveis e, no caso das meninas, lhes conferem poder.
- A virgindade resulta de opressão, daí ser importante livrar-se dela o mais rápido possível. É vergonhoso ser uma menina inexperiente. Alguns pais pensam da mesma forma.
- A estrutura de poder masculino caucasiano é uma das principais fontes de injustiça do mundo e deve-se resistir a ela onde quer que apareça, seja na família, seja na cultura em geral.

- Não há diferenças inatas entre homens e mulheres, exceto pela capacidade de dar à luz. A fim de serem verdadeiramente iguais, homens e mulheres devem agir e pensar da mesma forma.
- Mulheres e meninas devem imitar o comportamento agressivo dos homens. As experiências sexuais sem compromisso são tão gratificantes para elas quanto para eles. O sexo deixou de implicar ou confirmar a existência de um relacionamento. Logo, é muito menos provável que as meninas de hoje se perguntem: "Será que ele vai me telefonar amanhã cedo?". É falta de etiqueta a garota fazer essa pergunta a um parceiro sexual.
- O recato é antiquado e reflete a opressão do passado. Comportamentos que teriam chocado gerações anteriores não causam nenhuma reação hoje em dia.
- Para as garotas mais jovens, a fonte do verdadeiro poder encontra-se em maximizar e vender seu *sex appeal* na competição para conquistar garotos.
- Hoje em dia, é socialmente aceitável uma menina ser considerada "fácil" ou "liberal" pelos colegas. Logo, vestir-se e agir como uma garota durona ou parecer uma prostituta é sinal de segurança e força. Janet Jackson permitiu que arrancassem seu sutiã diante de 90 milhões de telespectadores no intervalo do Super Bowl de 2004.[4] De acordo com Justin Timberlake, responsável por deixar o seio de Jackson exposto, foi apenas um "problema de figurino". Quase todas as outras mulheres que participaram do mesmo *show* pareciam prostitutas de rua. Quem pode dizer quantas meninas viram o evento naquela noite e decidiram deixar para trás um estilo saudável em troca de um visual "malvado"? Foi um desfile de cultura obscena.
- Nunca foi tão grande a probabilidade de as garotas serem a parte agressiva no relacionamento com o sexo oposto. O conceito tradicional de que os homens devem tomar a iniciativa e liderar foi invertido. Agora, muitas vezes são as meninas que telefonam para os garotos, dão em cima deles e pagam a conta quando os dois saem juntos. E não é raro elas levarem os amigos do sexo oposto para a cama.
- Homossexualidade, bissexualidade e heterossexualidade são consideradas moralmente equivalentes. Representam apenas estilos de vida diferentes dentre os quais se pode escolher.

- O romance saiu de moda. Não há motivo para o homem galantear a mulher se ela não lhe oferecer favores sexuais antes mesmo de os dois desenvolverem uma amizade. Poucos casais dizem "eu te amo" com significado mais profundo. Namorar também está se tornando obsoleto. Os novos relacionamentos são "rolos", ou seja, uma sucessão de encontros nos quais o casal "fica" sem compromisso.
- Aquilo que costumava ser chamado de "concubinato" ou "viver em pecado" na maioria dos países ocidentais foi, por séculos, considerado escandaloso. Hoje em dia, essa prática recebe nomes neutros como "viver juntos" ou "coabitação". É uma simples questão de moradia que não gera controvérsia nem apresenta implicações morais. Os pais podem até levantar objeções enquanto não se acostumam com a ideia, mas, para os jovens, é absolutamente normal.

Esses são apenas alguns dos conceitos que tragaram os jovens mais de quatro décadas atrás. Agora, os netos desses revolucionários estão crescendo e começando a aceitar as ideias outrora celebradas como "nova moralidade" e a viver de acordo com elas. Comportamentos considerados extremamente sugestivos no passado agora fazem parte da cultura popular que ensina sua filosofia às adolescentes com zelo evangelístico. Os radicais que se empenharam, muito tempo atrás, a "liberar" as mulheres e a moldar os valores de seus filhos foram assustadoramente bem-sucedidos. A maioria dos membros da geração mais jovem não tem nenhum outro ponto de referência. Não conhece outra coisa. Essa realidade me traz à memória o que Adolf Hitler disse em 6 de novembro de 1933: "Seu filho já nos pertence [...]. Que importância você tem? Você morrerá. Seus descendentes, porém, se encontram em novo território. Em pouco tempo, não conhecerão outra coisa senão essa nova comunidade".[5] Pouco menos de quatro anos depois, ele acrescentou: "O novo Reich não entregará seus jovens a ninguém".[6] A realidade lamentável é que, agora, os novos revolucionários se apoderaram de nossos filhos.

O que isso significa para a saúde mental e física das crianças e dos adolescentes de hoje? As respostas são espantosas e encontram-se registradas nos escritos de duas autoras jovens e brilhantes, Wendy Shalit e Carol Platt Liebau. Seus livros, escritos separadamente, são leitura essencial para todos os pais que desejam entender a cultura e proteger suas meninas daqueles que procuram arruinar seu caráter moral. Shalit escreveu *A Return to Modesty* [Um retorno ao recato] e *Girls Gone Mild* [Meninas que se tornaram meigas]. Liebau é autora de *Prude* [Puritana]. Esses três livros revelam a natureza nociva da cultura dos "rolos" (ou da vulgaridade) e nos advertem de seu impacto arrasador sobre meninos e meninas. São livros altamente recomendáveis.

A origem da preocupação de Wendy Shalit com o assunto é interessante e relevante para nossa discussão. Ela estava no segundo ano da Williams College quando escreveu seu primeiro artigo para a revista *Commentary*. Num texto enérgico e impressionante chamado "Um sanitário feminino para chamar de seu", ela expressa sua irritação com os banheiros mistos nos dormitórios das universidades, inclusive os da Williams College. Wendy descreve a vergonha de tomar banho e usar o sanitário na frente de alunos do sexo masculino, em um banheiro pequeno e sem trincos nas portas. Ela e outras alunas ouviram o discurso de que mulheres verdadeiramente liberadas "sentem-se à vontade com o próprio corpo" e, portanto, não devem ter vergonha de ficar nuas na frente de garotos.

Wendy escreve: "Não me entendam mal. De longa data sentia-me inteiramente à vontade com meu corpo. O que eu não queria era ter de estudar, logo de manhã, os detalhes do corpo do sexo oposto".

Os conselheiros de alunos residentes da Williams College não compartilhavam das ideias recatadas de Wendy. No ano anterior, haviam dito na palestra para calouros que, quem tivesse problemas com os banheiros mistos, poderia marcar horário com um dos psicólogos do *campus*. Em outras palavras, recato é sinal de doença mental.

A fim de não precisar lidar com a presença de homens em seu banheiro, que Wendy chamava de "maravilhoso jardim de intimidade", todos os dias ela pegava sua *nécessaire* e usava os sanitários de um prédio administrativo próximo do dormitório. Nesses banheiros se podia ler "em encantadores letreiros pretos aquilo que, para mim, pareciam ser as duas palavras mais tranquilizadoras de minha língua materna: 'Feminino' e 'Masculino'".

No ano seguinte, Wendy se mudou para um dormitório só de meninas, onde podia tomar banho com privacidade. Mas as coisas não correram exatamente como esperava.

Ela prossegue:

> Certo dia, no início do outono, ao sair do banho, topei mais uma vez com um homem desconhecido, ou melhor, com o traseiro dele.
> — O que você está fazendo aqui? — perguntei.
> — Ahh... Só vim fazer um xixi.
> — Sinto muito se houve um mal-entendido — retruquei, segurando minha toalha branca com um gesto, acreditava eu, extremamente enfático. E continuei: — mas esse não é um banheiro misto.
> Pela primeira vez, o rapaz virou a cabeça para trás e me encarou. Deve ter achado graça em ver uma baixinha ensopada tentando parecer ameaçadora, pois, em vez de se retirar, riu e protestou sem muita convicção:
> — Não tem nenhuma placa na porta.
> — Mas é justamente por isso que eu estou aqui — anunciei. — Eu sou a placa. ESTE NÃO É UM BANHEIRO MISTO! Deu para entender?
> — Tá bom, tá bom — ele resmungou em tom apaziguador, fechando o zíper rapidamente e se apressando porta afora.
> Enquanto ele percorria o corredor a passos rápidos, dava para ouvi-lo reclamando:
> — Não precisa gritar. Que horror! Parece minha mãe!

Depois disso, Wendy colocou uma placa na porta com as palavras: "Este não é um banheiro misto. Só para mulheres, por favor. Obrigada por sua cooperação, cavalheiros". No dia seguinte, alguém bateu à porta de Wendy e a chamou para uma reunião no quarto de outra colega. Quatro meninas estavam sentadas no chão, com as pernas cruzadas e uma expressão séria no rosto. Uma delas falou em nome das outras:

— Wendy nós conversamos e achamos que, bom... sua placa é segregacionista.[7]

"Segregacionista?" Dá um tempo! Sanitários no mundo inteiro têm placas que indicam Masculino e Feminino nas mais variadas línguas nativas. Enquanto isso, em uma universidade os homens se sentem insultados por não poderem entrar nesse santuário feminino extremamente pessoal e íntimo?

O artigo de Shalit teve grande repercussão não apenas na Williams College, mas em outros lugares. A revista *Reader's Digest* o reimprimiu no ano seguinte, fato que firmou Wendy na carreira de comentarista social. Em seus dois livros, ela trata das atitudes sexuais libertinas da sociedade e adverte sobre as consequências da lascívia incontida. Como era de se esperar, as feministas detestaram suas obras e tentaram intimidá-la. Não é fácil, porém, descartar seus argumentos convincentes. Até mesmo os alunos da Williams College elogiaram sua postura corajosa.

Em seus livros, Shalit ressalta que o recato, símbolo milenar de feminilidade, passou por uma transformação radical. Hoje, a virgindade é considerada sinal de fraqueza e timidez. A mulher moderna deve ser despudorada, irreverente, agressiva, espalhafatosa, irada, durona e independente — qualquer coisa, menos feminina e reservada. Acima de tudo, deve ser sexualmente liberada, pois essa é a chave para seu senso de poder. Acredita-se que envolvimento em "rolos" casuais, comportamento ousado e até mesmo nudez em banheiros mistos ajudam a garota a tornar-se mais segura de si e a demonstrar força. Essa visão distorcida da natureza feminina vira a realidade do avesso. Não obstante, a maioria das adolescentes e jovens de hoje (especialmente aquelas que frequentam universidades seculares) foram inculcadas com o relativismo moral do qual emana o comportamento libertino. Infelizmente, o rio da cultura as arrastou correnteza abaixo.

Carol Platt Liebau ilustra a profundidade dessa degeneração moral:

> A atividade sexual contaminou os últimos anos do ensino fundamental sem dó nem piedade.[8] [...] Cada vez mais, as meninas consideram a atividade sexual parte daquilo que significa ser uma adolescente típica.[9] Comportamentos sexuais outrora inaceitáveis, como relacionamentos entre indivíduos do mesmo sexo, são cada vez mais comuns e ocorrem entre garotas cada vez mais jovens.[10]

Liebau tem razão. De acordo com pesquisadores da San Diego State University, um levantamento de 530 estudos realizados ao longo de cinco décadas com 250 mil jovens entre 12 e 27 anos revelou que somente 12% das mulheres aprovavam o sexo antes do casamento em 1943. Em 1979, esse índice havia subido para 73%.[11]

O Instituto Gallup descobriu tendências semelhantes. Em 2006, 79% dos jovens consideravam o sexo antes do casamento moralmente aceitável, e 52% não viam problema nenhum em morar juntos.[12] A revolução sexual que começou em grande estilo na década de 1960 sobreviveu até o século 21 e agora compreende a maioria dos jovens norte-americanos.

Outro estudo entre norte-americanos corrobora essas constatações assustadoras. Em uma entrevista realizada com mais de mil adultos, os pesquisadores perguntaram se eles acreditavam no conceito de pecado como "algo que é quase sempre considerado errado, particularmente do ponto de vista religioso ou moral". A resposta de 87% dos entrevistados foi afirmativa. Em seguida, os pesquisadores pediram que eles listassem trinta comportamentos tradicionalmente considerados pecaminosos. O primeiro item da lista foi adultério (81%), seguido de racismo (74%), uso de drogas (65%), aborto (56%), relações homossexuais (52%), fofoca (47%), linguagem obscena (46%) e, lamentavelmente, sexo antes do casamento (45%). Para mais da metade dos adultos norte-americanos de todas as idades, o sexo fora do casamento é considerado "normal".[13]

O Family Research Council, que relatou essas descobertas, escreve: "É animador saber que, neste tempo de relativismo, a maioria dos norte-americanos ainda reconhece e acredita que existe algo chamado pecado, mesmo que os detalhes sejam menos promissores".[14]

Gerações anteriores teriam ficado pasmas diante da desintegração da moralidade tradicional em nossos dias. A colunista Florence King não doura a pílula ao resumir a questão:

> Deixamos de ser uma nação que acredita que o valor da mulher virtuosa excede o dos rubis [Pv 31] e passarmos a crer que a mulher virtuosa é como sino que ressoa [1Co 13]. Entrementes, a nova mulher deixou de ser o prêmio para se tornar a presa. Sem as convenções sociais do recato, sua prerrogativa de dizer não foi sobrepujada pela prerrogativa dos homens de esperar ter sexo.[15]

Foi essa mudança dramática nas atitudes culturais que levou Wendy Shalit e Carol Platt Liebau a escrever sobre suas implicações para o bem-estar das meninas. Não sabemos se elas trocaram ideias antes de escrever, mas, sem dúvida, chegaram às mesmas conclusões.

Liebau observa:

> Em uma era anterior, o sucesso social era definido por quanto determinada moça era capaz de inspirar um garoto a procurá-la, cortejá-la e fazer coisas por ela. Agora, as meninas competem pela atenção dos garotos com base em quanto elas estão dispostas a fazer por eles em termos sexuais e em outros aspectos. Conforme as próprias garotas observaram, essa dinâmica significa que nunca foi tão verdadeira a noção de que quem dá as cartas são os garotos. [...]
>
> Ao oferecerem o corpo com tanta rapidez e facilidade, as meninas entregam, em essência, seu meio mais eficaz de garantir o tipo de companheirismo masculino pelo qual elas mais anseiam.[16]

Como Shalit enfatiza, é tolice imaginar que uma mulher tenha facilidade de se desligar emocionalmente dos homens com os quais ela dorme. Pelo contrário: na cultura dos "rolos" as garotas costumam se sentir rejeitadas, usadas e abusadas ao oferecerem seu presente mais íntimo e depois serem descartadas. Quando isso acontece, os rapazes conseguem o que querem, enquanto para as garotas só resta raiva e depressão. No capítulo seguinte, veremos as consequências profundas desse estilo de vida baseado em relações sem compromisso.

Shalit cita a advertência de Jean-Jacques Rousseau, filósofo do século 18, para as mulheres não tentarem ser como os homens: "Quanto mais as mulheres quiserem ser semelhantes [aos homens], menos elas os governarão, e, portanto, os homens serão, de fato, os dominadores".[17] É exatamente isso que acontece quando as mulheres se envolvem em sexo casual.

O comportamento sórdido também afeta os homens emocional e espiritualmente, mas de forma diferente. Eis como o apóstolo Paulo descreve a situação: "Vocês não sabem que aquele que se une a uma prostituta é um corpo com ela? Pois, como está escrito: 'Os dois serão uma só carne'" (1Co 6.16). Fomos projetados dessa maneira. Um velho provérbio descreve como os povos antigos viam a virgindade: "A castidade é como um pingente de gelo: uma vez que se derrete, é o seu fim". Em outras palavras, é fácil destruir a virgindade, mas é impossível restaurá-la.

Desde os primeiros registros históricos, encontramos na literatura clássica referências à castidade e, especialmente, à nudez. De acordo com Gênesis, por exemplo, antes de Adão e Eva pecarem no jardim do Éden, os dois "viviam nus, e não sentiam vergonha" (Gn 2.25). Conforme o texto bíblico mostra, depois de comerem do fruto proibido, porém, "os olhos dos dois se abriram, e perceberam que estavam nus; então juntaram folhas de figueira para cobrir-se" (Gn 3.7).

Em seguida, Adão tentou esconder-se de Deus, pois teve vergonha de sua nudez. O Criador lhe fez uma pergunta sugestiva: "Quem lhe disse que você estava nu?" (Gn 3.11). Daquele momento em diante, o recato com respeito ao corpo tornou-se profundamente arraigado à natureza humana, especialmente a das mulheres. Pode ser subjugado e subvertido, mas paga-se caro por isso.

Como vimos, a cultura popular se refere à nudez como "estar à vontade com o corpo". Muitas meninas aceitaram essa interpretação e se despiram sem nenhum pudor para a revista *Playboy*, para produtores de filme e de pornografia leve e pesada, e para qualquer um que se oferecesse a pagá-las. Evidentemente, trata-se de outra forma de prostituição. Algumas adolescentes, em busca de atenção, se despem sem ser remuneradas. Em um tipo de mensagem chamado *sexting*, enviam fotos de nudez ou sexo explícito pelo celular ou pela internet para namorados, os quais baixam essas imagens. Nada impede esses sujeitos de distribuírem as fotos para meio mundo durante décadas. Mais de 20% dos adolescentes já se envolveram com *sexting*.[18] O que aconteceu com a voz da consciência que disse para inúmeras gerações de moças que se despir diante de estranhos era errado e vulgar? Foi pervertida por uma cultura popular que condena o recato e a moralidade e incentiva as meninas a ficarem à vontade com a nudez.

Para todos os lados que os adolescentes se voltam, ouvem alguma versão do mesmo discurso. Isso me traz à memória o filme *Grease*, uma produção de grande sucesso que contribuiu para enfraquecer o que restava da moralidade tradicional. Lançado em 1978, o filme retrata a década de 1950 em um musical açucarado, glamoroso e relativamente convencional sobre o amor adolescente. John Travolta é Danny Zuko, o conquistador colegial que faz as meninas se derreterem por ele. Olivia Newton-John é a loira engraçadinha chamada Sandy, recém-chegada da Austrália. Fica evidente que ela está totalmente por fora. É uma "boa menina" que aparece vestida quase sempre de branco ou amarelo-claro. Todas as outras garotas da escola Rydell parecem se divertir mais do que ela, e suas novas amigas se preocupam com sua inocência embaraçosa. A fim de ajudá-la a "cair na real", elas a convidam para uma festa do pijama.

A virgindade de Sandy é o foco da festa. Quando Frenchy, uma das garotas, se oferece para furar as orelhas de Sandy, outra menina lhe dá um "alfinete da virgindade" para perfurar o lóbulo. Entendeu? O sangue simboliza a perda da virtude. As meninas incentivam Sandy a beber vinho e fumar, o que a faz correr até o banheiro para vomitar. Enquanto ela está trancada ali, Rizzo, a mais ousada da turma, diz: "Essa garota santinha é de virar o estômago"; em seguida, coloca uma peruca loira e começa a cantar, em tom de zombaria:

> Olhem para mim, sou Sandra Dee,[19]
> Tenho virgindade de sobra.
> Não vou pra cama com ninguém,
> Enquanto não me casar de papel passado.
> Não posso, pois sou Sandra Dee.

A letra prossegue, satirizando a imagem de boa menina de Sandy. Nos dias subsequentes, o relacionamento entre Sandy e Danny desanda. Ele a leva para um cinema *drive-in* e lhe dá seu anel com o brasão da escola. "É um presente importante para mim", Sandy diz. "Significa que você me respeita." Zuko aproveita o momento e tenta tocar os seios de Sandy. Em seguida, vai para cima dela e a prende de encontro ao banco da frente. Sandy grita, consegue se desvencilhar e cambaleia para fora do carro. O incidente deixa Zuko frustrado e separa os dois. Sandy fica extremamente confusa com o ocorrido.

Zuko e seu rival participam de um racha em uma pista de Los Angeles. Sandy aparece sentada em um canto afastado, pensando no que deu errado no relacionamento. De repente, a ficha cai: era "boazinha demais". Ao entender essa realidade, ela entoa tristemente a canção da festa na casa de Rizzo:

> Honrada e pura,
> tão assustada e insegura,
> Sandra Dee de meia tigela.

A canção termina com as palavras "Adeus, Sandra Dee".[20] Lembre-se de que Sandy é descrita como uma garota que tem "virgindade de sobra". Esse é o grande problema.

Sandy sabe exatamente o que fazer. Pede a ajuda de Frenchy para mudar radicalmente de visual e, na cena seguinte, uma Sandy sensual aparece vestindo jaqueta de couro, calças justíssimas e sapatos de salto alto. Vê Zuko e diz: "E aí, Tigrão?". Os dois dançam juntos em uma festa da escola, mexendo simbolicamente os quadris, um em direção ao outro, ao ritmo da música. Em seguida, entram em um carro futurista e somem nas nuvens enquanto os alunos da escola Rydell continuam a dançar e se divertir.[21]

Descrevi esse filme interessante em detalhes não porque é o pior filme de todos os tempos. Na verdade, é bastante convencional e engraçado. Escolhi *Grease* por causa da maneira sutil e convincente pela qual ele destrói o conceito de virgindade como virtude. O filme ilustra precisamente o argumento relatado por Shalit e Liebau em seus livros. A sociedade diz para as meninas que, se elas forem virtuosas demais, se sentirão "honradas e puras, tão assustadas e inseguras". Para superar esse problema, precisam agir como homens e ser duronas, despudoradas e sexualmente agressivas.

Mais de trinta anos depois de seu lançamento, o filme continua a ter impacto sobre gerações mais jovens. Ontem à noite, por exemplo, passou duas vezes na televisão paga em minha região. A exemplo de suas antecessoras, as meninas de hoje veem Sandy como modelo que as orienta a livrarem-se também da virgindade. As garotas de hoje são advertidas de que não conseguirão chamar a atenção dos garotos se continuarem a se parecer com Sandra Dee e a agir como ela. A maioria dessas garotas é jovem demais para ter visto essa atriz espirituosa em seus filmes.

As escolhas que essas meninas têm diante de si são sombrias. Podem juntar-se à cultura dos "rolos" ou ficar sentadas em casa, esperando o príncipe encantado aparecer montado em seu cavalo branco. É provável que ele nunca dê as caras. Não é preciso ser muito perspicaz para ver que essa é a mensagem por trás de *Grease*.

Para ser sincero, não gosto nem um pouco daquilo que a indústria de entretenimento tem feito com os valores morais de muitas crianças e adolescentes. Pense, por exemplo, em quantas meninas inocentes e vulneráveis são incentivadas por filmes a buscar experiências sexuais prematuramente e sem nenhum preparo. Algumas dão à luz bebês dos quais não podem cuidar. Algumas fazem abortos dos quais nunca vão se esquecer. Algumas contraem doenças sexualmente transmissíveis incuráveis das quais sofrerão para o resto da vida. Algumas são marcadas irreparavelmente pela rejeição e tristeza. Outras entram em casamentos turbulentos condenados ao fracasso desde o início. E todas elas sofrem as consequências espirituais de violar a lei moral de Deus. Não obstante o que algumas pessoas imaginam, os padrões divinos de certo e errado não foram revogados.

A indústria cinematográfica causou estragos enormes na moralidade e na saúde de várias gerações de jovens por meio de filmes muito piores que *Grease*. Outras influências e instituições fizeram o mesmo. Usam-se todas as dimensões da cultura para abordar crianças e jovens. Poucos médicos, por exemplo, dizem às adolescentes que a abstinência faz mais sentido do que os anticoncepcionais orais. Que bom seria se eles se dessem o trabalho de explicar a suas pacientes que os medicamentos contraceptivos e, por vezes, a camisinha *não* evitam doenças. Deveriam esclarecer por que elas têm tanto a perder em termos emocionais e físicos ao se entregarem intimamente a sujeitos que não querem nada além de uma transa rápida.

Infelizmente, adultos em posição de autoridade muitas vezes não estão dispostos a dizer aos jovens a verdade nua e crua. Antes, incentivam-nos a se envolver em comportamentos irresponsáveis e imorais. Um exemplo: em 2007, a Universidade do Colorado promoveu um simpósio na instituição de ensino médio Boulder High School, em Boulder, Colorado. Um dos temas do evento, no qual a presença era obrigatória para todos os alunos, era "DSTs: sexo, adolescentes e drogas". Vários membros do painel ofereceram conselhos absurdos para os estudantes. Segue um trecho da palestra do dr. Joel Becker, psicólogo da Universidade da Califórnia, Los Angeles (UCLA), um dos participantes do evento:

> Vou incentivá-los a ter relações sexuais e vou incentivá-los a usar drogas de forma apropriada. [Aplausos e assobios dos alunos.] Assumirei essa postura porque, de um jeito ou de outro, vocês experimentarão sexo e drogas. [...] Quero incentivá-los a ter comportamento sexual saudável. Mas o que é comportamento sexual saudável? Não me importo se acontece entre dois homens, duas mulheres, uma mulher e um homem ou qualquer outra combinação que lhes agrade.[22]

Becker prosseguiu com seu discurso radical para adolescentes impressionáveis vindos diretamente da cultura dos "rolos". Seu conselho mais enérgico foi para que investissem bastante em "comportamento sexual saudável", embora não o tenha definido. Não ofereceu nenhuma palavra de advertência sobre doenças sérias, gravidez ou abuso dos mais vulneráveis. Lembre-se de que aids e trinta outras doenças sexualmente transmissíveis afetam aqueles que têm relações sexuais frequentes, ou mesmo ocasionais, fora do casamento. É evidente que ninguém comentou com os alunos da Boulder High School sobre as considerações morais ou crenças que alguns deles aprenderam em casa ou na igreja. Essa parte foi totalmente desprezada.

Em seguida, o dr. Becker e seus colegas, envoltos em autoridade profissional, tiveram a audácia de apoiar o uso de drogas ilegais. Em suas próprias palavras: "Vou incentivá-los a usar drogas de forma apropriada". Pelo amor de qualquer coisa que se assemelhe a bom senso, o que vem a ser o uso *apropriado* de drogas? Tudo indica que Becker estava incentivando menores de idade a cometer crimes. Por acaso a direção da escola ou a polícia de Boulder levantou alguma objeção a esses comentários? Dr. George Garcia, superintendente da secretaria da educação de Boulder Valley declarou que, "no geral, o simpósio foi adequado".[23]

Na primavera de 2009, conheci Daphne White, que, em 2007, cursava o segundo ano do ensino médio na Boulder High School. Daphne estava na plateia naquele dia, ouvindo suas convicções cristãs serem depreciadas e contraditas. Depois de quatro palestrantes tagarelarem sobre drogas e sexo, os alunos tiveram a oportunidade de fazer perguntas, mas foram avisados para não expressar sua própria opinião nem fazer declarações. Daphne se levantou e, respeitosamente, confrontou o dr. Becker, dizendo:

> Olá. É bem difícil para mim ficar em pé aqui e dizer isso, mas acho que é necessário. Fiquei extremamente ofendida com algumas das coisas que o senhor disse e creio que é importante entender que, apesar de esta ser uma escola pública, algumas pessoas aqui [...] pensam de forma diferente e, em minha opinião, essa discussão foi unilateral. Desculpe-me, mas fiquei ofendida com várias coisas. Uma delas é que eu acho inapropriado desacreditar posturas religiosas sobre alguns desses assuntos. Sei, dr. Becker, que o senhor desconsiderou a abstinência, sobre a qual muitas pessoas têm uma opinião muito bem formada, e eu só gostaria que todos soubessem que essa discussão tem dois lados [...]. Também notei que o senhor considera algumas dessas sérias questões como se fossem brincadeira e, em minha opinião, essa é uma forma de incentivar os adolescentes a fazer exatamente o oposto daquilo que eu imaginava que deveria ser recomendado neste simpósio, ou seja, incentivar os adolescentes a adotar a abstinência. Por isso, gostaria apenas de dizer que os membros da bancada precisam refletir sobre as mensagens que vieram comunicar aqui.[24]

Tenho grande orgulho dessa jovem corajosa. Daphne defendeu o recato, a abstinência e sua fé religiosa com convicção diante de oitocentos colegas, professores e membros da direção da escola. Também se pronunciou contra o uso de drogas ilegais. Trabalho com adolescentes há muitos anos, inclusive alunos de escolas públicas, e foram poucas as vezes em que vi coragem como a que Daphne demonstrou naquela tarde. Infelizmente, ela pagou caro por defender suas crenças. Nos dias depois do simpósio, a moça sofreu difamação e humilhação. Colegas zombaram dela, e professores fizeram-na sentir-se tola. Ninguém a defendeu, exceto sua mãe, Priscilla White, que telefonou para o diretor da escola, Bud Jenkins. Pelo que consta, Jenkins defendeu o programa e não deu nenhum apoio a Daphne.

O comentarista da Fox News Bill O'Reilly ficou sabendo do incidente e criticou a secretaria de educação e a direção da escola pela abordagem liberal da apresentação. Também tratei dessa situação no programa Focus on the Family e apresentei uma parte das gravações para meus ouvintes. Muitos na comunidade ficaram indignados e se manifestaram em favor da Boulder High School. Foi espantoso ver os pais tomarem partido da escola. Alguns foram abertamente grosseiros com Daphne. Em uma reunião subsequente da secretaria de educação, o auditório lotou de gente da cidade, mas apenas quatro ou cinco pais se opuseram ao programa. Quando a sra. White tentou falar, seu microfone foi desligado para que ninguém pudesse ouvi-la. Essa é a realidade que jovens e seus pais muitas vezes enfrentam quando ousam defender suas crenças, especialmente em comunidades liberais como Boulder. Em uma época na qual precisamos tanto de clareza moral, aqueles que deveriam ajudar a manter os padrões colaboram para a confusão e sedução dos jovens. Como é possível crianças e adolescentes imaturos fazerem escolhas certas quando os adultos os incentivam a adotar comportamentos tolos e perigosos? Já é difícil permanecerem castos em uma cultura hipersexualizada, e essa tarefa se torna quase impossível quando pastores, professores, técnicos esportivos, conselheiros, enfermeiras, avós e tios se calam. Sem eles, não há como deter as influências malignas. Infelizmente, como diz a canção, "O velho rio [...] continua a correr".

Por mais desarrazoado que pareça, muitas mães e pais incentivam seus adolescentes a serem promíscuos. É difícil entender suas motivações, tendo em vista aquilo que está em jogo. Voltando a Wendy Shalit, ela trata desse enigma repetidamente em *Girls Gone Mild*. Eis algumas de suas observações:

> Se os pais soubessem [que seus filhos estão tendo relações sexuais], muitos não se importariam e talvez até ficariam aliviados por seus filhos estarem "curtindo

a vida". Sem sombra de dúvida, nossa expectativa de que os jovens sejam sexualmente ativos, e o façam sem maiores cerimônias, tem tornado difícil chamar o abuso infantil por seu nome apropriado.[25]

A realidade é que os pais também enfrentam um bocado de pressão de outros pais para aplicar as novas e rasas expectativas. Há uma misoginia explícita em nossa atitude em relação à pessoa virgem, o que se torna ainda mais óbvio quando essa filosofia é levada adiante até sua conclusão lógica.[26]

Cerca de 70% desses *e-mails* e cartas [de meninas que entraram em contato com Shalit] expressavam a ideia de que o desejo de se casar e ter filhos era uma aspiração a ser "escondida". [...] Fiquei chocada ao observar que, de acordo com quase metade das cartas, os próprios pais acreditam que há algo de errado com a filha quando ela não trata o sexo de forma suficientemente banal.[27]

Quando uma mãe descobriu que a filha ainda não havia dormido com o novo namorado depois de os dois terem passado o fim de semana fora, ela avisou a menina em tom ameaçador: "Você vai perdê-lo!". [O que não aconteceu; os dois acabaram se casando.][28]

Como são tristes as crianças e os adolescentes cujos pais aceitam e apoiam dessa forma as distorções da cultura dos "rolos". Em vez de oferecer sabedoria, aumentam a confusão e as tentações dos jovens. A responsabilidade final de proporcionar orientação e ensino moral aos filhos é das mães e dos pais. Volto a lembrar a advertência severa registrada para todos nós em Levítico 19.29. Seu significado é inequívoco:

Não entregue a sua filha ao comércio imoral da prostituição. Se você fizer isso, tanto ela como a terra estarão manchadas. E a maldade dominará o país.

Pais cristãos que levam a Escritura a sério e a entendem de forma literal (como eu), compreenderão a tônica da declaração a seguir, que apresenta a defesa mais concludente da virgindade que já li até hoje.

Na verdade, a virgindade representa uma expressão de respeito pelo poder extraordinário da paixão sexual, e constitui uma manifestação de fidelidade a algo que transcende os desejos momentâneos. É, como escreveu a ensaísta Sarah E. Hinlicky, "uma sexualidade dedicada à esperança, ao futuro, ao amor conjugal, a filhos e a Deus". Também é uma expressão de respeito próprio. Meninas que se recusam a entrar no jogo das relações sem compromisso asseveram que merecem algo melhor que as carícias desajeitadas de meninos que querem apenas seu corpo ou que afirmam gostar delas — mas não necessariamente o suficiente para se comprometer em um relacionamento formal como o casamento (ou prometer casar-se com elas se o resultado da relação for uma gravidez inesperada).

Ser virgem significa estar verdadeiramente no controle do próprio corpo, coração e alma. É uma forma de identificar quais garotos gostam da menina por quem ela é, e não apenas pelo corpo que ela tem. E, embora não seja garantia contra mágoas, a virgindade protege a menina de experimentar o arrependimento amargo de ter entregue parte de si a alguém indigno dessa dádiva.[29]

Pais e mães, vocês estão prestando atenção? Trata-se de uma Verdade com V maiúsculo! Deve ser ensinada especialmente a suas filhas, mas também a seus filhos. Quase posso ouvir alguns críticos dizerem: "Você adere a um modelo antigo de dois pesos e duas medidas segundo o qual os homens podiam se divertir enquanto as mulheres tinham de ser as guardiãs da moralidade". Quero deixar bem claro que *não* é isso que estou dizendo. O fato é que, embora a pureza seja saudável e moralmente importante para ambos os sexos (e a Escritura não faz distinção entre eles), continua sendo verdade que as mulheres pagam um preço mais alto pelo comportamento sexual indevido, tanto em termos emocionais quanto físicos. Sempre foi assim e também será para suas filhas adolescentes.

Comece a afastar seus meninos e meninas da cultura dos "rolos" enquanto ainda são jovens. O primeiro passo é ensinar padrões razoáveis de recato e virtude. Diga-lhes que algumas coisas são certas e outras são erradas e explique a diferença entre as duas. Explique, também, que os princípios morais são eternos e foram definidos por nosso Criador, a quem devemos prestar contas. Esses padrões refletem o próprio caráter de Deus. Sua Palavra é a base para os limites de comportamento que ele estabeleceu para o nosso bem. Ensine o significado de casamento e explique por que a virgindade é uma dádiva preciosa a ser reservada para o futuro marido ou esposa. Diga a seus filhos e filhas que eles não têm o direito de entregá-la a ninguém mais e garanta-lhes que não vão se arrepender jamais de preservá-la.

Acima de tudo, ore diariamente por seus filhos, citando o nome deles. Ajude-os a evitar as pedras pontiagudas e os obstáculos do rio da cultura. Realizar essa tarefa da forma correta pode protegê-los contra uma vida inteira de tristeza.

15 Consequências

TENHO CERTEZA DE QUE o capítulo anterior perturbou alguns de meus leitores, pois o mundo em que seus filhos vivem se tornou extremamente nocivo. Em breve, tratarei de assuntos mais animadores, pois educar meninas é uma bênção maravilhosa a ser celebrada. Falando de modo pessoal, contudo, não posso encerrar o assunto da cultura das relações descompromissadas sem fornecer algumas informações importantes a respeito das consequências da promiscuidade e de outros comportamentos irresponsáveis. Creio que até mesmo pais de crianças pequenas se beneficiarão dos comentários a seguir. Afinal, a adolescência se aproxima a passos largos.

Pouco tempo atrás, conversei com um casal que tem quatro filhos, três meninas e um menino, todos adolescentes. A mãe se virou para mim e disse: "Preciso de sua ajuda. Estou bem preocupada com a influência da cultura sobre crianças e adolescentes e, especialmente, sobre nossos filhos. Meu marido e eu temos feito de tudo para protegê-los de influências nocivas, mas é uma luta mantê-los na linha. A coisa mais triste é que outros pais de nosso círculo de convívio, inclusive na igreja, não nos apoiam. No fundo, creio que desistiram e parecem ter resolvido deixar os filhos seguirem a correnteza".

A mãe continuou a descrever suas dificuldades ao tentar evitar que seus adolescentes sejam expostos a filmes, programas de televisão e *sites* na internet que não são saudáveis. Os amigos dos filhos constituem parte do problema, pois, pelo visto, têm liberdade de fazer o que bem entendem, sem regras, disciplina ou supervisão. Ela e o marido sentem-se praticamente sozinhos nessa batalha, apesar de os filhos frequentarem escolas cristãs e serem membros de uma igreja conservadora.

É justamente disso que estou falando. Esses pais estão entre milhões de outros cujos filhos estão sendo arrastados pelas correntezas do rio da cultura. Usando outra analogia, muitos pais e mães preocupados estão envolvidos em um cabo de guerra, lutando pelo coração e a mente dos filhos em uma batalha que não podem se dar ao luxo de perder.

A história é bastante conhecida, motivo pelo qual descrevi de modo mais detalhado as forças que atacam a família de hoje. Duvido que tenha havido outro período na história moderna em que era mais desafiador acompanhar os jovens durante a adolescência e conduzi-los em relativa segurança até o início da vida adulta. A revolução sexual dos anos 1960 agora faz parte da cultura popular e causa muito menos espanto aos adultos.

Permita-me voltar aos comentários que fiz anteriormente no livro que trata do tumulto interior experimentado por muitas meninas adolescentes. Ele é a chave para decifrar certos comportamentos que, de outro modo, parecem incompreensíveis. Mais especificamente, essa turbulência é o motivo pelo qual tantas adolescentes procuram fazer mal a si mesmas de formas assustadoras. Sem dúvida, você já viu exemplos desse comportamento autodestrutivo entre os adolescentes, talvez em membros de sua própria família. Um número alarmante de meninas alimenta uma raiva profunda contra si mesmas que as leva a deixar de se alimentar e, por vezes, termina até em morte. Outras comem demais e depois vomitam; tomam remédios fortes e usam drogas ilegais; entorpecem os sentidos com bebidas alcoólicas; cortam e perfuram o corpo; marcam-no permanentemente com tinta; envolvem-se em atividades como prostituição, pornografia, *striptease*, violência, intimidação, agressão sexual, depravação e vulgaridade; algumas chegam a tentar o suicídio, cujo índice sofreu elevação nos últimos anos.[1] Todas têm algo em comum.

Por que adolescentes e jovens inteligentes, na maior parte dos casos meninas, se comportam de formas tão autodestrutivas? A resposta, em poucas palavras é: ódio de si mesmas. Estão em guerra consigo mesmas no mundo adolescente de competição implacável. É um ambiente pernicioso que cria vencedores e perdedores, bem providos e desprovidos, estrelas e escaras, e medo paralisante.

Aqueles que se consideram sem valor muitas vezes afundam num desespero do qual não conseguem sair sem ajuda profissional.

As meninas que se desprezam normalmente guardam memórias dolorosas de humilhações passadas causadas por meninos que as rejeitaram e insultaram, e por garotas invejosas e fofoqueiras que as ridicularizaram e assediaram. Elas recebem apelidos que descrevem características pessoais embaraçosas e visam a ridicularizá-las. Algumas são chamadas "garotas descartáveis". Consequentemente, consideram-se feias e burras e imaginam que não são, nem podem ser, amadas. Fervem de hostilidade contra pais, professores e colegas, mas, principalmente, contra si mesmas. Olham no espelho com o mais absoluto desprezo e têm vontade de morrer.

Estamos começando a entender onde nasce esse ódio de si mesma. Primeiro, devo enfatizar que ele tem várias causas associadas a circunstâncias individuais, desde abuso físico ou emocional nos primeiros anos de vida até rejeição trágica por um dos pais ou por ambos. Eu poderia fornecer uma longa relação de fatores dentro desse contexto limitado, mas há um elemento cada vez mais comum hoje em dia. Trata-se da promiscuidade sexual precoce, da qual estamos discutindo. Esse é o caminho mais rápido e garantido para a depressão.

A raiva, como sabemos, é um derivado da depressão. Uma garota ingênua que perde sua virgindade quando ainda é extremamente jovem e entra para a cultura dos "rolos" está exposta a inúmeras experiências prejudiciais. Em sua busca por amor e afirmação, é possível que, inicialmente, tenha confiado e tentado agradar um sujeito imaturo cujas motivações eram bem diferentes das dela. A menina envolveu-se no relacionamento mais íntimo de todos na esperança de ser amada para sempre, mas não passou de uma promessa falsa. Sem um pingo de sensibilidade, o garoto sumiu assim que a transa perdeu a novidade. Enquanto a menina desejava encontrar amor, o menino estava a fim de uma conquista e de prazer instantâneo. Ela pensou que estava tendo um romance, e ele imaginou que tinha "dado sorte". Ela ficou se sentindo usada e abusada, enquanto ele contou vantagem sobre aquilo que tomou dela. Eis o motivo pelo qual afirmei que a liberação sexual, como foi chamada a princípio, é a maior piada à custa das mulheres. Mas não é nem um pouco engraçada.

O mais triste é que a maioria das adolescentes não aprende muita coisa com suas primeiras experiências desagradáveis. Talvez o próximo cara seja o príncipe encantando. Talvez ele corresponda a seu afeto. Em vez disso, ela vai de cama em cama e logo descobre que está grávida, sozinha e diante de pais zangados. Talvez a mãe ou uma enfermeira da escola a leve às pressas para uma clínica de aborto, onde ela será submetida a um procedimento de que se lembrará, talvez com arrependimento, para o resto da vida. Ou talvez pense em ter o bebê para o qual está lamentavelmente despreparada. Na melhor das hipóteses, alguém lhe sugerirá a possibilidade de entregar a criança para adoção. Não obstante, a experiência por que ela passará a transformará no âmbito físico e emocional. A vida nunca mais será a mesma. Por que ela não estaria deprimida e com raiva?

É evidente que não estou falando de todas as meninas adolescentes, nem mesmo da maioria delas. Mas mesmo que haja apenas uma menina percorrendo esse caminho, sua situação é trágica. Sinto um peso no coração por ela e por sua família.

Consideremos as evidências que associam o sexo sem compromisso à depressão, ao ódio de si mesma e, por fim, ao comportamento autodestrutivo. Foi esse o encadeamento que observamos. Mas o que as pesquisas mostram?

De acordo com um estudo realizado com 19 mil adolescentes pelos institutos nacionais de saúde norte-americanos, garotas promíscuas têm probabilidade quatro vezes maior de entrar em depressão do que garotas virgens.[2] Alguns dos sintomas são tristeza, perda de apetite e sentimento de desespero a respeito do futuro. A probabilidade de suicídio também é maior entre garotas sexualmente ativas. Em contrapartida, meninos e meninas que permanecem virgens apresentam índices mais baixos de depressão.[3] Quando meninas começam a ter experiências sexuais, sofrem emocionalmente.[4] Os meninos são menos afetados. Mas quem disse que a vida é justa?

O periódico *American Journal of Preventive Medicine* apresenta outras evidências da ligação entre certos comportamentos e depressão, num estudo intitulado "Which Comes First in Adolescence: Sex and Drugs or Depression?" [O que vem primeiro na adolescência: sexo e drogas ou depressão?].[5] De acordo com a pesquisa, a resposta é sexo e drogas. A depressão vem depois, seguida de aversão própria e tentativas de fazer mal a si mesmo.

A American Psychological Association também confirmou essa sequência. Suas constatações indicam que a cultura atual de "rolos" sem compromisso causa sérios danos psicológicos e até físicos, como vimos anteriormente. O sexo sem compromisso interfere no desenvolvimento da identidade pessoal e resulta no que se chama de "objetificação". Em outras palavras, as meninas começam a se considerar meros "objetos sexuais", cujo senso de valor é determinado pelo modo como elas operam dentro de uma sociedade altamente erotizada. Elas se entregam indiscriminadamente aos meninos para provar que são valiosas segundo a única moeda reconhecida. Depois, especialmente se o relacionamento termina, sentem-se abusadas e descartadas.

A questão envolve ainda outros elementos. A Heritage Foundation examinou textos relevantes e publicou o relatório "Sexually Active Teenagers Are More Likely to Be Depressed and to Attempt Suicide" [Adolescentes sexualmente ativas têm maior probabilidade de sofrer de depressão e tentar suicídio].[6] Eis algumas das constatações:

> Quando comparados a adolescentes que não são sexualmente ativos, garotos e garotas adolescentes sexualmente ativos têm probabilidade bem menor de ser felizes e maior tendência a sentir-se deprimidos. Quando comparados a adolescentes que não são sexualmente ativos, garotos e garotas adolescentes sexualmente ativos têm probabilidade significativamente maior de tentar suicídio. Logo, além de seu papel na promoção da gravidez adolescente e da epidemia atual de DSTs, a atividade sexual precoce é um fator substancial na redução do bem-estar emocional dos adolescentes norte-americanos.[7]
>
> Um quarto (25,3%) das meninas adolescentes sexualmente ativas relataram que se sentem deprimidas todo tempo, a maior parte ou parte considerável do tempo. Em contraste, 7,7% das garotas adolescentes que não são sexualmente ativas relataram que se sentem deprimidas todo tempo, a maior parte ou parte considerável do tempo. Logo, garotas sexualmente ativas têm probabilidade três vezes maior de ficar deprimidas que garotas que não são sexualmente ativas.[8]

Cerca de 8% dos garotos sexualmente ativos relataram que se sentem deprimidos todo tempo, a maior parte ou parte considerável do tempo. Em contraste, apenas 3,4% dos garotos adolescentes que não são sexualmente ativos relataram que se sentem deprimidos todo tempo, a maior parte ou parte considerável do tempo. Logo, garotos sexualmente ativos têm probabilidade duas vezes maior de ficar deprimidos que garotos que não são sexualmente ativos.[9]

A Heritage Foundation relatou, ainda, acerca da atividade sexual em relação ao suicídio. As constatações são assustadoras e devem ser motivo de preocupação para todos os pais de garotas adolescentes.

Um total de 14,3% das garotas sexualmente ativas relatou ter tentado suicídio. Em contraste, apenas 5,1% das garotas que não são sexualmente ativas relataram ter tentado suicídio. Logo, as garotas sexualmente ativas têm probabilidade quase três vezes maior de tentar suicídio que garotas que não são sexualmente ativas.[10]

Dentre os meninos, 6% dos sexualmente ativos tentaram suicídio. Em contraste, apenas 0,7% dos garotos que não são sexualmente ativos tentou suicídio. Logo, garotos adolescentes sexualmente ativos têm probabilidade oito vezes maior de cometer suicídio que garotos que não são sexualmente ativos.[11]

É raro cientistas sociais se mostrarem praticamente unânimes quanto às questões que estudam, mas a maioria concorda acerca das consequências da atividade sexual precoce. Muitas vezes, ela é o primeiro passo para danos emocionais e físicos sérios, especialmente quando as relações sexuais se tornam habituais.

Tratemos agora de algumas formas específicas de comportamento autodestrutivo, começando com a prática perturbadora de cortar-se e perfurar-se. Você já parou junto ao balcão do *drive-thru* de uma lanchonete e tomou um susto quando viu que seu pedido estava sendo anotado por um adolescente com argolas, pequenos diamantes ou bijuterias encravados no nariz, orelhas e lábios? É algo comum na cultura dos jovens. Alguns chegam a perfurar a língua com pequenas joias pontiagudas que tornam sua pronúncia indistinta. Outros cortam ou perfuram braços e pernas com facas, provocando ferimentos feios e cicatrizes reveladoras.

Por que tantos adolescentes agridem o próprio corpo dessas e de outras formas terríveis? A resposta, mais uma vez, é o ódio de si mesmos. Trata-se de um grito interior por socorro. Um número surpreendente de indivíduos que se ferem deliberadamente foi estuprado ou sofreu alguma outra forma de abuso sexual. A destruição que essa experiência causa leva, muitas vezes, à promiscuidade, ao uso de álcool e drogas, ao envolvimento com pequenos crimes e a outros comportamentos deliquentes. Sabe-se, hoje, que o uso de álcool e drogas pode ser precursor dos distúrbios alimentares. Essas expressões de angústia emocional muitas vezes não ocorrem de modo isolado. Normalmente, são associadas a um comportamento característico da família e, em vários casos, têm conotação sexual.[12]

Se você tem um adolescente que está apresentando esses comportamentos, ele deve receber ajuda profissional o mais rápido possível. Ofereço conselhos específicos para os pais desses jovens no capítulo 19.

Outra consequência devastadora da promiscuidade é a contração de uma ou mais doenças sexualmente transmissíveis. É quase impossível superestimar a amplitude desse problema. Cerca de 19 milhões de novos casos de DSTs ocorrem anualmente em todas as faixas etárias nos Estados Unidos.[13] Os adeptos do sexo sem compromisso, mesmo ocasional, serão, inevitavelmente (estou falando sério quando digo *inevitavelmente*), infectados com uma ou várias doenças sexualmente transmissíveis. As camisinhas podem reduzir o risco, mas também são problemáticas: escorregam, rompem-se, vazam e tornam-se quebradiças com o tempo. Ademais, jovens no auge da paixão muitas vezes não usam a camisinha corretamente ou nem sequer se lembram de colocá-la. Em alguns casos, um único erro cometido com um portador é suficiente para contrair sífilis, gonorreia, clamídia, herpes ou alguma outra das trinta DSTs comuns. A probabilidade de ser infectado por um parceiro doente chega a 40% a cada relação.[14] Milhares de jovens se arriscam todos os dias e se dão mal.

Nos Estados Unidos, de acordo com oficiais dos Centers for Disease Control and Prevention [Centros de Controle e Prevenção de Doenças], quase metade dos afro-americanos e 20% dos brancos de 14 a 19 anos são infectados a cada ano por pelo menos uma das quatro DSTs mais comuns.[15] Essa descoberta representa um total de 3,2 milhões de garotas adolescentes por ano. Os vírus, bactérias e parasitas que elas carregam consigo muitas vezes têm implicações permanentes sobre sua fertilidade, casamento e saúde geral. E, no entanto, muitas das vítimas nem sabem que foram infectadas.[16]

Uma das quatro doenças temidas que mencionamos é o vírus do papiloma humano, ou HPV, que merece atenção especial. Os Centers for Disease Control and Prevention estimam que 19 milhões de pessoas são infectadas anualmente por esse vírus.[17] Pelo menos 50% dos indivíduos sexualmente ativos contrairão o HPV ao longo da vida.[18] Aos 50 anos, 80% das mulheres contrairão infecção genital por HPV.[19] Essa infecção tem mais de cem subtipos, e quarenta deles afetam a região genital. Alguns causam câncer no colo do útero.[20] A maioria das pessoas não percebe que foi infectada e que está transmitindo o vírus ao parceiro sexual. Garotas que contraem esse tipo de doença precisarão de avaliações médicas regulares e, possivelmente, testes e tratamentos específicos.

Por mais lamentável que seja, estudos continuam a mostrar que crianças têm tido experiências sexuais. Um estudo realizado por pesquisadores da Universidade do Texas e publicado em abril de 2009 trazia o seguinte título: "Crianças do segundo ciclo do ensino fundamental, de 12 anos ou mais, estão se envolvendo em atividades sexuais de risco". O enfoque do estudo foram alunos do sétimo ano. Eis os principais resultados:

> Aos 12 anos, 12% dos alunos já haviam experimentado sexo vaginal; 7,9%, sexo oral; 6,5%, sexo anal; e 4% os três tipos de relação. De acordo com Markham, "Esses dados são alarmantes, pois jovens que começam a ter relações sexuais antes dos 14 anos apresentam probabilidade muito maior de ter vários parceiros sexuais ao longo da vida, usar álcool ou drogas antes do sexo e ter relações sem proteção, fatores que aumentam o risco de contrair uma doença sexualmente transmissível (DST) ou engravidar".[21]

Outros estudos indicam que sexo oral entre adolescentes de 15 a 19 anos é mais comum que relações sexuais.[22] Entre jovens de 17 a 19 anos, 70% afirmam que fizeram sexo oral.[23] Surpreendentemente, a maioria dos adolescentes considera que se trata de uma atividade bem menos séria e íntima.[24] Alguns deles parecem escolher sexo oral em vez de relações sexuais penetrativas para manter o "*status* de virgindade" e evitar doenças.[25] O que eles não sabem é que muitos dos organismos sexualmente transmissíveis que eles levam para casa, como herpes e outros vírus, são tratáveis, porém incuráveis. Subtipos do HPV causam câncer de boca e garganta e se propagam por meio de atividade sexual oral. Esses são os fatos, sem dourar a pílula. E, quer seja discriminativo quer não, normalmente as meninas sofrem mais dessas doenças do que os meninos.

Também há confirmação recente de que homens têm contraído HPV ao manter contato sexual oral com garotas ou meninas portadoras do vírus. Essa foi a conclusão do dr. Joel Ernster, que publicou suas constatações no periódico *The Laryngoscope*, uma revista médica conceituada entre os otorrinolaringologistas. A incidência de câncer de faringe e garganta entre homens no estado do Colorado aumentou em 36,6% entre a década de 1980 e a década de 1990. Essa incidência mais elevada corresponde a um aumento semelhante no diagnóstico de HPV.[26]

O dr. Ernster comenta: "O sexo oral tem implicações que vão muito além daquilo que imaginávamos inicialmente".[27] De acordo com o médico, homens casados que praticaram essa atividade sexual há décadas ainda podem ser portadores da infecção.

Estudo após estudo, vemos a confirmação daquilo que muitos de nós sabemos há vinte anos, mas que ainda parece ser segredo entre a maioria dos adolescentes e jovens. Esse fato confidencial é simples: o chamado "sexo seguro" não existe. Profissionais que atuam no Ministério da Saúde dos Estados Unidos estimam que, em 2007, um quarto de todas as mulheres norte-americanas entre 14 e 59 anos estava infectado com um vírus que causa verrugas e a maioria dos casos de câncer de colo do útero.[28] Não é assustador? Dentre as adolescentes, esposas, irmãs, tias e algumas avós que você vê andando por aí, 25% são portadoras dessa doença. Algumas morrerão de tipos de câncer resultantes do HPV.

Permita-me ser redundante. Essas epidemias de doenças sexualmente transmissíveis estão por toda parte ao nosso redor, mas os jovens ainda pensam que podem brincar com fogo sem se queimar. E aqueles que investem seus trocados preciosos na loteria ainda pensam que podem ganhar, apesar de terem uma chance em 200 milhões. Quando lhe informaram da probabilidade infinitésima de ganhar, um homem não muito perspicaz discordou da comissão sobre jogos de azar da qual eu fazia parte. Disse: "Vocês estão errados. A probabilidade não é de 1 em 200 milhões. É de 1 em 1". Quando lhe perguntamos como ele chegou a essa conclusão, ele respondeu: "Se eu apostar, tenho uma chance de ganhar. Se não apostar, não tenho nenhuma chance". É provável que ele tenha repetido matemática no terceiro ano. No caso dele, perderam-se apenas algumas centenas de dólares. Quando os jovens apostam na "loteria do sexo seguro", colocam em jogo o corpo e, talvez, a vida.

Isso nos leva a um dos tópicos mais importantes deste livro: tendo em vista as relações sexuais sem compromisso e outras formas de intimidade sexual causarem grandes estragos físicos e emocionais em adolescentes e jovens, por que eles não são advertidos das consequências da promiscuidade? Muitos programas de escolas públicas que visam a promover o "sexo seguro" investem tempo e energia ensinando crianças pequenas sobre a mecânica e a anatomia das relações e, ao mesmo tempo, praticamente aprovam o ato sexual para aqueles que se consideram "preparados". Diga-me que adolescente excitado e irrequieto *não* se considera preparado, especialmente quando todos acreditam que é a coisa mais natural do mundo?

Alguns professores e palestrantes convidados para falar em escolas vão ainda mais longe, como fez o dr. Joel Becker no simpósio para os alunos da Boulder High School. Lembre-se do que ele disse: "Vou incentivá-los a ter relações sexuais e vou incentivá-los a usar drogas de forma apropriada".[29] Esse homem deveria ter sido expulso da cidade por pais e professores indignados! Em vez disso, os professores, o diretor e os membros da secretaria de educação, bem como muitos pais, defenderam o impudente doutor. Gostaria de saber por quê.

Por que psiquiatras, psicólogos, professores universitários e de educação sexual e burocratas da área da saúde, pessoas que devem ter conhecimento dos estudos que citei, continuam a fazer de conta que a cultura das relações sem compromisso não representa nenhum risco significativo? Deveriam ter mais discernimento. Por que sonegam essas informações tão importantes de alunos que precisam tanto delas? Por que o Congresso dos Estados Unidos cortou os fundos escassos designados para a educação sobre abstinência em 2008 em favor de dezenas ou mesmo centenas de milhões de dólares usados para apoiar a ideologia homossexual?[30] É difícil não chegar à conclusão de que há uma conspiração silenciosa por parte da comunidade profissional para esconder a verdade dos jovens.

Não sou o único perplexo e irado com o que estão fazendo com nossos meninos e meninas. A dra. Miriam Grossman, psiquiatra do departamento de atendimento psicológico para alunos da Universidade da Califórnia, Los Angeles, também expressou perplexidade diante do tabu que impede a discussão sobre sexo e saúde. Miriam levantou uma pergunta semelhante às que eu mesmo fiz: "Por que os alunos são inundados de informações sobre contracepção, dieta saudável [...] maneiras de lidar com estresse e pressão, mas não ouvem uma palavra sequer sobre o impacto devastador do sexo sem compromisso sobre as emoções das moças?".[31]

Depois de anos de experiência clínica, a dra. Grossman tratou desse silêncio dos colegas em seu livro *Unprotected: A Campus Psychiatrist Reveals How Political Correctness in Her Profession Endangers Every Student* [Desprotegidos: psiquiatra de *campus* universitário revela como a correção política em sua profissão coloca todos os alunos em perigo]. Devido ao tabu em relação a discussões sobre comportamento sexual, ela teve medo de sofrer represálias como profissional e funcionária, daí chamar-se, por vários anos, apenas de "Médica Anônima" e, só bem mais tarde, revelar sua identidade.

Grossman observa:

> Perguntamos [a nossas pacientes] sobre abuso na infância, mas não falamos dos "rolos" da semana passada. Queremos saber quantos cigarros fumam e quantas xícaras de café tomam por dia, mas não quantos abortos tiveram no passado. Levamos em consideração o estresse resultante de expectativas dos pais e do aumento nas mensalidades da universidade, mas não tratamos da agonia do herpes, dos perigos da promiscuidade e das questões de fertilidade com as quais depararão as mulheres que sempre colocam a carreira em primeiro lugar.[32]

A psiquiatra conclui: "É preciso divulgar a mensagem: O sexo sem compromisso representa um risco para a saúde das moças".[33] Eu diria que também é uma péssima ideia para os rapazes!

Imagino que essa mensagem não esteja sendo divulgada porque é politicamente incorreta. Qualquer coisa que lembre a moralidade ou a ética cristã ofende a comunidade liberal. Entrementes, jovens estão caindo na mesma armadilha que prendeu seus pais quando eles eram jovens. Alguns tabus não são apenas tolos, são absolutamente ridículos!

Para concluir, gostaria de compartilhar a transcrição editada de uma entrevista de rádio que realizei no programa Focus on the Family, na qual conversei com dois obstetras e ginecologistas, dr. Joe McIlhaney e dra. Freda McKissic Bush. O dr. McIlhaney trabalhou numa clínica particular por mais de 25 anos antes de fundar o Medical Institute for Sexual Health. Essa organização, conhecida hoje como Medical Institute, visa a informar médicos, educadores, pais e adolescentes sobre doenças sexualmente transmissíveis e questões relacionadas. A dra. Bush trabalha numa clínica particular e faz parte do corpo docente do Centro Médico da Universidade do Mississippi.

Esses dois médicos escreveram um livro excelente que é leitura obrigatória para pais e adolescentes: *Hooked: New Science on How Casual Sex is Affecting Our Children* [Enrolados: novos dados científicos acerca da influência do sexo casual sobre nossos filhos].

> **James Dobson**: Usei sua expressão "cultura dos rolos" em meus escritos. A que vocês estavam se referindo quando a empregaram?
>
> **Dra. Bush**: Os jovens usam o termo "rolo" para várias situações que não envolvem compromisso, desde beijar até ter relações sexuais. O que eles não sabem é que, quando têm relações sexuais, também se "enrolam" emocionalmente.
>
> **JD**: E quais são os efeitos de se fazer isso com vários parceiros?
>
> **Dr. McIlhaney**: As implicações são extremamente perigosas. Sabemos disso porque podemos examinar o cérebro humano diretamente por meio de ressonâncias magnéticas, tomografias e outras tecnologias de imagem. Recentemente, esses dispositivos mostraram que, ao longo do tempo, experiências

sexuais repetidas com vários parceiros mudam as ligações dentro do cérebro e danificam seu funcionamento normal.

Dra. Bush: Para entender por que isso ocorre, também precisamos levar em consideração a maneira como três neurotransmissores atuam no cérebro: a dopamina, a ocitocina e a vasopressina. Essas substâncias químicas operam de modo a proporcionar grande prazer ao homem e à mulher durante a relação sexual e, depois, para criar uma ligação emocional entre eles. Também explicam por que os parceiros sexuais muitas vezes têm "*flashbacks*" ou lembranças daquela primeira experiência, e isso cria neles o desejo de continuar a ter relações sexuais.

Dr. McIlhaney: Mas tem um detalhe. Quando uma pessoa tem relações sexuais com vários parceiros fora do casamento, ocorre uma interferência no mecanismo que cria a ligação emocional, e a pessoa perde a capacidade de formar vínculos da mesma forma. As mulheres e homens adeptos do sexo sem compromisso quando são solteiros muitas vezes têm uma ligação menos intensa com a pessoa com quem se casam.

Dra. Bush: No livro, usamos como ilustração um curativo do tipo *Band-Aid*. A primeira vez que você o coloca no braço ou no joelho, ele gruda perfeitamente. Mas, cada vez que você o arranca e coloca de volta, a aderência diminui, até que o curativo não gruda mais. É isso que acontece na "cultura dos rolos". Aqueles que tiveram sexo com vários pessoas apresentam uma capacidade seriamente reduzida de formar um vínculo permanente no casamento.

JD: Seria certo dizer que a garota e o rapaz estão "roubando" parte da emoção e intimidade que deveria ter sido reservada para o futuro marido ou esposa?

Dr. McIlhaney: Exatamente. Fizemos um levantamento de mais de 250 estudos, e a maioria deles confirma a ocorrência dessas mudanças no cérebro e o que elas representam. Observamos que os seres humanos foram criados por Deus para ter um parceiro sexual para a vida toda. Quando a pessoa compartilha essa experiência com outros repetidamente e sem nenhum compromisso, as ligações químicas e neurológicas sofrem transformações inevitáveis e, por vezes, irreversíveis.

JD: Essas descobertas dizem respeito apenas às relações sexuais ou a mesma interferência ocorre no caso do sexo oral?

Dra. Bush: As imagens mostram que as duas experiências estimulam as mesmas áreas do cérebro e, portanto, causam o mesmo efeito.

Dr. McIlhaney: É possível observar atividade cerebral até mesmo quando a pessoa está sentindo desejo por alguém. Quando alguém experimenta amor verdadeiro por um indivíduo do sexo oposto, uma parte diferente do cérebro é estimulada e aparece nas tomografias.

Dra. Bush: Em resumo, quando duas pessoas têm uma experiência sexual, mas não permanecem juntas, tal conduta afeta o emocional de ambos, mexendo com a função dos neurotransmissores que dão prazer. Essa alteração, por sua vez, reconfigura as ligações dentro do cérebro. Em última análise, o vínculo que deve ocorrer no casamento é enfraquecido. Como você disse, algo é "roubado" de seu relacionamento.

JD: Isso me lembra 1Coríntios 6.18: "Todos os outros pecados que alguém comete, fora do corpo os comete; mas quem peca sexualmente, peca contra o seu próprio corpo". É impressionante a exatidão desse versículo em nossos dias, considerando-se as pesquisas que acabaram de descrever. Quando desobedecemos às leis morais de Deus no relacionamento sexual, causamos danos irreparáveis ao corpo.

Dr. McIlhaney: Outra passagem da Bíblia também se relaciona com o que estamos dizendo. Foi escrita por Salomão, o homem mais sábio de todos os tempos, enquanto ele estava aconselhando um rapaz. Salomão escreveu em Provérbios 7.6-8.5:

Da janela de minha casa olhei através da grade e vi entre os inexperientes, no meio dos jovens, um rapaz sem juízo. Ele vinha pela rua, próximo à esquina de certa mulher, andando em direção à casa dela.

Era crepúsculo, o entardecer do dia, chegavam as sombras da noite, crescia a escuridão.

A mulher veio então ao seu encontro, vestida como prostituta, cheia de astúcia no coração. (Ela é espalhafatosa e provocadora, seus pés nunca param em casa; uma hora na rua, outra nas praças, em cada esquina fica à espreita.) Ela agarrou o rapaz, beijou-o e lhe disse descaradamente:

"Tenho em casa a carne dos sacrifícios de comunhão, que hoje fiz para cumprir os meus votos. Por isso saí para encontrá-lo; vim à sua procura e o encontrei! Estendi sobre o meu leito cobertas de linho fino do Egito. Perfumei a minha cama com mirra, aloés e canela. Venha, vamos embriagar--nos de carícias até o amanhecer; gozemos as delícias do amor! Pois o meu marido não está em casa; partiu para uma longa viagem. Levou uma bolsa cheia de prata e não voltará antes da lua cheia."

Com a sedução das palavras o persuadiu, e o atraiu com a doçura dos lábios.

Imediatamente ele a seguiu como o boi levado ao matadouro, ou como o cervo que vai cair no laço até que uma flecha lhe atravesse o fígado, ou como o pássaro que salta para dentro do alçapão, sem saber que isso lhe custará a vida.

Então, meu filho, ouça-me; dê atenção às minhas palavras. Não deixe que o seu coração se volte para os caminhos dela, nem se perca em tais veredas. Muitas foram as suas vítimas; os que matou são uma grande multidão. A casa dela é um caminho que desce para a sepultura, para as moradas da morte. A sabedoria está clamando, o discernimento ergue a sua voz; nos lugares altos, junto ao caminho, nos cruzamentos ela se coloca; ao lado das portas, à entrada da cidade, portas adentro, ela clama em alta voz:

"A vocês, homens, eu clamo; a todos levanto a minha voz. Vocês, inexperientes, adquiram a prudência; e vocês, tolos, tenham bom senso."

JD: Uma advertência e tanto! Estou certo de que ela é tão relevante para as mulheres quanto para os homens. Por vezes, a armadilha está nas mãos dos rapazes, "chamando" a garota ingênua. Quem ignora essas palavras inspiradas o faz por sua própria conta e risco.

Dr. McIlhaney: Conforme a Escritura avisou, hoje em dia alguns jovens promíscuos estão morrendo de aids ou câncer. Mesmo aqueles que não morrem de alguma doença, porém, causam danos emocionais a si mesmos e talvez matem, literalmente, a chance de ter um casamento feliz no futuro.

Trouxemos algo conosco hoje para ajudar a ilustrar essa ideia. É um CD com o depoimento e o apelo de um rapaz. Posso compartilhá-lo com seus ouvintes?

JD: Por favor.

[Gravação]

A que se pode comparar a alegria de segurar seu bebê recém-nascido? Para mim, essa alegria é maravilhosa demais. Meu nome é Steve. Sou casado há cinco anos e nunca amei tanto minha esposa como agora. Temos um filho incrível, e a notícia de que estávamos para ter uma garotinha tornou nosso futuro ainda mais radiante.

As escolhas que fiz no passado, porém, escureceriam esse futuro brilhante e obrigariam nossa filha recém-nascida a lutar para sobreviver. A princípio, Gisele parecia saudável; mas, depois de alguns dias, minha esposa notou que havia algo errado. Gisele estava apática e quase não reagia quando mexíamos com ela. Nosso pediatra disse que não precisávamos nos preocupar. Ele dizia: "Cada bebê é diferente. Ela não vai ser igual ao seu filho".

Certa noite, porém, quando estava no colo de minha esposa, Gisele parou de respirar e ficou azul. Pensei que nossa filha estivesse morrendo. Por fim, recebemos um diagnóstico desolador. Gisele havia nascido com herpes. O sexo sem compromisso dos meus tempos de faculdade me infectou com um vírus incurável. Antes de nos casarmos, contei a minha esposa que eu tinha herpes, de modo que, ao longo de toda nossa vida de casados, havíamos tido relações sexuais apenas quando considerávamos seguro.

No entanto, apesar de todos os nossos cuidados, minha esposa contraiu o vírus enquanto estava grávida de Gisele. Minha esposa não sabia que havia contraído herpes. Nunca teve nenhum sintoma. A raiva e a culpa que senti ao saber que havia transmitido o vírus para minha esposa e que ela o havia passado para nossa filha foram insuportáveis.

Enquanto víamos nossa filha lutar para permanecer viva, pensei: "Tivemos tanto cuidado; como isso foi acontecer?". É mais fácil do que você imagina. É possível pegar herpes mesmo usando camisinha. É possível pegar herpes de um parceiro mesmo quando não há nenhuma ferida visível. É possível transmitir herpes para um bebê mesmo quando não há nenhuma ferida.

O herpes ataca o cérebro do bebê da mesma forma que cupins corroem a madeira. Os bebês que sobrevivem normalmente sofrem de deficiências graves. O vírus já estava corroendo o fígado de Gisele. Oramos para que não atacasse o cérebro em seguida. Nossas orações foram atendidas. Gisele teve uma recuperação miraculosa. O vírus não atingiu o cérebro. Quanto ao seu desenvolvimento, ela é uma garotinha normal de 15 meses, mas isso pode mudar a qualquer momento. O vírus pode voltar a atacar.

É uma aflição ver os procedimentos médicos dolorosos aos quais Gisele precisa ser submetida todo mês. Ela nunca deixará de ter herpes. A doença será uma ameaça à saúde de nossa filha para o resto da vida, e tudo começou com a mentira do sexo sem compromisso, a mentira de que ele dá grande prazer e não faz mal a ninguém. É a mentira que aprendi nas aulas de educação sexual do ensino médio. É a mentira que as crianças estão aprendendo nas aulas de educação sexual no segundo ciclo do ensino fundamental. Alguns políticos querem que ela seja ensinada na pré-escola.

Sou lembrado dessa mentira todos os dias, lembrado pelas notícias recentes de que um entre quatro adultos na cidade de Nova York tem herpes — adultos que acreditam que o sexo sem compromisso não faz mal a ninguém, pois é isso que nossa cultura lhes diz.

Mas sou lembrado dessa mentira principalmente pelas feridas na ponta dos dedos minúsculos de minha filha, feridas que não parecem sumir nunca. E sou lembrado por sua luta para viver. Veja por si mesmo o que é o sexo sem compromisso. Depois, pergunte-se: "O que posso fazer para ajudar a dar um basta na mentira?"

JD: Que história triste!

Dra. Bush: Mas é verdadeira.

Dr. McIlhaney: Steve me contou essa história pessoalmente e disse que gostaria de tornar pública a tragédia de sua família para que outros pudessem evitar o erro que ele cometeu quando estava na faculdade. Ele daria tudo para poder voltar no tempo e mudar seu modo de agir naqueles anos. Agora, precisa lidar com a culpa e o arrependimento todos os dias.

Em meu consultório, vi milhares de mulheres que sofrem por causa do sexo antes do casamento. Como Steve, só pensam no que estão fazendo quando é tarde demais. Nunca lhes ocorre que podem ser infectadas com doenças que causarão tanta dor mais tarde ou, como no caso de Steve, que incapacitarão e ameaçarão uma criancinha a ser concebida. Ginger está sofrendo em consequência da irresponsabilidade do pai na juventude.

Outros jovens geralmente não têm consciência de que os rolos nos quais se envolvem causam transformações no cérebro, e que essas mudanças enfraquecem seus vínculos com a pessoa com a qual se casarão um dia. Como você disse, é muito triste.

JD: Foi por isso que você deixou seu consultório de ginecologia e obstetrícia, não foi?

Dr. McIlhaney: Sim. E também foi por isso que fundei o Medical Institute. Sentia uma enorme obrigação de fazer a verdade chegar até adolescentes e jovens. Essa missão se tornou a paixão de minha vida.

Dra. Bush: Também foi por isso que escrevemos o livro *Hooked*. Nossa ideia era não apenas advertir adolescentes e jovens das consequências, mas também alcançar os pais.

JD: O que vocês têm a dizer para mães e pais que foram promíscuos antes de se casar, fizeram coisas das quais se arrependem e agora têm a sensação de que seria hipocrisia conversar com os filhos sobre essas questões?

Dra. Bush: Creio que é apropriado reconhecerem que também cometeram erros, mas que Deus os perdoou e eles perdoaram a si mesmos. Depois disso, se falarem aberta e honestamente aos filhos, ainda poderão exercer forte influência sobre eles. Os pais podem fortalecer os filhos a fim de que estes se abstenham. Os estudos mostram que mães e pais têm mais influência sobre o comportamento dos adolescentes que qualquer outra pessoa, mesmo quando os jovens não dão sinais de terem "captado a mensagem".

Dr. McIlhaney: Estudantes universitários são os mais vulneráveis à cultura do sexo sem compromisso. Quando saem de casa, veem-se em um ambiente extremamente destrutivo. Pensam que podem fazer qualquer coisa sem arcar com as consequências, mas estão enganados. Se violarem o código moral que a maioria deles aprendeu quando era criança e ignorarem as realidades médicas das quais falamos, terão, *sim*, de arcar com as consequências. Por isso, é minha esperança e oração que leiam *Hooked*. Talvez possamos evitar alguns dos erros trágicos que causaram danos a tantos membros desta geração e que poderão prejudicar aquelas que ainda estão por vir.

JD: Muito obrigado, dr. McIlhaney e dra. Bush. Espero que seu livro venda 1 milhão de exemplares.

* * *

Mais um comentário: gostaria de ouvir o dr. Joel Becker e seus colegas liberais tentarem refutar os argumentos persuasivos que acabamos de ler. É pouco provável que ele responda, e não importa se não responder. *Vocês*, mães e pais, podem transmitir a mensagem a seus adolescentes e jovens universitários. Ao fazê-lo, talvez possam ajudá-los a atravessar em segurança o campo minado que descrevi.

16 Boas notícias sobre as meninas

Quando pensamos na sociedade adolescente e em sua obsessão pelo lado sombrio da cultura popular, temos motivos para ficar desanimados com o rumo que está tomando. Há, porém, um lado positivo que devemos comemorar, e é chegada a hora de o anunciarmos. A boa notícia é que existem milhões de adolescentes que *não* estão tendo sexo casual, *não* estão usando drogas ilegais, *não* estão se embebedando, *não* estão em pé de guerra com os pais e *não* estão se saindo mal na escola. São jovens maravilhosos que recebem amor em casa. Muitos deles, como Daphne, da Boulder High School, têm um compromisso sério com Cristo e não se acanham de compartilhar sua fé. Embora, por vezes, tenhamos a impressão de que uma geração inteira de adolescentes e jovens esteja totalmente perdida, sem dúvida não é o caso.

De acordo com dados coletados pelos U. S. Centers for Disease Control and Prevention, 52% dos alunos do ensino médio ainda são virgens.[1] Além disso, houve uma melhora significativa desde o início da década de 1990, quando menos da metade dos alunos do ensino médio (46%) relatou que nunca havia tido relações sexuais.[2] Obviamente, eu gostaria que essas estatísticas fossem mais elevadas, mas é notável que tantos entre os adolescentes de hoje não tenham sucumbido às pressões enormes de nossa sociedade hipererotizada. A indústria do entretenimento bombardeou essas crianças com tudo que se pode imaginar desde quando elas estavam no jardim de infância, mas algumas resolveram escolher o caminho mais nobre. Quando os defensores do sexo seguro afirmam que não é realista esperar que adolescentes permaneçam puros e que, de uma forma ou de outra, todos vão ter sexo, esses "especialistas" estão, na maioria dos casos, errados. E lembre-se: alguns dos jovens que experimentam o sexo uma ou duas vezes se abstêm totalmente depois disso. Chamamos esses indivíduos de virgens "secundários" ou "reformados".

Digo isso para oferecer esperança e ânimo aos pais de hoje. Vocês têm uma oportunidade real de manter a moralidade de seus filhos em um mundo imoral. Não acreditem em quem diz que é algo impossível. Com força de vontade, há muitas providências que os pais podem tomar para ajudar os filhos a resistir à cultura popular. Quando eu tinha 16 anos, meus pais venderam nossa casa e se mudaram para um lugar a mais de 1.100 quilômetros de distância para me proteger da influência negativa de alguns amigos. Meu pai teve de sacrificar certos aspectos de sua vida profissional, mas nunca olhou para trás. Ele e minha mãe estavam dispostos a fazer o que fosse necessário para me afastar da beira do abismo. Vocês estão dispostos a pagar um preço semelhante?

Seus adolescentes geniosos podem se rebelar por algum tempo, mas vocês lhes devem uma postura firme e persistência na tarefa de apontar o rumo certo. É sua responsabilidade ensinar seus filhos *deliberadamente* sobre castidade e bom senso enquanto ainda são pequenos. Mais adiante, oferecerei algumas sugestões sobre como fazê-lo.

Temos mais boas notícias: 62% dos alunos do ensino médio nunca experimentaram maconha; 93% nunca usaram cocaína; 96% nunca usaram metanfetaminas, e pouco mais de 55% não ingerem bebidas alcoólicas.[3] Muitos deles são excelentes atletas, alunos disciplinados ou funcionários dedicados e determinados a usar a vida para fazer algo de valor. Em resumo, não faltam boas notícias sobre a presente geração para comemorarmos.

Uma das mais animadoras é que muitas meninas parecem estar percebendo que o sexo sem compromisso é totalmente vazio. Estão rejeitando a mentira de que a única maneira de conseguirem o amor pelo qual anseiam é livrar-se de todos os vestígios de recato e se comportar como os predadores do sexo oposto. Sabem que se trata de um mito popular cujas consequências são sempre trágicas. Veem suas colegas voltarem de farras de formatura, festas de faculdade ou viagens de férias sentindo-se usadas e rejeitadas. Quando as paixões arrefecem na manhã seguinte, essas colegas se olham no espelho com aversão e desprezo; algumas ficam de ressaca ou sofrem de depressão induzida por drogas; outras precisam lidar com o medo de uma possível gravidez, de doenças ou de uma volta à solidão. Muitas meninas veem suas amigas caírem nessa armadilha e escolhem evitá-la, em alguns casos motivadas por seu compromisso pessoal com Jesus Cristo.

Encontramos em vários periódicos a observação de que as atitudes estão mudando. Por exemplo, um artigo intitulado "Fechando o zíper", de uma edição de 2008 da revista *Christianity Today*, traz uma entrevista realizada por Katelyn Beaty, editora-assistente da revista, com Donna Freitas, professora de religião da Universidade de Boston e autora do livro *Sex and the Soul* [O sexo e a alma].[4] A seguir, vejamos um trecho dessa conversa importante:

> **Beaty**: O mito cultural afirma que as escolas seculares são matadouros da fé, ou que universidades seculares são para adultos que não precisam de conceitos religiosos para sustentar sua cosmovisão. Você descobriu, porém, que a espiritualidade está prosperando, embora assuma várias formas e se limite, com frequência, ao âmbito privado. Os alunos simplesmente não recebem ferramentas para saber o que fazer com ela.
>
> **Freitas**: É verdade. Considere, por exemplo, o curso de sexualidade e espiritualidade que lecionei no outono passado na Universidade de Boston e no qual estudamos livros de Joshua Harris, Lauren Winter e Rob Bell, entre outros especialistas em ética sexual. Quase todos os alunos eram liberais ao extremo. Um dos grandes sucessos do semestre foi a obra de Wendy Shalit, *A Return to Modesty*. Os alunos ficaram pasmos com sua análise crítica da cultura dos "rolos" e dedicaram um bocado de tempo à discussão do recato como virtude. Tiveram a oportunidade de comentar: "Caramba! Vemos essa vulgaridade toda aqui no *campus*. Fazemos de conta que não ligamos, mas não é bem assim". Tive casos de alunos que chegaram a propor um clube do recato no trabalho de conclusão e pensei: "Essa é a Universidade de Boston". Isso me levou a pensar que Shalit publicou seu livro dez anos antes do tempo, pois a Esquerda a ultrajou quando a obra foi lançada [em

1999]. É extremamente revelador que, na opinião da minha turma, Shalit tenha acertado em cheio.

Houve momentos em que fui criticada pelos acadêmicos por causa do material que usei no curso. Não se deve lecionar sobre textos como *I Kissed Dating Goodbye*, de Harris, ou *Real Sex*, de Winner, pois são escritos por gente que "vive em uma torre de marfim". Foi com base nesses livros, porém, que tivemos diálogos densos sobre assuntos do interesse dos alunos. Sou feminista e liberal, mas trata-se de algo que transcende a ideologia. Não é uma questão de Esquerda ou Direita. Tem a ver com a forma como reagimos aos jovens em seus conflitos. Muitos cometem o erro de assumir uma postura tensa em relação à ideologia no meio desse tipo de conversa. Parte do meu trabalho consiste em tentar entender como os professores universitários estão tratando das questões que os alunos enfrentam. Os alunos querem recato. E nós podemos lhes oferecer recursos abundantes a esse respeito. Por que não o fazemos?[5]

Boa pergunta! A resposta, como disse anteriormente, tem a ver com o poder enorme da correção política nos *campi* universitários de hoje, uma consideração que, por vezes, vira a verdade e a razão do avesso. Como o comentário da dra. Freitas indica, Wendy Shalit merece crédito por tratar da cultura dos "rolos" e explicar por que garotas e moças costumam ser suas vítimas. Volto a recomendar a pais e adolescentes a obra *Girls Gone Mild* e sua antecessora, *A Return to Modesty*. A seguir, faço algumas citações diretas que, a meu ver, transmitem ótimas notícias:

> Criadas em uma cultura excessivamente sexualizada, [essas garotas] se cansaram dela e tentaram incentivar outras meninas a não se apresentarem como meros objetos sexuais.[6]

> A história nos ensinou uma lição surpreendente. A intimidade se desenvolve quando também há comedimento.[7]

> A maioria dos jovens que adota o comportamento de relações sem compromisso está profundamente infeliz.[8]

> Todas as meninas sexualmente ativas com as quais os repórteres conversaram desejavam ter esperado até o casamento. [...] Quando as garotas têm entre 14 e 16 anos [...] elas não têm nenhum conceito de sexo como algo especial. Depois de algum tempo, isso as faz sentirem-se sem valor.[9]
>
> Jovens relatam que a banalização do sexo também acaba com a diversão que ele proporciona. [...] O sexo perde seu mistério e poder. Espera-se, simplesmente, que tudo seja sexual e, no fim, nada é. Não há mais motivo para espera ou expectativa. [...] É como se o conceito de inocência fosse ilegal.[10]
>
> Alguns jovens estão vendo os limites da filosofia do "vale tudo". [...] O sexo pode ser atraente, mas no grau de saturação em que ele está, o mistério e a honra são ainda mais atraentes. [...] Ansiamos por exemplos.[11]
>
> É interessante ver moças se dispondo a enfrentar esse desafio. Em certo sentido, parecem reconhecer que são as únicas que podem realizar mudanças.[12]

Shalit acertou em cheio. Pesquisas sistemáticas confirmam que muitas garotas sentem remorso depois de experiências sexuais precoces, e algumas tomaram a decisão de não cometer o mesmo erro outra vez. As constatações da Heritage Foundation corroboram esse fato.

> Uma pesquisa recente realizada pela National Campaign to Prevent Teen Pregnancy [Campanha Nacional para Evitar a Gravidez em Adolescentes] fez a seguinte pergunta: "Se você já teve relações sexuais, gostaria de ter esperado mais tempo?". Dentre os adolescentes que relataram que havia tido relações, quase dois terços afirmaram que gostariam de ter esperado mais para se tornarem sexualmente ativos. Em contrapartida, apenas um terço dos adolescentes sexualmente ativos afirmou que havia ingressado na vida sexual em um momento apropriado e que não desejava ter esperado mais alguns anos. Logo, dentre os adolescentes sexualmente ativos, para cada quase dois adolescentes que haviam se arrependido de sua iniciação sexual precoce, apenas um não tinha essa preocupação.
>
> Preocupações e arrependimentos acerca de atividades sexuais são mais intensos entre garotas adolescentes. Quase três quartos das adolescentes

sexualmente ativas reconheceram que desejavam ter adiado a iniciação sexual até ficarem mais velhas. Para cada quase três adolescentes sexualmente ativas que haviam se arrependido de sua iniciação sexual precoce, apenas uma não tinha essa preocupação.

A insatisfação e o arrependimento expressados pelos adolescentes a respeito da própria atividade sexual são impressionantes. No geral, a maioria dos meninos sexualmente ativos e quase três quartos das meninas sexualmente ativas consideraram sua iniciação sexual de modo desfavorável, como um acontecimento que gostariam de ter evitado.[13]

Em seu artigo "Standing Up to the 'Girls Gone Wild' Culture" [Confrontando a cultura das 'meninas sem juízo'], Michelle Malkin descreve uma jovem corajosa que não se tornou presa das experiências sexuais precoces e, em vez disso, escolheu lutar em favor da decência. Malkin observa:

Primeiro, deixe-me falar sobre minha nova heroína. Seu nome é Ella Gunderson e ela estuda na Holy Family Parish School, em Kirkland, Washington. Conforme reportagem publicada pelo *Seattle Times* há alguns meses, Ella escreveu uma carta extraordinária para a rede de lojas de departamentos Nordstrom:

"Querida Nordstrom, sou uma garota de 11 anos que tentou comprar roupas, mais especificamente calças *jeans*, em sua loja. Todas as calças ficaram bem abaixo do quadril, e, quando experimentei um número maior, era grande demais e caiu. As calças também são justas demais e, à medida que eu vou crescendo, mostram tudo cada vez que eu me movimento. Eu vejo meninas andando por aí com calças que mostram o umbigo e a calcinha. Até mesmo na minha idade sei que isso não é recatado. Se eu usasse roupas de sua loja, eu andaria por aí apenas com metade do meu corpo coberto, como se não estivesse completamente vestida. [...] Sua vendedora sugeriu que existe apenas um estilo. Se isso é verdade, quer dizer que as meninas devem andar por aí seminuas. Acho que talvez vocês devam mudar isso".

Bastou que uma garotinha expressasse sua opinião sobre os excessos da cultura das "meninas sem juízo", e sabe o que aconteceu? Ainda que de forma limitada, o mercado respondeu. Executivos da Nordstrom responderam à carta de Ella Gunderson e se comprometeram a oferecer uma variedade maior de roupas para meninas. "Sua carta chamou minha atenção", escreveu Kris Allen, gerente da loja Nordstrom onde Ella fazia compras. "Você tem toda a razão. Esse estilo não é exatamente recatado e deve haver opções para todos [...]."

Agora, a melhor parte da história: Ella e suas amigas não esperaram Nordstrom mudar sua linha de produtos. Com a ajuda de sua mãe e de 37 colegas de classe, a garota organizou um desfile de moda a fim de mostrar roupas decentes para meninas de 10 a 16 anos. Não sobrou um ingresso sequer para o desfile chamado "Moda Pura", que atraiu 250 pessoas. Duas lojas doaram roupas discretas, as meninas foram aplaudidas de pé e a renda do evento foi revertida para a associação Catholic Challenge Club, que incentiva meninas a defenderem sua fé e seus valores em um mundo cada vez mais secular e hostil.[14]

Nossos parabéns, Ella: orgulhamo-nos de você! E obrigado, Michelle, por contar a história dessa menina.

Esforços semelhantes têm sido realizados em diversas partes da sociedade. Você já ouviu falar das Girlcott[15] Girls? São um grupo de 24 meninas que, originalmente, se reuniram em um programa chamado Garotas Colaboradoras, dirigido pela Women and Girls Foundation of Southwest Pennsylvania.[16] O grupo se formou com o objetivo de protestar contra a loja de roupas Abercrombie & Fitch ao boicotar seus produtos e se pronunciar contra os *slogans* misóginos estampados nas roupas dessa empresa. (A loja vendia camisetas com dizeres do tipo: "Com um par desses, quem precisa de cérebro?") As adolescentes iniciaram um movimento que se tornou uma causa célebre e uma ação social bem-sucedida.

As Girlcott Girls receberam atenção nacional em programas de rádio e televisão, e mais de 23 mil reportagens a seu respeito foram publicadas *on-line*.[17] Como resultado, a A & F tirou as camisetas degradantes de suas lojas e concordou em se reunir em sua sede com o grupo Girlcott para tratar de como a empresa poderia incorporar às camisetas femininas *slogans* mais construtivos.[18]

Agora que a pressão passou, a A & F lançou uma nova linha de camisetas para jovens com imagens e mensagens igualmente explícitas e degradantes. Uma dessas camisetas traz o desenho de uma mulher abrindo a blusa e se mostrando para um homem, com as palavras: "Mostre os gêmeos" em letras vermelhas garrafais. Outras duas camisetas à venda dizem: "Em defesa do nudismo feminino" e "Procuram-se universitárias para pesquisa sobre sexo".[19] Por que nos espantamos ao ver que Abercrombie & Fitch se preocupa mais com seus lucros do que com os desejos de seus consumidores, que incluem pais indignados? Eu jamais compraria roupas em uma das lojas dessa rede!

Não é de hoje que constatamos que garotas adolescentes estão começando a entender o motivo de a moralidade e o recato serem fundamentais para elas. Se tiverem a mínima oportunidade, reconhecerão que têm muito a perder ao adotar comportamentos indecorosos. Os pais não devem ter dificuldade em argumentar em favor dessa postura, mesmo com adolescentes sonhadoras que pensam ter encontrado o homem perfeito. Cabe a pais e mães fazer todo o possível para comunicar a verdade aos filhos e, quanto antes começarem, melhor.

Vocês, mãe e pai, são a peça central dessa iniciativa. De acordo com Christine Kim, analista de diretrizes da Heritage Foundation, "dentre os fatores associados aos pais que parecem oferecer forte proteção contra a iniciação sexual precoce, podemos citar: estrutura familiar intacta; desaprovação dos pais quanto ao sexo na adolescência; sensação, por parte dos adolescentes, de que pertencem a sua família e estão satisfeitos com ela; monitoramento exercido pelos pais; e, em menor grau, comunicação entre pais e filhos sobre sexo na adolescência e suas consequências".[20]

O dr. Robert Blum, professor e diretor do Departamento de População, Família e Saúde Reprodutiva da Universidade Johns Hopkins, publicou um estudo que visava a medir a influência de pais e mães sobre o comportamento sexual das meninas. Sabe qual foi a conclusão geral? A qualidade do relacionamento entre as adolescentes e suas mães mostrou-se como o principal elemento de apoio à virgindade.[21] Alguém se lembra da questão do apego? Quando as meninas sentem-se próximas das mães e sabem que elas não aprovam o sexo antes do casamento, têm menor probabilidade de adotar esse tipo de prática. A intimidade com os pais é fundamental, mas resulta mais do envolvimento contínuo dos pais com a vida dos filhos do que de atividades familiares e "sermões" a esse respeito.

O dr. Blum comenta:

Perguntamos aos adolescentes de grupos específicos nos arredores das cidades de Minneapolis e St. Paul: "Como você sabe se tem um bom relacionamento com seus pais?". E eles deram respostas incríveis. [...] Disseram coisas do tipo: "Minha mãe tem dois empregos, mas, assim que chego em casa, ela sempre me telefona pra saber como foi o meu dia". Ou: "Quando saio com um garoto, meu pai não pergunta 'E aí, como foi o encontro com o... como é o nome dele mesmo?'. Para os adolescentes, ter um bom relacionamento significa 'Meus pais se lembram de mim. Eles me consideram importante na vida deles e deixam isso claro com frequência'".[22]

Também é proveitoso conversar com os amigos de sua filha.

De acordo com o dr. Blum, conversar sobre sexo é importante, mas não significa sentar-se na sala de estar para ter uma discussão séria, acompanhada de diagramas e quadros. A reação mais comum dos adolescentes é: "Poupe-me!". Em vez disso, ele sugere: "Conversar sobre sexo é ler o jornal e perguntar: 'O que você acha disso?'. É desligar a televisão e dizer: 'E aí, como estão as coisas no seu mundo?'. Também é conversar com suas filhas sobre o programa mais recente da Oprah Winfrey enquanto as leva de carro para algum lugar".[23]

As constatações do dr. Blum fazem sentido, mas é importante observar que a natureza dessas conversas tem importância crítica. Infelizmente, os adolescentes de hoje recebem mensagens confusas dos pais. A "cultura do sexo seguro" doutrinou os pais a tal ponto que muitos dizem aos filhos: "Espero que você não faça sexo, mas, se fizer, espero que seja esperto o suficiente para usar preservativo". Isso é conselho que se dê para um adolescente movido a hormônios, ansioso para explorar os prazeres da sexualidade adulta? Claro que não! Aliás, uma pesquisa recente perguntou a adolescentes se, para eles, essa frase dá a impressão de que os pais os estão autorizando a terem sexo com a namorada ou o namorado. Quase metade dos adolescentes respondeu que sim.[24]

De acordo com outros estudos, adolescentes mais velhas que têm um relacionamento melhor com o pai costumam adiar a iniciação sexual por mais tempo. Os pesquisadores concluíram que as meninas mais próximas do pai costumam fazer mais refeições com a família, ter menos namorados e sentir mais culpa pelo sexo antes do casamento.[25]

Em resumo, ter um relacionamento saudável com sua filha (ou seu filho) ajuda a vaciná-la contra o comportamento imoral. Sem dúvida, o melhor controle de natalidade para os adolescentes não é apenas a mãe, mas também o pai! Em um mundo no qual dezenas de milhares de adolescentes norte-americanos contraem doenças venéreas todos os dias, trata-se de uma ótima notícia.[26] Infelizmente, mães e pais muitas vezes *não têm consciência* do impacto que exercem ou interpretam-no equivocadamente.

Em uma pesquisa realizada com setecentos adolescentes, 58% relataram ser sexualmente ativos, mas apenas 34% das mães acreditavam que os filhos tinham vida sexual ativa.[27] Claro que, desde os primórdios, adolescentes curiosos e astutos testam os limites e, muitas vezes, procuram esconder dos pais suas aventuras sexuais. Em nenhuma outra época, porém, os riscos foram tão grandes. Nunca foi tão importante que os pais se dediquem aos filhos e construam pontes até eles, pedra sobre pedra, preceito sobre preceito.

Como realizar essa tarefa? Com doses generosas do bem mais preciso de todos: tempo. O Centro Nacional sobre Vícios e Abuso de Substâncias, da Universidade de Columbia, realizou um estudo que contradiz o lema: "O importante não é quanto tempo se passa com os filhos, mas sim a qualidade desse tempo".[28] Na verdade, essa pequena racionalização óbvia é responsável pelo fato de que muitos filhos não estão recebendo *nem uma coisa nem outra*. Momentos de qualidade não ocorrem quando não há tempo. Infelizmente, tempo é algo escasso na maioria dos lares de hoje. Mihaly Csikszentmihalyi e Reed Larson descobriram que os adolescentes passam 4,8% do tempo com os pais e apenas 2% do tempo com outros adultos.[29]

Chap Clark, ph.D. e professor no Fuller Theological Seminary, lamenta a falta de intimidade entre as gerações. Ele escreve:

> Há muito tempo os adolescentes vêm sendo afastados dos adultos que têm a capacidade e a experiência necessárias para ajudá-los a ingressar na sociedade mais ampla. Abandonados, os adolescentes criaram seu próprio mundo a fim de se proteger dos ardis e das forças destrutivas da comunidade adulta.[30]

O pesquisador de opinião pública Frank Luntz trata dessa questão em seu livro *What Americans Really Want... Really*. Entre outras coisas, Luntz desejava identificar o que os pais podem fazer para ajudar seus adolescentes a cultivarem um compromisso com um estilo de vida bom e puro. Mais especificamente, esperava definir o que mães e pais podem fazer a fim de atrair os filhos para seus valores e para a intimidade da própria família. A meu ver, as constatações do dr. Luntz são reveladoras e proveitosas para pais que estão procurando criar "boas notícias" em seu lar. O dr. Luntz permitiu gentilmente que eu citasse um trecho de seu livro:

> A família norte-americana está quebrada. Não inteiramente despedaçada, mas, sem dúvida, quebrada. Quando mais da metade dos casamentos termina em divórcio, estamos diante de um problema de desintegração familiar. Quando uma dentre três crianças mora com apenas um dos pais biológicos, estamos diante de um problema de desintegração familiar. Em inúmeros lares, mães e pais sozinhos ou mesmo irmãos mais velhos e responsáveis procuram preencher o vazio criado pela ausência da mãe ou do pai. Famílias não convencionais fazem o que podem para se virar, mas não é uma tarefa simples. Se as pressões de tempo, recursos e dinheiro que resultam da criação de uma família são cada vez mais intensas em lares onde pai e mãe estão presentes, o que dizer de lares com mães ou pais sozinhos? [...] Os exemplos positivos são fornecidos de modo mais apropriado e as oportunidades para nossos filhos aprenderem são maiores quando as crianças têm mãe e pai para ensiná-las. Sabemos que precisamos melhorar.
>
> O fato de o povo norte-americano ter consciência da importância da família, não obstante a dificuldade de protegê-la, é motivo de esperança. Quando pesquisadores lhes perguntaram o que era mais importante para eles, os norte-americanos concordaram que "ter uma família afetuosa" é a mais alta prioridade em uma lista com elementos extremamente importantes (i.e., a combinação das três respostas mais frequentes):

Família afetuosa	54%
Boa saúde	50%
Estabilidade financeira	43%
Felicidade	33%
Ir para o céu algum dia	25%
Ter a oportunidade de fazer o bem	24%

Obter o máximo possível da vida	17%
Ter uma excelente carreira	9%
Ter sempre um espírito jovial	9%
Fazer algo verdadeiramente memorável	8%
Ter uma vida longa	8%
Ter oportunidades de viajar	8%
Mais tempo para fazer o que se deseja	5%
Menos chateações cotidianas	4%
Mais escolhas na vida	1%

Por vários anos, minha empresa de pesquisas realizou estudos para o Center for Addiction and Substance Abuse (CASA) na Universidade de Colúmbia. Sob a liderança de Joe Califano, secretário da saúde, educação e previdência social de Jimmy Carter e defensor ferrenho do estilo de vida saudável, fomos incentivados a examinar aspectos do comportamento dos pais que poderiam desencadear comportamentos patológicos de seus filhos adolescentes. As descobertas que fizemos deveriam ser afixadas na porta de toda geladeira e no verso de todo BlackBerry nos Estados Unidos. É hora de nosso país acordar. Eis os seis comportamentos dos pais que mais contribuem para ajudar (ou destruir) os filhos:

De crianças saudáveis a adultos saudáveis: seis passos que os pais precisam conhecer bem
1. Jantar com seus filhos. Não há melhor maneira de mostrar que você se preocupa com seus filhos do que jantar com eles pelo menos cinco noites por semana. Mais que qualquer outro comportamento cotidiano, o hábito de os pais jantarem com os filhos produz adultos mais saudáveis, pois transmite a mensagem clara de que seus filhos são uma de suas mais altas prioridades. Pais que não jantam com os filhos, não obstante a justificativa, transmitem uma mensagem errada que, infelizmente, os filhos ouvem em alto e bom som.

Permita-me uma interrupção para dizer que, de acordo com o dr. Luntz, adolescentes que jantam em casa três a cinco vezes por semana correm menos risco de usar cigarros, álcool e drogas ilegais. Apenas 34% desses adolescentes informaram que a televisão fica ligada durante o jantar em família, e somente 12% disseram que a família não conversa muito. Dentre aqueles que não jantam com os pais com frequência, 45% informaram que a televisão costuma ficar ligada enquanto comem, 29% disseram que a família não conversa muito e 16% afirmaram que os jantares sofrem interrupções. Voltemos à lista do dr. Luntz:

2. Levar os filhos à igreja ou à sinagoga semanalmente. Não é coincidência que os programas antidrogas e antialcoolismo mais bem-sucedidos tenham um elemento espiritual. Se seus filhos forem ensinados desde pequenos que há algo maior e mais importante além de nós mesmos, é mais provável que respeitem e valorizem as maravilhas da vida e menos provável que a destruam com drogas e álcool.

3. Verificar a tarefa de casa dos filhos todas as noites. Essa prática envolve dois elementos. Primeiro, a participação diária da mãe ou do pai nas tarefas de casa mostra que o filho é importante e permite que os pais detectem logo no início quando algo está desandando. Ademais, os filhos precisam entender que o desenvolvimento intelectual é tão importante quanto o desenvolvimento físico. Quanto mais a criança se envolver com atividades intelectuais, menor a probabilidade de ela adotar comportamentos físicos nocivos.

4. Exigir que os filhos digam a verdade. Pais que insistem em saber exatamente onde os filhos estão nas noites de sexta e sábado deixam claro que nem todo lugar, amigo ou comportamento é aceitável. Filhos que dizem a verdade reconhecem esses limites, mas, se mentirem sobre o lugar onde estão, sem dúvida também mentirão sobre o que estão fazendo. Não se deve jamais tolerar a falsidade como algo que "faz parte da adolescência".

5. Tirar férias com seus filhos durante pelo menos uma semana de cada vez. Fins de semana prolongados não contam, pois não são longos o suficiente para que haja um desligamento da rotina diária ou uma religação dos relacionamentos. É preciso uma semana inteira sem mensagens de texto, *e-mails* e telefones celulares. Não há como procurar atalhos. Não basta colocar os equipamentos portáteis para vibrar. Desligue-os completamente a fim de concentrar toda a atenção em seus filhos.

6. Incentivá-los a praticar um esporte de equipe. Sinto muito, mas esportes individuais e outras atividades coletivas como a fanfarra ou o grupo de teatro

não contam. Os participantes da equipe muitas vezes toleram o abuso de substâncias ainda menos que os pais, por bons motivos. Quando os adolescentes são obrigados a depender da saúde física e do desempenho uns dos outros, é menos provável que adotem comportamentos físicos nocivos. A pressão dos colegas para fazer a coisa certa pode ser uma forte motivação.

Agradeço ao dr. Luntz por permitir que eu compartilhasse com meus leitores as implicações bastante práticas das constatações de seu estudo.

Encerro com a seguinte ideia: no musical da Broadway *The Music Man*, um caixeiro-viajante entoa uma canção na qual oferece conselho para as mães e os pais de River City. A canção se chama "Ya Got Trouble" [Vocês estão em apuros].[31] Ele propõe que os jovens sejam incentivados a participar da fanfarra como forma de mantê-los na linha depois da escola. Embora fosse um vigarista, o caixeiro-viajante não estava errado. Os pais precisam pensar seriamente em formas de proteger os filhos das influências nocivas depois da escola e em outros momentos. A solução encontra-se na formação de bons relacionamentos, na supervisão minuciosa, no hábito de manter olhos e ouvidos abertos, na capacidade de desfrutar formas saudáveis de lazer com os filhos, no incentivo à prática de esportes em equipe, no envolvimento com uma igreja que se importa com a família, na seleção de uma boa escola, no monitoramento rigoroso dos amigos, em longas conversas durante o jantar e na oração incessante. Esses são alguns dos elementos que contribuem para as "boas notícias sobre as meninas" (e meninos).

17 Encante sua filha

A SEGUIR, UMA HISTÓRIA que você talvez queira compartilhar com sua filha de 15 anos. Em minha opinião, é um texto encantador que poderá ser útil para ela. Aproveite!

A pulseira de berloques

Meu aniversário de 16 anos finalmente chegara! Pensei que não sobreviveria. Mas aguentei as pontas. Meus pais ofereceram uma festa de arrasar, com tantos convidados que nem consegui contar. Todo aquele dia foi incrível. Mas, enquanto via o sol se pôr, fiquei pensando que o melhor ainda estava por vir.

Já era noite. O confete fora varrido do chão, os balões de hélio tinham começado a murchar e os papéis dos presentes haviam sido dobrados com cuidado para minha mãe reutilizá-los depois. Enquanto estava sentada junto a minha janela, observando o céu escuro, papai espiou dentro de meu quarto e, sorrindo, perguntou:

— Está pronta, querida?

"Que pergunta!?", pensei enquanto me levantava. Há cinco longos anos esperava por essa noite, e ela finalmente chegara! De agora em diante, eu poderia sair com garotos!

A ideia era meus pais me levarem ao meu restaurante predileto na noite do meu aniversário de 16 anos para formalizar o acordo, tratar das diretrizes, regras etc. E agora, enfim, estávamos a caminho.

Sentamo-nos em um canto sossegado, meus pais de um lado da mesa e eu do outro. Quando acabamos de pedir a comida, imaginei que era hora de tratar do que interessava.

— Quer dizer que posso sair com qualquer cara que eu quiser, certo? — perguntei, quase incapaz de conter a empolgação.

Mamãe e papai riram. Papai respondeu:

— Foi o que prometemos, não?

— Demais! — exclamei, fingindo uma dança de comemoração em meu assento. Meus pais haviam me contido anos a fio, mas agora eu poderia sair com quem quisesse!

— Só tem um detalhe — mamãe interrompeu com um sorriso. — Queremos que você também prometa algo.

Eu estava preparada para ouvir um sermão ou algo do gênero.

— O que tenho que fazer agora? — perguntei, apoiando-me nos cotovelos e inclinando-me para a frente.

— Só abrir isso aqui — papai respondeu com um sorriso misterioso, enquanto me entregava uma caixinha branca.

Hesitei por um instante antes de remover a fita cor-de-rosa. Abri a tampa lentamente e vi uma linda pulseira de prata. Mas não era uma pulseira qualquer. Era uma pulseira de berloques. E não eram apenas berloques. Eram pedras preciosas, pequenas, mas lindas. Doze berloques balançavam suavemente.

— Caramba! — eu não sabia o que mais dizer. O presente me pegara de surpresa.

— Você precisa entender que não se trata de uma pulseira qualquer — minha mãe informou.

— Eu sei — respondi. — É linda demais!

Observei-a mais de perto. Havia seis berloques pequenos, intercalados com outros seis ainda menores. Os menores eram de um azul profundo. Imaginei que fossem safiras. E os outros seis eram, cada um, de uma cor diferente. Um parecia ser apenas uma pedrinha qualquer, um era rosa, um era branco, outro vermelho, verde e... Será que aquilo era um brilhante?

— Essa pulseira de berloques é simbólica — papai explicou, inclinando-se para observá-la mais de perto junto comigo. — Representa você e sua pureza. Servirá para guiá-la em seus relacionamentos com os garotos. Sua mãe e eu só podemos lhe dizer o que é certo, mas não podemos obrigá-la a acreditar no que dissermos. Esperamos que a pulseira ajude-a nesse sentido.

Olhei para eles com expressão séria:

— Estou ouvindo.

— Esta pedrinha representa a primeira vez que vai segurar na mão de um rapaz — mamãe disse, apontando para o berloque cinza. — É apenas um pedaço de granito polido. Parece sem valor, mas, ainda assim, faz parte de sua pulseira. Esse aqui é um quartzo rosa.

Ela esfregou a pedrinha entre os dedos com delicadeza e continuou:

— Representa seu primeiro beijo.

— A verde é uma esmeralda — papai prosseguiu. — É seu primeiro namorado. A pérola é a primeira vez que você dirá "eu te amo" a outro homem além de mim.

Soltei uma risadinha. Era sensacional.

— O rubi representa seu noivado. E o diamante, seu casamento — mamãe concluiu.

Depois de alguns momentos assimilando a ideia, limpei a garganta para me livrar do nó de emoção e perguntei:

— E o que representam as seis safiras pequenininhas?

— Elas são para lembrá-la de quanto você é linda e preciosa para nós e para Deus — papai respondeu. — Agora, tem um detalhe, e é a única regra que você precisará seguir ao sair com garotos.

Só uma regra. Sem problemas. Mal eu sabia...

— Sempre que você realizar um desses atos de amor, um beijo, dizer "eu te amo", segurar na mão... terá de dar ao moço a pedra correspondente.

Pensei ter ouvido errado:

— Vou ter de entregar a pedra preciosa para o garoto?

— Vai ter de entregar para ele — mamãe repetiu.

Fiquei calada por um momento. Eles só podiam estar brincando. Mas não havia nem a sombra de um sorriso na expressão séria no rosto dos dois.

— Mas, pai... — deixei escapar em tom estridente. — Cada berloque vale uma fortuna! Não posso entregá-lo assim, sem mais nem menos!

Ele soltou um riso baixo, afetuoso:

— Você ouviu o que acabou de dizer?

Pensei por alguns instantes. Depois de um tempo, ele falou:

— Minha filha, sua pureza e seu coração são muito mais valiosos que essas pedrinhas. Se você não conseguir entregar os pequenos berloques, não creio que deva entregar aquilo que representam.

Veio um frio na barriga seguido de lágrimas nos olhos. Por um lado, aquele presente me fez sentir valiosa e preciosa. Em contrapartida, fiquei furiosa. Não fazia sentido. Mas um dia faria.

Algumas semanas depois daquela noite, eu estava com meus amigos na praia. Quando eu disse que não ia entrar na água, Chad ficou me fazendo companhia. Eu estava mais interessada em ler que em virar um croquete de areia, e ele estava mais interessado em ficar sentado ao meu lado que em nadar com os amigos. Ele era um amor. Era uma gracinha. E tentou segurar minha mão.

Por uma fração de segundo, mal pude conter a emoção. Foi quando um pedacinho horroroso de granito cruzou minha mente e me fez afastar de Chad. Fiquei extremamente chateada. Chateada com meus pais e com minha pulseira, que mais parecia uma algema; mas, principalmente, fiquei chateada comigo mesma. Estava deixando uma pedrinha controlar minha vida romântica.

Morrendo de vergonha, fixei o olhar enfurecido no pedaço de granito durante a caminhada de volta da praia. Foi então que Deus me acertou no alto da cabeça com uma revelação estarrecedora. Não podia entregar o pedacinho de granito. Fazia parte da minha pulseira que, de certa forma, fazia parte de mim. Não seria completa sem ela. Não era uma pedra preciosa, mas, ainda assim, tinha valor. Depois disso, fez sentido.

Por fim, Kevin apareceu. Nós dois nos divertimos e passamos um bocado de tempo juntos. Pensei que talvez o amasse. Pensei em dizer isso para ele.

Pensei na minha pérola. No fim das contas, não o amava tanto quanto imaginava.

Meus pais estavam certos. Não tinham como me obrigar a acreditar nas coisas que eles desejavam que eu acreditasse. Em vez disso, deixaram Deus usar a pulseira para me mostrar a verdade. Com a ajuda dos quatro, entendi quanto eu era preciosa, quanto minha pureza era preciosa. Entendi como os caras que não tinham valor eram apenas uma perda de tempo e um desperdício de emoções. Se eles não estavam a fim de conquistar a pulseira toda, por que deviam ficar apenas com uma parte dela?

Nate achava minha pulseira o máximo. Por isso, nunca tentou pegar em minha mão. Nunca tentou me beijar. Mas pediu para eu me casar com ele.

Nunca imaginei que tantos anos de tormento poderiam resultar em tanta felicidade. Pensei que era bobeira, exagero. Agora, posso dizer que nada em minha vida havia me deixado mais contente.

Ao entregar ao meu marido a pulseira de berloques inteira, perguntei-me por que havia parecido tão difícil me apegar àquelas pedrinhas se era tão extraordinário poder colocá-las todas nas mãos do homem que eu amava de verdade.

Mas a história não termina aí. Agora, quem usa a pulseira é nossa filha.[1]

18 Puberdade e adolescência

Voltemos agora ao capítulo 4 ("Por que ela é quem ela é") e retomemos a história do desenvolvimento feminino a partir do ponto onde paramos, no início da infância. Naquele capítulo, falamos sobre a "puberdade infantil", período de saturação de estrogênio que ocorre nas meninas entre 6 e 30 meses de idade. Como você deve se lembrar, o estrogênio e outros hormônios preparam o cérebro para a feminilidade e tudo que acontecerá depois. Por volta dos 3 anos de idade, os níveis de estrogênio sofrem uma redução drástica e segue-se um período de relativa calmaria hormonal. Trata-se da "pausa infantil", que dura de cinco a oito anos.[1] Durante esse período, é típico as meninas não demonstrarem interesse pelos meninos, nem sequer gostarem muito deles, o que, sem dúvida, é um sentimento mútuo.

O que vou compartilhar a seguir talvez se torne um pouco técnico, mas espero que você não desista de me acompanhar. Tentarei não soterrá-lo com detalhes, embora seja importante entender o que está prestes a acontecer com suas meninas. Por favor, considere com atenção os próximos parágrafos, nos quais descrevo uma jornada de desenvolvimento fascinante, porém complexa. As mudanças que estão para ocorrer afetarão o resto da vida das garotas.

Logo depois da pausa durante a infância, a puberdade se inicia com o furor de um incêndio. A menina entra em um período de intensa transformação física, emocional e neurológica. O momento de início dessa nova fase é geneticamente controlado, embora, ao que parece, também seja afetado pela estabilidade familiar e por outros fatores, como ganho de peso.[2] Em última análise, porém, a puberdade é desencadeada por sinais de uma região extraordinária no meio do cérebro chamada hipotálamo.[3] Essa parte do cérebro monitora de perto grande parte do ambiente interior do corpo, inclusive temperatura, pH e níveis de glicose no sangue e concentração de várias hormônios. Caso seja detectado o desequilíbrio de um elemento químico específico, o hipotálamo sinaliza para outra parte do cérebro ou do corpo realizar as mudanças necessárias.

No momento certo, o hipotálamo começa a gritar ordens para a hipófise (também conhecida como glândula pituitária) por meio da secreção de hormônios, mensageiros químicos poderosos que circulam pelo sangue e dizem ao corpo e às células como reagir.[4] A hipófise é uma estrutura do tamanho de uma aspirina, situada na base do cérebro. Apesar de seu tamanho diminuto, tem um papel importante na regulagem de várias funções físicas. Já foi chamada de "glândula-mestra", pois controla inúmeras funções hormonais.[5] Em resposta às ordens do hipotálamo e de outras glândulas, a hipófise secreta dois hormônios na corrente sanguínea, o LH e o FSH, que fluem para os ovários e provocam a produção de grandes quantidades de estrogênio. O cérebro da menina é marinado pela segunda vez nesse hormônio feminino, estimulando a maturação e o desenvolvimento sexual. A puberdade envolve, ainda, outros três hormônios importantes: progesterona, testosterona e hormônios de crescimento.[6] Quando esses hormônios trabalham em conjunto, o resultado é semelhante a um espetáculo pirotécnico.

Enquanto o LH e o FSH estimulam a produção de estrogênio e progesterona pelos ovários, os níveis desses hormônios são monitorados por um conjunto de receptores no hipotálamo e na hipófise. Em outras palavras, entra em ação o mecanismo delicado de *feedback*, responsável pelo ajuste fino de hormônios que sofrem variações contínuas. É esse mecanismo que possibilita o milagre da ovulação e, como alguns diriam, a maldição da menstruação. Os níveis elevados de hormônios também influenciam diversas funções e emoções, como raiva, tristeza, alegria, memória, agressividade, sede, apetite, peso, distribuição da gordura, desenvolvimento de características sexuais secundárias como pelos pubianos, e também refletem nas funções intelectuais superiores. Em resumo, causam uma reviravolta no corpo e na personalidade. As mudanças começam a acontecer rapidamente. Portanto, mãe e pai, preparem-se. Quando os "brotinhos verdes" começarem a aparecer na árvore de sua garotinha, vocês saberão que a infância chegou ao fim e que a menina está crescendo.

Não se surpreendam se seus filhos pré-púberes tiverem ouvido de irmãos ou amigos mais velhos que algo emocionante e assustador está para acontecer, mesmo que ainda não saibam o que é. Lembro-me de um garoto de 10 anos que precisava recitar as palavras imortais [Liberdade ou morte!] de Patrick Henry, mas se confundiu na última hora e gritou: "Puberdade ou morte!". Para alguns pais, a escolha parece se resumir a essas duas alternativas.

Quando começam a ocorrer, as mudanças de desenvolvimento podem ser extremamente perturbadoras para a menina que não foi informada sobre o que está acontecendo com seu corpo. Uma vez que é tudo tão desconcertante, ela pode se atormentar de preocupação com mamilos doloridos ("Será que tenho câncer?"), a menstruação ("Vou sangrar até morrer?") e outros medos associados às transformações físicas. Por isso é extremamente importante os pais prepararem as filhas para a puberdade e a adolescência. Além de entenderem as mudanças do corpo que estão prestes a acontecer, elas devem ser informadas das variações de humor que acompanharão essa fase da vida. Dúvidas sobre o valor próprio também são esperadas e devem ser explicadas. Não há como evitá-las.

Mães e pais precisam entender que a erupção hormonal responsável por desencadear a puberdade é extremamente traumática para o cérebro feminino e pode causar sérios desequilíbrios na menina até ela se ajustar.[7] Por isso, os pais devem se dar o trabalho de entender o que está acontecendo com ela. A partir do início da puberdade e ao longo de toda a adolescência, haverá períodos recorrentes de melancolia, ansiedade, raiva, autopiedade e depressão. Também haverá fases de impulsividade, alegria, entusiasmo e felicidade. É uma montanha-russa de emoções que vão do mais alto pico para o vale mais profundo de um dia para o outro (ou de uma hora para a outra). Por vezes, a família toda precisa segurar as pontas até as coisas se acalmarem. Para algumas meninas, a volta ao equilíbrio pode levar cinco anos ou mais. Entrementes, as oscilações nos níveis de estrogênio e progesterona afetam drasticamente o comportamento e a personalidade e agitam o cérebro da garota (e o dos pais) de um lado para o outro.

A dra. Louann Brizendine, psiquiatra formada em Yale e autora do livro *Como as mulheres pensam*, descreve a experiência adolescente do seguinte modo:

Drama, drama, drama. É o que acontece na vida e no cérebro da adolescente. "Mãe, não tenho a mínima condição de ir à escola. Acabei de descobrir que o Brian gosta de mim, saiu uma espinha no meu rosto e eu não tenho maquiagem para esconder... Imagina que eu vou sair de casa!". "Tarefa? Nem pensar. Já avisei que não faço nada enquanto você não me colocar em um internato. Não aguento mais morar com vocês". "Não, eu não terminei a conversa com a Estela. Não faz duas horas, e eu *não* vou desligar o telefone". É isso que acontece quando você tem uma versão moderna do cérebro feminino adolescente em sua casa.[8]

Nessa nova realidade impelida pelo estrogênio, a agressividade também é proeminente. O cérebro da garota adolescente a faz sentir-se poderosa e sempre certa e a torna cega para as consequências. Sem esse ímpeto, ela nunca será capaz de crescer; mas passar por essa fase não é fácil, especialmente para a menina. Quando ela começa a experimentar todo o "poder feminino" que inclui a tensão pré-menstrual [TPM], a competição sexual e os grupos controladores formados por meninas, as condições de seu cérebro podem tornar a realidade... bem, um tanto infernal.[9]

Infernal mesmo! De acordo com um relatório publicado pelo National Institute of Mental Health (NIMH), cerca de 10 a 20% das meninas adolescentes se encontram em um estado contínuo de crise.[10] Os transtornos, de natureza física, emocional e mental, produzem uma grande quantidade do hormônio do estresse chamado cortisol. Esse hormônio prepara o corpo para emergências, mas, quando seus níveis permanecem sempre altos, ele exerce impacto negativo sobre a mente e o corpo, interferindo no desenvolvimento feminino normal.

É evidente que essas constatações não se aplicam a todas as meninas. Segundo o relatório do NIMH, 80 a 90% das meninas *não* se encontram em estado contínuo de crise e passam por essa fase de desequilíbrio emocional sem consequências sérias.[11] A maioria, porém, tem dificuldade em alguma área.

Nesse momento em que tudo virou de cabeça para baixo, qual é a maior necessidade a ser suprida pelos pais? A resposta, em resumo, é mais apego, e não menos. (Lembra-se do capítulo 7?). Até mesmo nos momentos em que ela é menos amável, a menina precisa de amor e vínculos não só com a mãe, mas também com o pai. Precisa que sejam o mais calmos, maduros e maternos/

paternos possível. Não há espaço no relacionamento para adultos descontrolados, vociferantes, confusos e assustados. Mesmo quando se torna totalmente desarrazoada, a menina precisa, e muito, de uma voz racional. Sei que é um conselho difícil de ouvir e aplicar, pois a garota adolescente pode tirar os pais do sério. Em geral, ela tem pouco autocontrole e, com certeza, não precisa de uma mãe com o mesmo problema. Os 10 a 20% das adolescentes em estado de crise necessitam de toda a estabilidade que puderem obter da família. Impulsos estranhos as levam a fazer coisas sem nexo nenhum para a mente racional, e muitas não conseguem controlar suas reações.

Permita-me enfatizar outro ponto: o divórcio dos pais nesse período é sempre devastador! O rompimento conjugal é difícil para filhos de qualquer idade, mas é particularmente estressante quando a puberdade está a todo vapor. Mães e pais que amam os filhos farão todo o possível para evitar essa tragédia durante os anos mais difíceis da vida dos filhos. Para os adolescentes instáveis, e até para os mais maduros, o divórcio pode ser a gota d'água.

Ademais, uma vez que o início da puberdade ocorre mais cedo hoje em dia e as mulheres costumam se casar mais tarde, não é raro as mães passarem pelas tensões da menopausa enquanto as filhas estão entrando na fase de despertamento sexual. A proximidade de duas experiências hormonais voláteis dentro da mesma família pode causar um choque de gerações de proporções desastrosas.

A médica Nancy Snyderman e sua filha adolescente passaram por essa crise em seu relacionamento. A experiência levou a dra. Snyderman a escrever um livro extraordinário intitulado *Girl in the Mirror* [Garota no espelho]. Nessa obra, ela observa que, em gerações anteriores, essas jornadas cruciais ocorriam em dois períodos distintos. A ocorrência simultânea de duas fases hormonais intensas, porém, acrescenta outra dimensão ao relacionamento entre mãe e filha e, muitas vezes, provoca brigas sérias entre as gerações.[12] Só tenho uma coisa a dizer para os maridos/pais: cuidado. Pode ser mais prudente sair de cena de vez em quando.

A última frase é brincadeira. Na verdade, os pais são extremamente importantes no meio desse caos. Dependendo de seu temperamento, o pai pode ser a "voz da razão" à qual me referi. Pode ajudar a interpretar as motivações, abrandar as palavras ríspidas e aliviar as mágoas de ambos os lados do abismo entre gerações. Mas, se o pai também começar a pirar, a vaca vai para o brejo. Uma garota na puberdade, uma mãe na menopausa, alguns irmãos adolescentes e um pai emocionalmente instável formam uma mistura volátil.

Don Imus, apresentador de longa data de programas de rádio controversos, disse a seus ouvintes certa vez que, como pai de quatro filhos e marido de uma mulher superemotiva, nunca teve um dia em que não visse alguém em sua casa chutar o cachorro ou bater uma porta.

O mais surpreendente é que, ao mesmo tempo que a puberdade leva as meninas a se afastarem das pessoas amadas, outras forças dentro delas criam um anseio inexplicável por ligações afetivas. O estrogênio, que impele a necessidade de intimidade no início da infância, causa o mesmo efeito na puberdade e adolescência, mas com intensidade ainda maior. O desejo de criar vínculos sociais, especialmente com seus pares, resulta em grande vulnerabilidade, daí as adolescentes andarem em bando para se protegerem. O maior medo de uma menina nessa fase é a possibilidade de ser excluída, rejeitada, criticada ou humilhada. Até a menor crítica dos pais pode causar um *tsunami* de lágrimas e vingança. As reações exageradas se tornam uma ocorrência diária. Pobre da mãe ou do pai que tenta convencer uma garota aos prantos que "não é para tanto". Estão enganados. *Tudo* é para tanto.

Para uma garota vulnerável, ser magoada por um menino pode parecer uma sina pior do que a morte. Afinal, na puberdade e adolescência, o impulso biológico mais urgente é para que ela seja vista como alguém sexualmente desejável. Isso explica por que meninas passam horas na frente do espelho; elas se inspecionam, martirizam, embonecam, ajeitam, realçam, desejam e cobrem de maquiagem. A maioria não gosta do que vê. O reflexo diante delas usa aparelho nos dentes, tem espinhas, nariz no formato errado, orelhas de abano, sardas e cabelo rebelde. Como pais, o trabalho de vocês consiste em entender essas pressões e, na medida do possível, ajudar suas filhas a lidar com elas.

Falemos agora do ciclo menstrual e de como ele influencia a mente e o corpo da mulher. É *impossível* compreender como uma garota se sente a respeito de si mesma, da família, da vida e dos colegas sem considerar o impacto de seu ciclo e das variações hormonais que o impelem. Chamo essas oscilações psicológicas e hormonais de "as estações do mês femininas".[13]

Observe que cada mulher é diferente, e algumas experimentam e demonstram essas características mais do que outras. A descrição a seguir é mais típica das adolescentes e jovens que das mulheres mais maduras. Eis, porém, em termos gerais, o modo como o sistema funciona.

A primeira semana depois da menstruação pode ser considerada a primavera do mês. Os níveis de estrogênio estão em elevação e produzem quantidade crescente de energia, ambição e otimismo. O mundo parece ensolarado, e o humor é otimista. Neurotransmissores cerebrais, como a serotonina, a dopamina e a norepinefrina, estão mais ativos e facilitam o pensamento, a memória e a capacidade intelectual. É a fase mais agradável do mês.[14]

Lembro-me de um comercial de margarina que passava repetidamente na televisão: "Tudo fica melhor com margarina Blue Bonnet". Da mesma forma, tudo parece melhor quando o estrogênio está em "ascensão".

O verão chega na segunda semana do ciclo menstrual. O estrogênio atinge o ápice e se estabiliza. Nessa fase, a menina na puberdade ou adolescência continua cheia de energia, mas adota um ritmo mais moderado. Ainda se sente segura de si, criativa e, dependendo das circunstâncias, eufórica. Precisa acontecer muita coisa para chateá-la ou preocupá-la, e ela gostaria que todos os seus dias fossem como os do final do verão. Infelizmente, em breve esses dias ensolarados não passarão de uma vaga lembrança. O estrogênio está prestes a despencar.

Chega o outono. Por volta da metade do ciclo, no início da terceira semana, a jovem passa pela ovulação e pelo período de fertilidade. Os níveis de estrogênio sobem por alguns dias. Esses acontecimentos coincidem com o pico de seu desejo sexual. Também é durante a terceira semana que ela sente profunda devoção, afeição e proximidade com o garoto ou homem que ama. Dois hormônios influenciam essas reações. O primeiro é a testosterona, o hormônio sexual masculino, e o outro é a progesterona, chamado de "hormônio de ligação". A progesterona faz a garota se sentir próxima da pessoa que ela imagina amar. Podemos dizer, com um sorriso, que está em andamento uma "conspiração" criada por Deus para garantir a propagação da raça humana. Sem ela, você e eu não existiríamos.

Os níveis de progesterona continuam a subir durante a terceira semana. Esse hormônio tem duas funções principais relacionadas à fertilidade. Primeiro, contrabalança a influência do estrogênio, cuja presença em níveis altos impossibilita a concepção. Segundo, a progesterona produz o espessamento do revestimento uterino que forma o "solo fértil" para um possível embrião.

A quarta semana é o inverno, período no qual os níveis de estrogênio continuam a cair. O mesmo acontece com a progesterona e as endorfinas. Como consequência, o humor da garota se torna mais sombrio, e ela fica mais retraída. Essas mudanças hormonais são extremamente tóxicas para o cérebro e podem criar depressão e apreensão, baixa autoestima, hipersensibilidade, tristeza e raiva. Também é comum a menina se sentir rejeitada e insegura. Pode sentir-se confusa e entrar em um cômodo sem se lembrar da razão de estar lá. Até seu desempenho na escola pode ser afetado. Infelizmente, o que ela está experimentando são os sintomas conhecidos no mundo todo como transtorno pré-menstrual. Cerca de três dias depois, vem a menstruação, acompanhada de cólicas, inchaço e mal-estar.

Assim termina o ciclo de quatro semanas, seguido de imediato por uma elevação do estrogênio e pela volta dos dias felizes.

Como teria sido bom se eu houvesse compreendido as características emocionais do ciclo menstrual logo que Shirley e eu nos casamos. A diversão, as risadas da vida universitária e três anos de namoro foram seguidos de um excelente relacionamento. Não obstante, tive de aprender "na raça" um bocado de coisas a respeito de minha esposa. Havia um diálogo recorrente que passamos a chamar de "a conversa". Costumava acontecer tarde da noite, quando Shirley perdia o sono. Nessas ocasiões, a mulher que eu tanto amava me dizia que eu não estava suprindo suas necessidades de amor e afeto e me acusava de estar ocupado demais para lhe dar atenção. Algumas vezes, ela chorava; outras, ficava zangada. Eu não sabia o que pensar, pois não conseguia detectar nenhuma mudança em nosso relacionamento. Estávamos vivendo uma fase boa em nossa vida e não tinha ideia do que havia feito para rejeitar ou magoar minha esposa.

Tanto quanto eu podia perceber, "a conversa" não era desencadeada por brigas ou desentendimentos conjugais. Eu era apenas um jovem marido desejoso de agradar a mulher. Lembro-me de ter dito repetidamente: "Shirley, pelo amor de qualquer coisa. Eu quero o mesmo que você. Por que a gente está tendo essa conversa outra vez?".

Por fim, consegui desvendar o mistério. Sua irritação não tinha nada a ver comigo, embora qualquer homem sempre possa ser mais carinhoso e ter mais consideração. Mas esse não era o problema. Tudo indicava que Shirley estava passando pelos meses de outono e inverno. Só então entendi aquilo de que ela precisava nessas fases. Minha função não era explicar ou prometer nada nem me exasperar. Precisava apenas abraçá-la bem apertado, dizer-lhe quanto a amava e ouvir o que ela dizia. Isso bastava.

Sua filha púbere tem essa mesma necessidade. Quando ela chora, reclama e se desespera por um motivo ou outro, precisa de apego. Precisa de consolo e amor. E precisa de mais uns dias para atravessar o inverno e chegar à claridade da primavera. Parece fácil, mas não é.

Antes de encerrarmos nossa conversa sobre os hormônios que atuam nessa fase da vida, devemos considerar outra secreção cuja influência é quase maliciosa. Trata-se da ocitocina, que, como você já deve ter suspeitado, é estimulada pelo estrogênio. Seu apelido é "hormônio do aconchego",[15] e dá para imaginar a que ele leva. Quando uma garota conhece um rapaz e se sente segura perto dele, seus níveis de ocitocina sobem, dando-lhe uma sensação intensa de esperança, confiança, otimismo e segurança, além da impressão de que suas necessidades serão supridas.[16] A menina pode começar a se apaixonar por ele ou, durante um tempo, sentir algo parecido com amor, mas não porque ele é o ser humano perfeito. Ela o vê dessa forma por causa da sensação que tem. Abraçar e se aconchegar faz os níveis de ocitocina subirem, o que leva a mais abraços e aconchego. Que armadilha mais carinhosa!

Permita-me dizer com todas as letras aquilo que deixei implícito há pouco. Nossa bioquímica foi criada para garantir a continuidade da raça humana. Hormônios, receptores, ligações cerebrais e neurotransmissores trabalham com eficiência para transportar impulsos de uma célula à outra. A ocitocina é um componente poderoso desse mecanismo. Como a dra. Brizendine comenta, "com base em uma experiência científica sobre o abraço, também sabemos que a ocitocina é liberada naturalmente no cérebro depois de um abraço de vinte segundos dos parceiros, fato que sela a ligação entre as partes que se abraçam e aciona os circuitos cerebrais da confiança. Portanto, não deixe um sujeito abraçá-la, a menos que você tenha a intenção de confiar nele".[17] É possível ajudar sua filha a entender esse hormônio? De jeito nenhum. Sua única esperança é que o namorado dela não saiba como a ocitocina funciona.

A propósito, a ocitocina desempenha um papel maravilhosamente importante no desenvolvimento do apego materno. Jeffrey Kluger é autor do artigo "The Science of Romance: Why We Love" [A ciência do romance: por que amamos"], publicado na revista *Time*. Seu texto inclui a seguinte constatação acerca da ocitocina:

> Mães de recém-nascidos são inundadas com essa substância durante o parto e ao amamentar; esse é um dos motivos pelos quais elas se ligam de modo tão forte ao bebê quando ele ainda não passa de uma boca faminta e um corpinho a se contorcer. Homens que moram com uma parceira grávida também experimentam elevação nos níveis de ocitocina, o que é ótimo se eles pretendem estar por perto durante os meses de gestação e os anos de educação do filho. A ocitocina é tão poderosa que até um estranho em sua zona de influência pode parecer atraente.
>
> "Em um estudo, um assistente que não estava envolvido com o nascimento da criança ficava em um canto da sala de parto enquanto a mãe dava à luz o bebê", diz Sue Carter, professora de psiquiatria da Universidade de Illinois. "Mais tarde, as mães o descreviam como alguém extremamente solidário, embora ele não tivesse feito coisa nenhuma".[18]

Há muito mais a se falar sobre esse assunto complexo, mas temos de prosseguir com o "resto da história", como o falecido Paul Harvey gostava de dizer. Até aqui, minha intenção foi tentar mostrar o que sua filha adolescente está sentindo e por quê. Mães e pais, vocês se lembram daqueles dias de alegria incontida ou desespero profundo? Lembram-se de ficar perdidamente apaixonados uma, duas, três vezes? Talvez suas próprias lembranças possam ser úteis para entender seus filhos e ajudá-los a tratar de altos e baixos semelhantes.

Encerrarei com outra recordação pessoal. Quando eu tinha 13 anos, minha família fez uma viagem de carro para visitar alguns parentes em Idaho. Era evidente que alguma coisa estava acontecendo dentro de mim, mesmo que eu não fizesse ideia do que era. Lembro-me apenas de estar sentado no banco de trás do carro, fantasiando que veria uma garota linda, *qualquer* garota linda, parada na esquina quando entrássemos na cidade. Cheguei a procurar, em vão, por aquela garota imaginária. Mas você acreditaria se eu lhe dissesse que ela existia? Encontrei-a algumas tardes depois em uma quadra de tênis. Era uma mulher mais velha, de 14 anos, e carregava uma enorme raquete. Assim que a vi, pensei: "Eu sabia!". Estava embriagado de testosterona, e ela devia estar viajando em estrogênio e ocitocina. Éramos o par perfeito.

A princesinha e eu jogamos tênis até o sol se pôr. Terminada a última partida, voltei para casa nadando em amor, embora tivesse perdido de lavada. Foi uma das tardes mais sensacionais de minha vida, mas nossa relação não durou. Na verdade, eu nunca mais vi a garota. Ainda assim, ela me deu muito o que pensar nos anos por vir.

Tempos depois, naquelas mesmas férias, viajamos de avião para Fairbanks, Alasca, onde meu pai foi pregar em uma igreja como pastor visitante. Tive a oportunidade de conhecer uma porção de adolescentes da igreja que me convidaram para tomar um refrigerante depois do culto da noite. Enquanto estávamos no carro, uma linda nativa do Alasca sentada no banco da frente se virou para trás e me disse, com um sorriso:

— Aposto um níquel que consigo beijá-lo sem encostar em você.

— Como você vai fazer isso? — perguntei.

Ela apenas sorriu e disse:

— Você vai ver.

Pareceu-me uma boa ideia, e eu aceitei a aposta. Aquela gracinha de menina me deu meu primeiro beijo, colocou a moeda em minha mão e disse:

— Você ganhou!

Rapaz! Que coisa boa! Eu me ofereci para fazer a mesma aposta, mas ela não quis. Foi tudo muito inocente, mas até hoje me lembro com carinho daquela experiência emocionante. Havia acabado de entrar, a passos vacilantes, na adolescência. Oito anos depois, conheci uma das garotas mais simpáticas da universidade. Ela se chamava Shirley e virou meu mundo de ponta-cabeça. Ela é a mãe de meus filhos, que agora são adultos, e minha queridinha até hoje. É assim que o sistema foi projetado para funcionar. E adivinhem quem é o grande Projetista?

Senti-me na obrigação de lhes falar sobre os aspectos negativos da puberdade para as meninas e seus pais. Essa experiência não precisa ser o bicho de sete cabeças que alguns imaginam. Pais sábios são capazes de pastorear seus jovens ao longo dessas primeiras experiências e torná-las divertidas e puras. A supervisão adulta é absolutamente essencial, porém, para evitar que meninas e meninos se adiantem e façam coisas que os prejudicarão no futuro. Os adolescentes também precisam de ajuda para entender o que está acontecendo dentro deles e reconhecer o caráter transitório das emoções instáveis que, por vezes, os pegam de surpresa. Acima de tudo, porém, é essencial os pais permanecerem ligados aos filhos, especialmente nos dias sombrios em que o céu parece estar desmoronando. Em geral, não está.

No capítulo 20, apresentarei perguntas e respostas relacionadas aos assuntos que acabamos de discutir. Se estivéssemos juntos hoje, eis algumas coisas sobre as quais eu gostaria de conversar com vocês. Antes disso, porém, falemos sobre outro aspecto importante da vida das meninas: seus relacionamentos.

19 | Inimigas, colegas ou melhores amigas

Não faltam motivos para os pais de hoje se preocuparem com o aumento da violência entre garotas adolescentes. De acordo com relatórios sobre criminalidade divulgados pelo FBI na última década, cada vez mais mulheres têm sido presas por agressão física.[1] Alguns pesquisadores chamam esse fenômeno de epidemia de violência.[2] Dizem que reflete as pressões emocionais resultantes da desintegração da família, igreja, comunidade e escola. Outros acreditam que, na tentativa de imitar os meninos, competir com eles e obter sua aprovação, as meninas se tornaram mais masculinizadas. Todas essas hipóteses são válidas, mas a explicação mais ampla envolve maior complexidade.

Neste capítulo, desejo focalizar o *bullying* entre meninas, comportamento dotado de seus próprios métodos e finalidades. Meninos costumam agredir uns aos outros fisicamente, chutando, socando, abaixando as calças e ameaçando garotos mais fracos. Meninas agridem por meio dos relacionamentos, traindo, assediando, insultando, isolando, espalhando boatos e mentiras e simplesmente agindo de modo cruel. Comportamentos maldosos desse tipo são comuns onde quer que haja meninas. Cerca de uma dentre três meninas em idade escolar é perpetradora ou alvo de *bullying*, mas todas as meninas são afetadas de alguma forma. Isso significa que sua filha provavelmente sentirá o impacto emocional do *bullying* em algum momento da jornada de desenvolvimento. É possível até que ela seja a valentona da escola.

De acordo com a National Educational Association, mais de 160 mil crianças deixam de ir à escola todos os dias por medo de intimidação.[3] Uma mãe me contou que sua filha acorda bem cedo toda manhã e fica deitada na cama pensando:

"Será que tem um jeito de eu passar esse dia sem ser humilhada?". Ela se preocupa porque não tem ninguém para lhe fazer companhia durante o recreio e procura arrumar o cabelo e se vestir de modo a não atrair gozações. Para ela, e para milhões de outras meninas, a escola é um campo minado a ser atravessado diariamente. Uma das bombas pode explodir debaixo delas a qualquer momento. Garotas com peso normal são chamadas de "gordas", e quem tem características físicas incomuns é alvo de zombaria impiedosa, recebendo apelidos que destacam aquilo que mais gostariam de esconder. O mundo instável no qual as garotas vivem exerce forte impacto sobre sua vida e influencia as mulheres que elas virão a ser algum dia. Infelizmente, muitas vezes o assédio começa no início da infância, quando as crianças são menos capazes de lidar com ele.

As implicações para meninas naturalmente inseguras e tímidas são consideráveis. Com o passar do tempo, algumas desenvolvem úlceras, distúrbios alimentares e depressão. Em seu artigo "Terrorists in the Schoolyard" [Terroristas no pátio da escola], a jornalista Joanne Richard ajuda a explicar a abrangência do problema e o que meninas e meninos pequenos sofrem.

"Pedras e paus podem quebrar meus ossos, mas palavras não me atingem."

"Que mentira deslavada. Palavras nos atingem, sim, e machucam", diz a educadora Kathy Lynn. A forma mais comum de *bullying* é a agressão verbal, e, de acordo com Lynn e vários outros especialistas, o que não falta no pátio das escolas são zombaria, tormento, fofoca e exclusão.

O problema do *bullying* social é amplamente difundido e aterroriza a maioria das crianças e pais: "Com razão. É feio e destrutivo", diz [Barbara] Coloroso. "O *bullying* é uma atividade consciente, intencional e deliberada que visa a ofender. É prazer derivado da dor de outra pessoa", afirma Coloroso, consultora educacional e autora de *The Bully, the Bullied, and the Bystander* [O valentão, os intimidados e os observadores].

Janet Henderson (nome fictício) sabe disso. Sua filha Sara, de 10 anos, é atormentada e perseguida há cinco, "desde que entrou no jardim da infância, quando uma criança a chamou de gorda".

Henderson, de 36 anos e moradora de Mississauga, é dona de casa e tem quatro filhos; ela chora baixinho enquanto relata as experiências dolorosas de Sara na escola: "É um inferno. O *bullying* acabou com ela. Sara deixou de ser uma menina meiga, alegre e despreocupada e se tornou desconfiada e assustada. Agora, ela prefere ficar sozinha. Me dá raiva. É uma coisa triste que afeta a família inteira. Como é possível essas crianças serem tão maldosas, e os pais não fazerem nada? Alguns pais se preocupam tanto que os filhos sejam aceitos que os deixam atacar outros só para fazer parte do grupo, em vez de ensiná-los a defender os outros. Vejo uma porção de professores e pais fazerem vistas grossas".

Especialistas observam esse fenômeno repetidamente: "O *bullying* não é uma questão de conflito, mas sim de ódio e desprezo", diz Coloroso. Tal prática tem efeitos mortais.

"É uma questão de vida ou morte. Há um número suficiente de ocorrências no passado recente para nos convencer de que não é apenas o valentão que pode aterrorizar e assombrar nossa comunidade", ela diz. "Algumas vítimas cujos clamores não foram ouvidos, cuja dor foi ignorada, cuja opressão persistiu, sem diminuição nem alívio, revidaram com violência e encheram nossas comunidades com horror e tristeza impensáveis.

"Outros, que imaginaram ter chegado a um ponto sem retorno, ao mais absoluto desespero, voltaram a violência contra si mesmos e se mataram. Acreditando que não tinham outra forma de fugir da dor e do sofrimento infligidos por seus algozes, eles encontraram a última e trágica saída."

Esse fenômeno afeta crianças cada vez mais novas, diz [Ann] Douglas, autora de *The Mother of All Parenting Books* [A mãe de todos os livros sobre educação de filhos]. "Na verdade, parece começar no jardim de infância. Meninas podem ser particularmente cruéis nessa idade e excluir determinada criança da turma porque ela não sabe que, de repente, 'não tem mais nada a ver' usar uma mochila da Barbie ou meias dos Teletubbies. Não existe maior solidão no mundo do que ser a única criança da turma a não receber o convite para a festa de aniversário de um colega", diz Douglas.

Hoje em dia, o *bullying on-line* se tornou comum entre crianças mais velhas: intimidação por *e-mail*, mensagem instantânea, blogues e *sites* pessoais. Mensagens que você imaginava que só seriam lidas por sua melhor amiga podem ser compartilhadas em poucos segundos com a escola toda, acompanhadas de uma descrição implacável de todos os seus defeitos.

De acordo com os especialistas, ninguém nasce um valentão: "É algo adquirido em casa, na creche ou na sala de aula, com os colegas. Crianças aprendem a se relacionar com os outros ao observarem e imitarem os mais velhos", diz Lynn.

"Precisam ser ensinadas a desprezar, a odiar", acrescenta Coloroso, segundo a qual os valentões magoam os outros sem sentirem empatia, compaixão ou vergonha. Consideram-se no direito de fazer o que bem entenderem e não tolerar diferenças.

As vítimas da intimidação têm um elemento em comum: "São, pura e simplesmente, os alvos", diz Coloroso. "Cada uma foi escolhida para ser o objeto de desprezo pelo simples fato de ser, de algum modo, diferente".

O ciclo de violência precisa ser rompido nos lares, escolas e comunidades: "Como indivíduos, famílias e comunidades inteiras, precisamos criar um lugar seguro para todas as nossas crianças. Precisamos tomar todas as providências necessárias para tirar as armas do coração, da mente e das mãos de nossos filhos", diz Coloroso.[4]

A "sra. Henderson" comentou como a distorção e a deformação de mentes jovens por outras crianças lhe dá raiva. Compartilho dessa exasperação. De fato, o *bullying* também é uma questão de vida ou morte para um número cada vez maior de adolescentes. Talvez você tenha lido as notícias sobre Megan Meier, garota de 13 anos, acima do peso e infeliz. Megan conheceu na internet um garoto chamado Josh, que começou a expressar interesse por ela. Uma vez que Megan estava emocionalmente envolvida, Josh passou a lhe enviar *e-mails* maldosos e, por fim, a rejeitou sem dó nem piedade. Megan ficou tão perturbada que se enforcou dentro do armário de seu quarto. Depois da morte da garota, descobriu-se que Josh nem sequer existia. Havia sido inventado para zombar de Megan.

O que aconteceu com essa triste jovem é absurdo. Infelizmente, muitos outros alunos do segundo ciclo do ensino fundamental também são submetidos com frequência a vários tipos de agressão. O assédio não costuma resultar em morte, mas, na verdade, algo começa a morrer dentro dessas meninas e meninos. No início de minha carreira, lecionei ciências e matemática diariamente para 230 alunos do sétimo e oitavo anos e tive contato direto com o *bullying*. Os desafios que essas crianças enfrentavam em relação aos colegas não eram novidade para mim. Meus alunos chegavam no começo do ano esperando e torcendo para que tudo corresse bem. Seu coração adolescente batia mais forte de empolgação e expectativa, mas, principalmente, de medo. Alguns sofriam abuso há anos e estavam aterrorizados. Enquanto eles pensavam: "Será que os outros vão gostar de mim? Vão rir de mim? Vou ter algum amigo?", os pais se perguntavam: "Será que eles vão fazer amizade com os colegas certos?".

Para as meninas, a questão das roupas é fundamental para a sobrevivência no mundo feroz dos últimos anos do ensino fundamental. As roupas que a menina veste servem de ingresso para as turmas que podem protegê-las da ridicularização e intimidação relacional. Um erro nesse ponto pode ser trágico. As turmas são governadas por regras rígidas e podem ser implacáveis. Até mesmo a escolha das cores certas se torna importante. A autora Vanessa O'Connell descreve as regras da seguinte forma:

> Dorothy Espelage, professora de psicologia educacional da Universidade de Illinois, Urbana-Champaign, que estuda o comportamento adolescente há catorze anos, afirma ter observado um crescimento no "*bullying* relacionado as roupas". Ela atribui essa ocorrência à proliferação de roupas de grife e à ostentação de marcas nos anúncios publicitários. Em mais de vinte estados onde ela estudou o comportamento adolescente, ficou surpresa com o modo como os jovens respeitam aqueles que, a seu ver, têm as melhores roupas. O acesso a roupas de grife proporciona a alguns jovens "a oportunidade de ser popular, conferindo-lhes proteção, poder social e influência sobre os outros", diz Espelage. [...]
>
> Em um estudo, mais de um terço dos alunos do segundo ciclo do ensino fundamental responderam afirmativamente quando os pesquisadores perguntaram se eles eram alvo de gozação por causa das roupas que usavam. Susan M. Swearer, professora assistente da faculdade de psicologia da Universidade de Nebraska, em Lincoln, realizou uma pesquisa com mais de mil alunos do quinto ao oitavo ano em cinco escolas do Meio-Oeste, de 1999 a 2004, sendo cerca de 56% da amostra do sexo feminino. Embora o *bullying* por causa da moda tenha se mostrado predominante em cidades mais ricas, onde há maior disponibilidade de roupas de grife, Swearer descobriu que o problema também é sério em comunidades mais pobres.
>
> Não se espera que os adolescentes vistam qualquer grife; devem usar roupas das marcas "certas". "Quanto melhor a marca que você vestir, maior a sua popularidade", diz Becky Gilker, de 13 anos, aluna da oitava série de Sherwood Park, na província canadense de Alberta. "Quem não usa essas marcas é criticado."[5]

"Amigas e inimigas": essa será a chave de tudo para sua filha do quinto ano em diante. Lembre-se de que, no início da infância, o cérebro da menina foi programado para ela ter intimidade com outros e, agora, na puberdade, ela anseia por relacionamentos próximos com as colegas. A intimidade é o ar que ela respira e sua razão de existir. Por isso as crises emocionais são inevitáveis quando amizades adolescentes dão errado e a rejeição bate à porta.

As amizades mudam o tempo todo na adolescência. Rosalind Wiseman descreve essa dinâmica social em seu excelente livro *Queen Bees and Wannabes* [Abelhas-rainhas e aspirantes]:

> Especialmente no sexto e sétimo anos, as meninas mudam com frequência de turma. Quando isso acontece, é comum garotas que costumavam ser amigas se voltarem umas contra as outras, e as gozações negativas podem ser brutais. [...]
>
> Melhores amigas são duas meninas verdadeiramente inseparáveis. [...] Têm sua própria linguagem e códigos. Emprestam roupas uma da outra. Pode acontecer de se apaixonarem ao mesmo tempo pela mesma pessoa. [...] É quase certeza que a amizade se romperá por volta do sétimo ano (senão antes), quando pelo menos uma delas desejará expandir seus horizontes sociais. Depois, farão as pazes, brigarão, farão as pazes. [...] Às vezes, sua filha será a parte que rejeitará a amiga; outras vezes, ela será a rejeitada.[6]

Embora sejam comuns, os rompimentos e realinhamentos também são terrivelmente dolorosos para a garota que "leva um fora" das amigas. Para ela, a separação pode parecer o fim do mundo. Talvez as duas meninas tenham crescido juntas e passado horas incontáveis compartilhando seus sentimentos e medos mais íntimos. A amizade era marcada pela confiança. De repente, a menina rejeitada é tratada como o ser mais desprezível do Universo. Sua ex-melhor amiga não responde às mensagens de texto nem aos telefonemas. Cruzam-se no corredor da escola sem nem sequer um "oi" da ex-amiga. O humor sarcástico entra em cena para envergonhar e humilhar a menina rejeitada na frente dos outros. Ninguém quer sentar-se perto dela no recreio ou na aula de educação física por medo de afastar-se da garota mais poderosa. A menina rejeitada talvez nem faça ideia do que aconteceu, talvez nem haja um acontecimento crítico, pelo menos não uma ocorrência visível. Sem aviso nem explicação, ela parece ser odiada pela menina que é mais importante para ela.

Devemos nos preocupar principalmente com a garota vulnerável e desprovida de uma rede social para apoiá-la quando a melhor amiga se torna sua inimiga. Ser rejeitada por uma pessoa tão próxima é uma experiência terrível, mas é ainda pior quando a vítima não tem para quem correr.

Rachel Simmons, autora do livro *Garota fora do jogo*, afirma que o realinhamento das amizades muitas vezes é decorrente do esforço para alcançar uma posição mais elevada. Ela escreve:

> Para as meninas que competem por popularidade, a amizade raramente é só isso; antes, é um ingresso, uma ferramenta, uma oportunidade — ou um peso morto. Você pode ter todas as roupas da Abercrombie, mas, se não tiver as amigas certas, não é ninguém. [...]
>
> Se a popularidade é uma competição por relacionamentos, segue-se que, para avançar socialmente, é preciso buscar e formar novos relacionamentos e se livrar dos velhos. [...] Para se tornarem mais próximas, as amigas compartilham segredos. As competições relacionais corrompem esse processo e transformam segredos em moeda social e, posteriormente, em munição. Essas meninas são fofoqueiras: espalham para outras os segredos que ouviram das amigas. Por meio de informações íntimas, obtêm acesso calculado umas às outras.

Ser desprezada por uma garota particularmente popular, ainda mais se ela é bonita, segura de si e tem uma boa rede social, exerce efeito desmoralizante sobre a pessoalidade de "uma luz menos resplandecente". O autor Dan Kindlon descreve essas adolescentes extremamente bem-sucedidas e dominantes em seu livro *Alpha Girls* [Garotas alfa]:

> Uma "garota alfa" [é] uma jovem destinada a liderar. É talentosa, extremamente motivada e segura de si. Não se sente limitada por seu sexo; é, em primeiro lugar, uma *pessoa* e, só depois, mulher. [...] É evidente que nem todas as meninas são assim. Algumas não têm autoconfiança e são ansiosas, deprimidas, anoréxicas ou bulímicas.

Quando uma garota alfa lança mão da traição e de táticas de *bullying* contra uma ex-amiga, ela o faz com o poder combinado de toda uma rede social. É comum recrutar sua turma em missões para localizar e destruir as pessoas das quais ela não gosta. Juntos, os membros do grupo são capazes de devastar uma oponente de tal modo que ela leva anos para se recuperar. Algumas meninas nunca superam de todo essa experiência e, desse momento em diante, deixam de confiar em outras garotas. A meu ver, a maioria das mulheres guarda memórias dolorosas de episódios desse tipo na adolescência, quando foram ridicularizadas, ignoradas, excluídas, zombadas e difamadas. Pergunte a qualquer amiga se elas se lembram de algo do gênero. Algumas descreverão em detalhes vívidos, talvez com lágrimas nos olhos, experiências de quando ainda eram bem jovens.

Muitas das meninas que ocupam o degrau mais baixo na escada social da escola também são rejeitadas em casa pelos irmãos, pelas crianças da vizinhança e por pais ausentes. Cronicamente solitárias, esforçam-se demais para fazer amigos na escola. O anseio por aceitação é uma placa de neon que diz "Desesperada" e afasta colegas de ambos os sexos.

A necessidade de amigos afetuosos e atenciosos tem implicações para a saúde física e emocional. Inúmeros estudos mostram que os seres humanos são sociais e se desenvolvem melhor quando são amados e valorizados, mesmo que por um grupo pequeno. O dr. DeWitt Williams, diretor de ministérios de saúde da Divisão Norte-Americana dos Adventistas do Sétimo Dia, trata dessa visão da natureza humana e apresenta uma ilustração marcante:

> Um amigo me enviou fotos de gêmeas prematuras. Quando as enfermeiras viram as bebês minúsculas, duvidaram que elas sobreviveriam. A maior talvez tivesse uma possibilidade remota, mas a menor, de jeito nenhum. Na noite em que as enfermeiras pensaram que a menina menor iria morrer, colocaram-na na incubadora com a irmã. Quase no mesmo instante em que a gêmea maior sentiu a irmã ao seu lado, estendeu o braço e a envolveu. Deitada ali na cama, aconchegou-se à irmã a noite toda, o braço firmemente em volta dela. Mesmo com sondas nos braços e nariz, as meninas estavam próximas uma da outra. E nada mais importava. No dia seguinte, as enfermeiras ficaram surpresas de ver como a gêmea menor estava alerta, respondendo a estímulos. Dali em diante, ela

cresceu e ganhou peso. As duas gêmeas sobreviveram e se desenvolveram. Um grande abraço e aconchego fizeram a diferença.

Deve haver uma parcela de verdade naquilo que alguém disse: "Precisamos de pelo menos quatro abraços por dia para sobreviver, oito abraços para manutenção e doze para crescimento. Você já abraçou alguém hoje?".[7]

Com essa ilustração, o dr. Williams deseja deixar claro que os seres humanos precisam encarecidamente de afirmação e apoio uns dos outros em todos os estágios da vida, desde quando são recém-nascidos. Fomos criados para ser assim. O Criador poderia ter nos dado o temperamento de leopardos, grandes tubarões-brancos, bisões-europeus, ou outros animais que só deixam a vida de solidão para se acasalar e cuidar dos filhotes. Em vez disso, ele nos deu um anseio inato por amizade e afeição humana e ordenou que supríssemos essas necessidades mutuamente.

Quando um mestre da lei perguntou a Jesus qual era o mandamento mais importante, ele respondeu: "O mais importante é este: [...] Ame o Senhor, o seu Deus, de todo o seu coração, de toda a sua alma, de todo o seu entendimento e de todas as suas forças. O segundo é este: Ame o seu próximo como a si mesmo. Não existe mandamento maior do que estes" (Mc 12.29-31).

Diante dessa ênfase, é fácil entender por que as adolescentes sofrem tanto quando são ridicularizadas e rejeitadas. Ser alvo de *bullying* na adolescência é sempre arrasador. A reação natural da garota, ou do garoto, ofendida é desenvolver um espírito de amargura e raiva. De acordo com Rachel Simmons, o *bullying* cria um ambiente propício para o ressentimento e a inveja. Até que venha à tona, ocorre sem o conhecimento de professores, conselheiros e pais. As meninas, porém, sabem muito bem o que está acontecendo.

Essa é a realidade com a qual garotas estão lidando hoje em dia. O que se pode fazer para ajudá-las? Comecemos com as observações de Wendy Shalit em *Girls Gone Mild*:

> Pesquisadores da saúde pública em Tufts e Harvard relatam que o *bullying* é um comportamento adquirido — aprender a se sentir bem às custas de outros — e é um padrão que pode ser desaprendido. Jennifer Connolly, diretora do Centro

LaMarsh de Pesquisa sobre Violência e Resolução de Conflitos da Universidade de York, constatou que em 90% das vezes o *bullying* cessa quando adultos em cargos de autoridade reagem de imediato e deixam claro para o agressor que seu comportamento é absolutamente inaceitável. Será que atitudes do tipo "viva e deixe viver" podem, na verdade, aumentar ainda mais a probabilidade de ocorrência de *bullying* do que qualquer crença no caráter amável das meninas?[8]

Concordo plenamente que a incidência de *bullying* está aumentando porque mais adultos estão permitindo que ocorra e talvez até incentivando esse comportamento por não se mostrarem dispostos a ensinar as meninas a serem amáveis. Garotas fortes, independentes, agressivas e assertivas são mais compatíveis com as propensões de alguns adultos modernos. Por motivos diversos, pais, professores, chefes escoteiros e coordenadores de ministérios na igreja muitas vezes ignoram os comportamentos insultuosos. Tornam-se observadores passivos enquanto jovens aflitos esperam ansiosamente pela intervenção de um adulto.

Permita-me exemplificar. Toda sala de aula tem alguns meninos e meninas na parte mais baixa da hierarquia, os quais são sujeitos a assédio frequente. Esse grupo inclui aqueles que não são atraentes, aqueles que têm dificuldades intelectuais ou falta de coordenação motora; meninos efeminados e meninas masculinizadas; crianças maiores ou menores que seus colegas; portadores de necessidades especiais; e membros de minorias raciais. Qualquer indivíduo diferente é presa fácil para a "alcateia".

Todos nós conhecemos o argumento: "Crianças são assim mesmo. Os adultos devem ficar de fora e deixá-las resolver os conflitos por conta própria". Logo, os adultos se tornam facilitadores. Vou dizer com todas as letras: considero abuso infantil quando um adulto observa passivamente enquanto uma garota, ou um garoto, indefesa é agredida física ou emocionalmente pelos colegas. Os danos causados nesses momentos podem ter repercussões ao longo de toda a vida do indivíduo.

Há alguns anos, uma mulher me contou sua experiência como assistente voluntária da turma do quarto ano das filhas. Ela visitou a classe no Valentine's

Day[9] para ajudar a professora com a tradicional festa. Essa data pode ser difícil para a criança que não é benquista pelos colegas. Todos os alunos contam quantos cartões receberam, prática que se torna uma medida direta de *status* social.

De acordo com o relato dessa mãe, a professora anunciou que a turma faria uma brincadeira na qual as meninas deviam formar duplas com os meninos. Esse foi seu primeiro erro, uma vez que, no quarto ano, os hormônios felizes que atraem os sexos ainda não entraram em ação. No instante em que a professora instruiu os alunos a escolherem um par, todos os meninos riram a apontaram para a garotinha menos atraente e respeitada da sala. Era uma menina rechonchuda, com dentes sobressaídos e que, de tão tímida, não olhava ninguém nos olhos.

— Não coloque a gente com a Nancy — disseram os garotos, fingindo pavor.
— Qualquer uma, menos a Nancy! Ela vai passar alguma doença pra gente! Eca! Queremos distância da Nancy Nojenta.

A mãe esperava que a professora se apressasse em defender a garota acanhada, mas ela não disse nada para aliviar a vergonha da aluna. Deixou Nancy se virar sozinha com aquela situação dolorosa.

Ser ridicularizada por outras pessoas do mesmo sexo já é aflitivo, mas ser rejeitada pelo sexo oposto é um golpe mortal para a autoconfiança. Como essa criança arrasada poderia reagir? Como uma garota rechonchuda do quarto ano poderia se defender de nove meninos agressivos? Não lhe restou outra coisa a fazer senão corar de humilhação e se abaixar na cadeira. Essa criança, que Deus ama mais que todos os bens do mundo inteiro, jamais se esquecerá daquele momento (e da professora que a abandonou na hora em que ela precisou de socorro).

Se eu estivesse no lugar daquela professora, garanto que teria ensinado uma lição aos meninos. Claro que o ideal seria evitar o embaraço ao falar sobre os sentimentos dos outros logo no primeiro dia de aula. Mas, se o conflito tivesse ocorrido conforme descrito, e Nancy fosse humilhada na frente da turma, eu teria usado toda a minha autoridade e todo o meu respeito para defendê-la na batalha.

Minha reação espontânea teria sido algo do tipo: — Podem parar! Que direito vocês, meninos, têm de ser maldosos desse jeito? Por acaso algum de vocês é tão perfeito que ninguém aqui encontraria motivo para fazer zombarias? Eu sei de alguns dos seus segredos. Vocês gostariam que eu contasse para o resto da classe, para eles poderem rir de vocês exatamente como vocês acabaram de fazer com a Nancy? Eu poderia fazer isso! Poderia fazer vocês sentirem vontade de se arrastar até um buraco na terra e se esconder dentro dele. Mas prestem atenção! Não precisam ter medo, pois eu nunca envergonharia vocês dessa forma. E sabem por quê? Porque dói demais ser alvo da zombaria dos colegas. Alguém já zombou de vocês? Se isso nunca aconteceu, se preparem, pois ainda vai acontecer. Mais cedo ou mais tarde, vocês dirão alguma besteira que fará outros apontarem para vocês e rirem na sua cara. E, quando isso acontecer, quero que se lembrem do que se passou aqui hoje.

Depois, dirigindo-me à classe toda, diria: — A gente precisa aprender algumas coisas com o que aconteceu aqui hoje à tarde. Primeiro, nessa turma, *ninguém* vai ser cruel com os outros. Vamos rir juntos quando acontecer algo engraçado, mas não vamos rir às custas dos outros. Segundo, prometo que nunca vou fazer alguém passar vergonha de propósito. Cada um de vocês é um filho de Deus, foi criado por ele com amor e é igualmente valioso para ele. Isso significa que Sarah não é nem melhor nem pior que Teodoro, Márcia ou Breno. Talvez alguns de vocês imaginem que são mais importantes que outros. Isso não é verdade. Todos são valiosos, e amo cada um de vocês. Deus quer que tratemos todos com bondade, e vamos treinar essa forma de tratamento o resto do ano.

Eu sei, eu sei! Alguém poderia se queixar de que fiz referência a Deus, mas só deixaria de falar dele se recebesse ordens expressas. As crianças precisam saber aquilo que os pais fundadores de nossa nação escreveram na Declaração de Independência. Ela diz que nós, seres humanos, "somos dotados, pelo Criador, de certos direitos inalienáveis, dentre eles, a vida, a liberdade e a busca por felicidade". Quem é o Criador ao qual o texto se refere, senão o Deus que fez os céus e a terra e todos os seres humanos? Que bom seria se essa declaração histórica fosse memorizada e discutida em todos os anos escolares, pois ela confere valor e dignidade a cada criança.

Quando uma professora forte e afetuosa socorre a criança menos respeitada da turma, algo impressionante acontece no clima emocional da sala. Todas as crianças parecem dar um suspiro audível de alívio. A mesma ideia aparece em muitas cabecinhas: "Se até a Nancy está protegida da humilhação, é bem provável que eu também esteja". Ao defender a criança menos popular da turma, a professora mostra que: 1) não tem favoritos; 2) respeita todos; 3) defenderá quem for tratado injustamente. Trata-se de virtudes às quais as crianças atribuem alto valor e que contribuem para a saúde mental.

Gostaria de sugerir aos pais que defendam a criança menos respeitada na vizinhança. Deixem claro que são seguros de si o suficiente para se pronunciar em favor dos excluídos. Expliquem essa filosofia para seus vizinhos e procurem criar um porto seguro para criancinhas cuja embarcação é ameaçada pela tempestade da rejeição. Não tenham medo de exercer liderança em favor do jovem que está sendo maltratado. É um investimento honrado de tempo e energia.

Muitos especialistas na prevenção de *bullying* enfatizam a importância de conversar com crianças e adolescentes sobre aquilo que estão passando. A dra. Cheryl Dellasega recomenda: "Apoie sua filha. Se ela voltar para casa falando de um incidente específico, ajude-a a explorar os detalhes de suas emoções, procure formas alternativas de reagir e ensaiem juntas o que ela pode fazer da próxima vez".[10]

As dras. Cheryl Dellasega e Charisse Nixon oferecem conselhos semelhantes em seu livro *Girl Wars: 12 Strategies That Will End Female Bullying* [Guerras das meninas: doze estratégias para acabar com o *bullying* feminino]. A seguir, veja um resumo das doze sugestões sobre como evitar o *bullying*. Em vez de usar esse termo, as autoras se referem a "agressão relacional" (AR).

1. Informe-se e informe outros sobre a AR.
2. Desenvolva, desde cedo, a capacidade das meninas de lidar com a AR.
3. Dê às meninas a coragem de serem bondosas.
4. Trate do problema logo no começo.
5. Quando a AR for contínua, evite procurar alguém para culpar.
6. Busque a ajuda de outras pessoas.
7. Mude o modo de vida associado à AR.
8. Ofereça às meninas outras válvulas de escape e oportunidades.
9. Dê-lhes uma boa dose de carinho para acalmá-las e apoiá-las.

10. Dê-lhes uma série de opções.
11. Mude a cultura.
12. Desenvolva seu próprio plano para fazer diferença.

No cerne dessas estratégias, observamos a importância de os pais conversarem com suas crianças e seus adolescentes. Pode ser algo difícil de fazer. Muitas crianças rejeitam a interferência dos pais, pois temem piorar a situação. "Deixe-me em paz" é uma reação típica. Não há nada mais humilhante do que pais e mães se meterem nos relacionamentos dos filhos com os colegas. Pode acontecer de alguns dos adolescentes que são alvo de *bullying* descontarem a raiva e a frustração na mãe e no pai, que não fizeram nada para merecer os insultos aos quais são submetidos. A raiz disso tudo é a vergonha em casa e na escola.

De que maneira, então, pais e mães podem começar um diálogo com filhos e filhas que não querem conversar? Descobri que é proveitoso reunir grupos pequenos de adolescentes em um ambiente confortável e interagir com eles, todos juntos. Esse contexto costuma ser menos estressante do que conversas particulares com a mãe e o pai.

Fiz exatamente isso há alguns anos quando um grupo de adolescentes se reuniu na sala de estar de minha casa para conversar sobre suas experiências e dificuldades. Gravamos nossa discussão e a incluí no livro *Adolescência feliz*,[11] uma obra escrita especificamente para adolescentes. Incluí um trecho curto dessa discussão para ilustrar como adultos podem ajudar os jovens a expressar os problemas que enfrentam e evitar os erros sociais que provocam zombarias e *bullying*. Essa conversa pode servir de modelo para ajudar sua filha a atravessar uma fase difícil da vida.

James Dobson: Fale sobre esses dias difíceis.
Lena: Bem, meu pai morreu no verão que se seguiu ao ano em que fiz a quinta série na escola. Esta morte aconteceu numa época em que eu estava passando por várias mudanças físicas e emocionais, e não pude aceitá-la muito bem. Eu entrei então na sexta série sem saber o que era realmente. Não participava de nada e não tinha nenhum objetivo. Foi um tempo muito difícil para mim.
JD: Como você superou esses problemas?

Lena: Minha mãe me encorajou a sair da concha, a me envolver em tantas atividades quanto pudesse. Nós também passamos a nos interessar pelo cristianismo durante aqueles anos. Nem minha mãe nem meu irmão sabiam para onde se voltar, mas meus avós eram pessoas muito religiosas. Nós fomos morar com eles, e foi então que comecei a participar de um programa da escola dominical que me ajudou bastante.

JD: Lena, você disse que essa experiência difícil ocorreu durante a quinta série. Isso não me surpreende porque a sétima e oitava séries são geralmente o período mais tumultuado da vida da pessoa. Os sentimentos de inferioridade frequentemente se tornam mais fortes durante esses dois anos, por alguma razão.

Conheço centenas de jovens de 13 anos que chegaram à conclusão: "Não valho nada!". Alguém mais caiu nesse mesmo "desfiladeiro da inferioridade"?

Décio: Eu caí, apesar de a minha situação ser diferente da de Lena. [...] Lembro-me de um passeio desastroso à praia em particular. Eu tinha desejado ir, mas chorei ao chegar em casa. Fiz mesmo isso. Sentia-me tão infeliz por ter sido provocado pelo pessoal durante todo o tempo que não suportei. Eu não sabia por que todo mundo tinha decidido me aborrecer. [...] No meu grupo era esperado que todo mundo odiasse a escola. Era esperado que eu dissesse: "Os professores são chatos, a escola é detestável, e quem quer que se interesse pelo estudo é maluco". Mesmo agora a maioria de meus amigos não gosta de estudar, e só se esforçam para tirar as notas necessárias. Eles dizem: "Não vou estudar isso porque não vai cair na prova". E isso não adianta nada. Quando estava no primeiro grau gostava de estudar e tentei partilhar minhas experiências e falar abertamente sobre elas, mas ninguém mais queria fazer isso. Eles não eram francos como eu, e isso me trouxe problemas. Desde então não quis mais me abrir também. Foram necessários cerca de dois anos para que eu pudesse superar esses sentimentos e começasse a conversar de novo na escola dominical e me sentisse livre.

JD: Você foi muito claro, Décio. Os jovens são sujeitos a zombarias, provocações e ridículo por serem francos uns com os outros. Seus sentimentos são profundamente feridos e eles vão para casa chorar, como você fez. Começam então a "fechar-se". No dia seguinte estarão mais cautelosos... mais reservados... mais fingidos em seus contatos sociais.

Você pensou algum dia, Décio, por que seus amigos não eram tão francos quanto você? É provável que se tivessem queimado da mesma maneira que você. Eles já tinham aprendido os perigos de serem livres e espontâneos. O resultado foi uma sociedade embaraçada e tensa onde todos sabiam que podiam ser alvo da zombaria da escola inteira se cometessem um erro social. Que maneira difícil de viver!

Décio: As pressões são grandes. Por exemplo, agora se espera que todo mundo seja "frio", isto é, você não deve mostrar seus sentimentos ou revelar o seu verdadeiro "eu". Se fizer isso, alguém rirá da ternura, da suavidade interior. Bem, algumas pessoas reconhecem que não vale a pena ser tão cauteloso. Vi cartazes na escola que dizem: "Não é mais frio ser frio". Essa é uma maneira rápida de dilacerar-se... de prejudicar mais a si mesmo do que outros poderão fazê-lo. [...]

Cecília: Lembro-me da terceira semana de minha quinta série — era uma escola inteiramente nova para mim. Eu conhecia algumas pessoas ali, mas não estava familiarizada com tudo. Eu era baixinha, tinha cerca de 1,5 metro de altura, e isso é muito pouco. Eu conhecia uma menina na escola chamada de "Berta Grandona", e ela media cerca de 1,70. Berta era a menina mais detestável da escola, e todo mundo fugia quando ela chegava perto. Eu achava aquilo horrível, achava que não deviam fugir dela. Mas um dia, quando estávamos subindo as escadas, Berta me chutou. Eu não gostei e lhe disse algo, e ela então me chutou com mais força. Fui para casa e não disse nada a ninguém, mas fiquei tão perturbada que comecei a chorar. Quando contei a meus pais por que estava chorando, eles acharam que era muita maldade alguém ter feito isso. Foram, então, falar com o diretor e contaram o acontecido. Eles então me disseram para tratar Berta como tratava os demais, pois a razão por que ela me chutara era que se sentia embaraçada com a sua altura. Ela não era tão má assim, apenas se sentia mal a respeito de si mesma.

JD: Esse foi um conselho muito bom, Cecília. [...] Você não pode imaginar como ela se sentia, primeiro sendo chamada de "Berta Grandona", e depois vendo todo mundo fugir dela? Essas duas experiências me fariam provavelmente desejar chutar as pessoas também. Berta tinha sido profundamente ferida, e isso fez que ela ferisse você. Como você tratou Berta no dia seguinte na escola?

Cecília: Bem, ela possuía um pequeno grupo de amigas; havia três que estavam sempre juntas. Toda vez que eu as via pelos corredores, sorria para elas. Acho que isso as faria ficar meio zangadas comigo, mas continuei sorrindo, e elas nunca mais fizeram nada para mim depois disso.

JD: Você veio gradualmente a aceitar a si mesma?

Cecília: Acho que estou ainda...

JD: Está ainda trabalhando para isso?

Cecília: Sim.

JD: Acho que vai continuar fazendo isso pelo resto da vida.

Cecília: Eu sei.

JD: A maioria de nós está trabalhando nesse mesmo projeto. Paulo, você começou a dizer alguma coisa.

Paulo: Vocês estão falando de pessoas que são feridas por seus amigos. Quando eu era menor, sofri um acidente que me fez ficar aleijado durante todo o verão. Eu tinha de usar uns sapatos muito esquisitos, pois quebrara a perna e fui obrigado a usar calçados especiais, elevados. Eu não queria fazer isso, e levava escondido os meus outros sapatos e os colocava mais tarde para que ninguém risse de mim. Isso durou alguns anos. As pessoas me chamavam de "Aleijado", mas eu não era e ficava ressentido por caçoarem de mim. Mesmo agora eu penso algumas vezes: "Oh, como gostaria de ser como fulano porque ele é especial, e então todo mundo gostaria de mim porque seria um atleta tão bom". Foi isso que sempre eu quis ser, alguém que se destacasse e não alguém de quem as pessoas riem.

JD: Não é interessante que vocês dois tenham tido os mesmos sentimentos? Esse é exatamente o meu ponto. Se escolhêssemos mil adolescentes e fizéssemos a cada um a pergunta que fiz a vocês, quase todos contariam uma história parecida com as que ouvimos — sobre zombarias, ser diferente, não ser aceito pelos outros. Trata-se de algo que todos experimentam hoje em dia. Digam-me agora por quê. Por que temos de suportar esses momentos difíceis? Existe algum meio de evitá-los?

Lena: Eu tentei resolver meus problemas da maneira errada — tornando-me amiga da turma do "bem". Havia dois grupos diferentes em minha escola. Um grupo que ficava até altas horas fora de casa e depois voltava e mentia para os pais; e um outro grupo que tentava ser mais responsável. Eles acreditavam que fazer loucuras não resolvia nada em sua vida. Mas não foi fácil para mim escolher entre esses amigos. Eu conheci pessoas dos dois grupos e não sabia exatamente a quem escolher. Havia mais membros do grupo rebelde do que do responsável, e foi o que aconteceu, eu não queria que rissem de mim, não queria ser rejeitada, não queria que pensassem que eu não tinha juízo. E fiquei então ali numa encruzilhada, sem saber que direção tomar.

JD: Você sentiu uma pressão enorme para fazer coisas que sabia serem erradas?

Lena: Sim! Eu era apenas uma caloura, e é justamente nessa condição que se sofre mais. O peso era tremendo.

JD: E essa pressão pode fazer que você se comporte de maneira prejudicial. Creio, por exemplo, que a maior parte do abuso de drogas em nosso país ocorre por causa da enorme pressão descrita por Lena. O problema está em que os jovens não têm coragem para escolher o grupo certo. O resto de vocês teve de fazer uma escolha semelhante?

Décio: Eu tive de decidir se ia ou não seguir as regras de meus colegas na escola. Eu sabia que se não os acompanhasse estaria "fora".

JD: Dê-nos um exemplo do que está dizendo, Décio. Que espécie de regras era esperado que seguisse?

Décio: Bem, como a regra de ser "frio". Você não pode mostrar seus sentimentos porque as pessoas podem rir. Mas existem outras regras em quase todas as áreas.

JD: E as suas roupas — o grupo lhe dizia o que usar?

Décio: Sim.

JD: Como falar?

Décio: Sim.

JD: E quais os termos de gíria a serem usados?

Décio: Sim. Você de certa forma se convence depois de algum tempo que é isso mesmo que quer fazer. Quero dizer, você gosta de pensar que não está se conformando, mas que gosta do mesmo tipo de calças, sapatos e malhas que todo mundo está usando. Mas à medida que a moda muda, você compreende que deve haver uma outra força influindo nas suas atitudes. Essa outra força é a pressão do grupo.

JD: E a respeito de drogas? Alguém já ofereceu narcóticos a vocês?

Lena: Sim, na escola. A bibliotecária colocou no quadro de boletins um cartaz prevenindo contra o perigo de tomar drogas. Enquanto eu estava lendo, alguém chegou por trás e disse: "Parece ótimo, não?". Ali mesmo estavam me oferecendo narcóticos! Naquela ocasião eu não sabia muito a respeito de remédios ou qualquer outra coisa e, quando contei a minha mãe, ela ficou horrorizada e disse: "Nunca fizeram isso no meu tempo". Ela está sempre falando coisas assim.

JD: [...] Alguém já lhe ofereceu drogas, Cecília? Ou já viu alguém usá-las?

Cecília: Não, nunca participei do grupo aloucado. Eu sempre estive com o pessoal mais quieto.

Paulo: Lena disse que sua mãe não podia acreditar que pudesse haver acesso a drogas na escola. Bem, meus mais também tiveram dificuldades em acreditar. Mas, como sabe, nossa sociedade mudou. Uma nova moda surge e todos querem estar nela. O que me preocupa é o que vai acontecer quando ficarmos mais velhos e tivermos filhos. Como vamos enfrentar esta situação com nossos filhos, se tomamos drogas e fizemos coisas erradas? Que respostas poderemos dar a eles?

JD: Essas são perguntas boas, Paulo, porque esse dia virá muito rápido. Você se verá tentando impedir que seus filhos cometam os erros que preocupam seus pais hoje.

Cecília: Acho que muitos de nossos problemas ocorrem porque não conversamos suficientemente com nossos pais; guardamos tudo dentro de nós e não falamos com quem possa ajudar-nos. Falamos com nossos amigos que estão tendo os mesmos problemas, mas eles não têm as respostas e não sabem o que dizer-nos. Por exemplo, Lena falou com sua mãe. Essa foi provavelmente a melhor coisa que podia fazer. Eu nunca diria nada a meus pais, porque eles logo explodiriam e teriam ficado aborrecidos com a escola. Mas acho isso muito importante — ter um relacionamento com seus pais de modo que possa falar abertamente com eles, e não precisa preocupar-se com a maneira como irão reagir. Eles então poderão dar-lhe as respostas que o ajudarão.

JD: Dois de vocês mencionaram o assunto de falar com os pais. E os outros dois? Décio, você conseguiu falar com sua mãe e seu pai?

Décio: Não tive tanta oportunidade de falar com eles porque as drogas nunca foram um problema para mim. Mas concordo que os adultos podem ajudar-nos com as nossas dificuldades se estiverem "sintonizados". Mas algumas vezes eles não sabem o que está acontecendo. Por exemplo, eu tive uma professora que estava completamente por fora. Um dia, nós estávamos na classe, e veio pelo corredor o cheiro doce e doentio de maconha, perfeitamente discernível. Ele entrou na classe, e todo mundo sabia o que era, menos a professora. (risos) Nós ficamos ali lendo e olhando uns para os outros, tentando esconder o riso, enquanto a professora dava notas, quando de repente ela levantou a cabeça e disse: "Puxa! Que cheiro delicioso! O que será?". (risos) Ela não tinha ideia do que estávamos rindo. Seria impossível para ela, compreende? Ela era o tipo de professora que jamais teria dado um pensamento a essa espécie de coisas. Mas eles estão melhorando em nossa escola agora, estão tendo programas amplos para a prevenção de drogas, mas mesmo isso não vai ser suficiente.

JD: E o que você me diz de conversar com seus pais sobre outras coisas que o preocupam, Décio? Você sabe como expressar seus sentimentos a eles? Vamos voltar àquela noite penosa em que você foi à praia. (Eu tive uma noite muito parecida com essa, por sinal.) Você voltou para casa e conversou com seus pais a respeito?

Décio: Sim, falei com meu pai. Meus pais foram criados em um ambiente cristão muito restrito, e minha mãe é ainda; bem, não estou querendo dizer que ela é bitolada, mas, pelo fato de meu pai ter tido mais experiências, ele é mais flexível. Ele é um ministro e sabe então como aconselhar as pessoas com problemas. Ele me disse para não ligar muito para as risadas e me ajudou a compreendê-las. Mas sabe de uma coisa? Descobri merecer um pouco daquelas zombarias. Eu tinha usado uma roupa superexcêntrica — não era engraçada, mas era excêntrica. (risos) Há uma diferença entre as duas coisas. Você pode fazer que as pessoas riam de você, e foi isso o que fiz. Bem, no dia seguinte mesmo livrei-me daquelas roupas.

JD: A pessoa aprende gradualmente a evitar que os outros riam dela. Depois de ter sido picado algumas vezes, ela descobre o que é "perigoso" e o que não é. E você Paulo?

Paulo: Sinto às vezes que posso conversar com meu pai melhor do que com minha mãe. Acho que principalmente pelo fato de ele também ter sido menino e compreender algumas das situações pelas quais estou passando. Ele sempre me encoraja a ter o tipo certo de amigos.

[...]

JD: Bem, Paulo, o seu comentário faz surgir um ponto extremamente importante. Todos nós somos influenciados pelas pessoas que nos rodeiam. Até mesmo os adultos são dominados pela pressão social. Por esta razão, a decisão mais crítica que você deve tomar irá envolver os amigos que tiver escolhido. Se escolher o grupo errado, eles *terão* uma influência negativa sobre você. Isso é certo. Poucas pessoas possuem a autoconfiança necessária para suportar críticas por parte de seus amigos íntimos.

[...]

Décio: Eu estou numa situação interessante agora. O primeiro grau não está muito longe de mim, mas minha irmãzinha já entrou na quinta série e na noite passada ela estava muito aborrecida com a possibilidade de talvez precisar mudar de escola no ano que vem. Ela conversou comigo sobre as suas preocupações e me vi dizendo as mesmas coisas que disse esta noite. Enquanto conversava com ela, pensei: "O que estou fazendo? Este é um eco de três anos atrás. Eu sou meu pai, e ela sou eu". (risos) Sabem, era como se as palavras de meu pai tivessem batido na parede e estivessem voltando para ela agora. Eu podia ver que os problemas dela não eram realmente sérios e ficava pensando: "Por que ela não pode ver? Eu estou lhe dando as respostas mais claras do mundo". Mas, quando eu me achava na mesma situação, não tinha no começo ideia do que meu pai estava falando.

JD: Você precisa passar pela experiência, a fim de ver que as coisas fazem sentido, não é? E, dessa forma, esta conversa pode ser um mistério para o leitor que está entre os 10 e 12 anos de idade e que ainda não passou pelas experiências que estamos descrevendo. Você pode não compreender inteiramente o que estamos falando, mas, quando a coisa acontecer com você, então será como ligar uma lâmpada sobre a sua cabeça. Você irá lembrar-se desta nossa conversa sobre os sentimentos de desajuste e inferioridade. Quando isso acontecer com você, lembre-se do momento exato em que eu disse que você tem *realmente* grande mérito como pessoa humana.

Como se pode ver nessa transcrição, os adolescentes adoram falar a respeito de si mesmos quando estão em um ambiente seguro, sob a orientação de um adulto que admiram e no qual confiam. Esse tipo de discussão em grupo pode ser um recurso útil para ajudar os jovens que estão sendo assediados na escola. Não obstante o método que você escolher, quanto mais demonstrar a seus filhos e filhas que se preocupa com eles e está do lado deles, mais positivo será o resultado.

Concluirei agora com a sugestão mais importante que tenho a oferecer para pais de filhas que estão no meio da tempestade. Talvez chegue um momento em que vocês precisarão tirá-las da situação em que se encontram. Os pais precisam estar preparados para fazer o que for necessário para preservar o espírito frágil de suas meninas. Quando perceberem que sua filha perdeu a batalha contra os zombadores e perseguidores, pode ser uma boa ideia sentar-se com ela e dizer: "Você está passando por uma fase bem difícil, não é, filha? Saiba que nós a amamos e faremos todo o possível para ajudá-la. Você gostaria de mudar de escola? Seria uma forma de recomeçar, fazer novos amigos e ignorar alguns dos erros que levaram outras pessoas a deixar você triste. Mesmo que seja necessário nos mudarmos, faremos o que for preciso se você achar que vai ajudar".

Em alguns casos, a criança pode se reajustar socialmente por completo em um novo contexto, com um nível mais elevado de autoconfiança. Talvez haja uma escola cristã perto de sua casa que tenha mensalidades acessíveis e seja coerente com suas crenças. Talvez uma escola particular seja apropriada. É evidente que se trata de uma decisão que cada família precisa tomar individualmente; o mais importante é que os pais não podem continuar como observadores passivos enquanto os filhos são nocauteados. Quando eu tinha 16 anos, nossa família se mudou para uma cidade a mais de 1.100 quilômetros de distância daquela em que morávamos, para que eu pudesse recomeçar. Corrigi alguns erros, aprendi algumas lições e fiz uma porção de amigos novos. Os dois últimos anos do ensino médio foram bem diferentes dos anteriores. Meus pais se importaram comigo o suficiente para me ajudar a dar a volta por cima.

Terminamos aqui nossa conversa sobre inimigas, colegas e melhores amigas.

20   Perguntas e respostas sobre puberdade e adolescência

P Um dia desses, no *shopping center*, observei centenas de adolescentes. Estavam todos paquerando e fazendo coisas típicas da idade. Tinham, no máximo, uns 13 ou 14 anos, mas havia muitas garotas com o corpo bem desenvolvido e vários garotos com espinhas no rosto. As crianças estão entrando na puberdade mais cedo hoje em dia?

R Sim, embora seja uma tendência vigente há pelo menos 175 anos. Registros históricos indicam que a idade média da menarca (primeira menstruação) nas nações ocidentais caiu de 17 anos, em 1830, para 12,8, em 1962, um ritmo de aproximadamente quatro meses por década. De acordo com registros médicos de 1860, a idade média da menarca era 16,6 anos. O professor emérito Norbert Kluge predisse recentemente que, em poucos anos, a idade média da menarca em meninas alemãs será 10 ou 11 anos.[1]

Registros norte-americanos mostram que a idade média da menarca era 14,6 em 1940; 12,5 em 1950 e 12,2 em 1992. Um estudo recente com 2.510 meninas norte-americanas revelou que a primeira menstruação ocorre, em média, aos 12,43 anos. Essa idade parece ter se estabilizado nos últimos cinquenta anos, embora características sexuais secundárias, como o desenvolvimento dos seios e dos pelos pubianos, continuem a aparecer cada vez mais cedo.[2]

Sem dúvida, mais meninas estão "crescendo" com grande rapidez hoje em dia, especialmente nos países industrializados.

P Os motivos dessa diminuição na idade do desenvolvimento são conhecidos?

R Evidentemente, elementos genéticos definem um período específico durante o qual o desenvolvimento ocorre, mas fatores ambientais e físicos também parecem influenciar o ritmo da maturação dentro desses parâmetros. Por exemplo, quando há melhora na qualidade da nutrição e saúde geral das crianças de determinada população, a tendência é a puberdade ocorrer mais cedo. A descoberta mais interessante até hoje, porém, aponta para uma ligação importante entre coesão familiar e início do desenvolvimento sexual. Em termos mais específicos, meninas que têm relacionamentos próximos e positivos com o pai costumam amadurecer mais tarde que meninas cujo pai é frio, distante e indiferente.

Pesquisadores da Universidade de Vanderbilt estudaram 173 meninas e suas famílias durante oito anos e chegaram a esta conclusão surpreendente. Suas constatações encontram-se registradas no periódico *Journal of Personality and Social Psychology*:[3]

> Pesquisadores descobriram que a presença do pai no lar, maior tempo dedicado por ele ao cuidado dos filhos, mais apoio paterno na díade parental e maior afeição entre pai e filha e entre mãe e filha prediziam o início da puberdade das filhas no sétimo ano escolar, conforme avaliação realizada antes do período no jardim de infância. Em resumo, a qualidade do investimento do pai na família foi a característica mais importante do ambiente familiar no tocante ao início da puberdade das filhas.[4]

O estudo feito em Vanderbilt foi reproduzido várias vezes, inclusive em uma pesquisa realizada nos Estados Unidos e na Nova Zelândia. Nesses países, pesquisadores acompanharam o desenvolvimento de 762 meninas desde os 5 anos até a maturidade sexual e chegaram a conclusões semelhantes:[5]

> [Bruce Ellis e outros] descobriram que a tendência das filhas em lares nos quais o pai biológico estava presente era de experimentar a puberdade e a

primeira relação sexual mais tarde que meninas cujo pai estava ausente. Quanto mais próximo e afetuoso o relacionamento entre pai e filha, mais tarde ocorria o desenvolvimento sexual da criança. Um relacionamento de apoio entre os pais adiava ainda mais a puberdade. Em contraste, a ausência do pai biológico ou o atrito entre os pais foi associado com um adiantamento da puberdade, da primeira experiência sexual e da primeira gravidez. Meninas que viviam sem os pais desde pequenas apresentaram probabilidade quase duas vezes maior de completar a puberdade no sétimo ano escolar (aos 12 ou 13 anos) e chance sete vezes maior de engravidar na adolescência. Esse efeito foi ampliado pela presença de um padrasto: quanto mais prolongado o contato da menina com o padrasto ou o namorado da mãe, maior a probabilidade de puberdade precoce. [...]

O estudo mostra claramente que relacionamentos familiares tensos e a ausência do pai são elementos associados, de forma independente, a um adiantamento do início da puberdade nas filhas, e que os dois elementos exercem impacto semelhante. Ellis sugere que as meninas "detectam e codificam internamente" informações sobre a qualidade de seu relacionamento com o pai e que isso ajusta o momento do desenvolvimento reprodutivo e o comportamento sexual na adolescência.[6]

Outros fatores influenciam a tendência ao desenvolvimento precoce. Acredita-se que obesidade e distribuição da gordura corporal fazem parte da equação. Ademais, o início da puberdade parece estar ocorrendo mais cedo devido à presença de estrogênio no ambiente, talvez por causa de pílulas anticoncepcionais descartadas e hormônios na carne e em laticínios. Outros cientistas sugerem que agrotóxicos e outros produtos químicos com propriedades semelhantes ao estrogênio podem influenciar.[7]

Por fim, o início da puberdade é ligado à raça. Garotas afro-americanas se desenvolvem, em média, de doze a dezoito meses mais cedo que meninas brancas. O início do desenvolvimento dos seios ocorre, em média, aos 8,9 anos nas meninas afro-americanas e aos 10 anos nas meninas brancas. Quarenta e oito por cento das meninas afro-americanas e 15% das meninas brancas mostram sinais claros de puberdade aos 9 anos.[8]

P Quais são as implicações do desenvolvimento sexual precoce em comparação com o desenvolvimento mais tardio? Um é mais benéfico que o outro?

R Essa é uma pergunta importante. O início precoce da puberdade gera desafios previsíveis para filhas e pais. Uma vez que as meninas costumam se desenvolver antes que os meninos, as garotas que amadurecem primeiro dentre suas contemporâneas estão vários quilômetros à frente de todos. Essa situação pode gerar problemas sérios, pois não é socialmente vantajoso uma menina de 9 ou 10 anos ficar doida por garotos, menstruar e desenvolver seios enquanto suas amigas ainda pensam e agem como crianças. A menina precoce pode não ter maturidade emocional para lidar com a atenção que recebe dos meninos e corre maior risco de ser sexualmente ativa, contrair doenças sexualmente transmissíveis e engravidar cedo. Pouco tempo atrás, recebemos uma carta de alguém que disse, simplesmente, "tenho 12 anos e estou grávida". Que tragédia!

As meninas que amadurecem mais cedo enfrentam outros perigos: há maior probabilidade de serem agressivas, socialmente retraídas e melancólicas; o índice de depressão é mais elevado entre essas garotas. Elas também têm mais problemas na escola e maior probabilidade de fumar, ingerir álcool ou usar drogas. Quando adultas, apresentam maior tendência de desenvolver câncer de mama.[9] Em resposta a sua pergunta, portanto, em geral as meninas se saem melhor quando têm a menarca mais ou menos na mesma época que as amigas ou, talvez, um pouco depois.

Uma coisa é certa: meninas que têm a primeira menstruação antes das amigas precisam de supervisão atenta, orientação cuidadosa, reafirmação constante, atendimento médico de boa qualidade, alimentação saudável e muito amor. Aliás, quem não precisa disso tudo?

P O que os pais podem fazer para evitar a ocorrência da puberdade precoce?

R A resposta talvez seja "nada", embora endocrinologistas e outros médicos possam dar injeções de hormônio na criança para desacelerar o desenvolvimento extremamente precoce. Porém, a maioria dos médicos hesita em fazê-lo, a menos que haja uma preocupação com o crescimento.[10] De qualquer modo, se possível, é prudente implementar uma estratégia de três partes: 1) procurar manter baixo o nível de tensão na família enquanto hormônios poderosos bombardeiam o cérebro de sua filha; 2) adiar atitudes e atividades adolescentes até que a maturidade entre em cena de vez; 3) e, mais importante de tudo, desenvolver e manter um relacionamento afetuoso entre pai e filha. Essa é uma excelente fase para abraçá-la com frequência, escrever bilhetinhos carinhosos e, sempre que ela quiser, bater papo na hora de dormir. Como a autora Mairi Mcleod observa: "Se você não quer que sua princesa cresça rápido demais, é bom que ela seja a garotinha do papai".[11]

P Que mecanismo faz a "garotinha do papai" amadurecer mais tarde? Como isso acontece?

R Com base em descobertas recentes, sabemos que os pais emitem sinais químicos que inibem a menarca e adiam o início da maturidade sexual. Essas substâncias emitidas são chamadas feromônios, isto é, hormônios detectados pelo olfato, embora nem as meninas nem os pais tenham consciência deles.[12] Quando os pais estão ausentes ou se mostram indiferentes e não há emissão de feromônios, a menarca ocorre mais cedo. Interessante, não? Esse é apenas um dos motivos pelos quais escrevi, anteriormente, que as meninas precisam de seus papais tanto quanto os meninos. Mesmo sem perceber, eles regulam o cronograma de desenvolvimento das filhas!

* * *

As duas perguntas a seguir foram enviadas por pais que pediram informações médicas sobre as filhas. Repassei essas dúvidas para o dr. Roy Stringfellow, ginecologista particular em Colorado Springs, Colorado.

P Minha filha de 7 anos acabou de ter a primeira menstruação. Não é cedo demais para ela estar se desenvolvendo dessa forma?

R **Dr. Stringfellow:** Não é normal uma menina de 7 anos menstruar. De acordo com registros, a menina mais jovem a ter um bebê estava com 7 anos quando deu à luz. A causa da puberdade precoce foi um tumor na hipófise. Sua garotinha precisa consultar um ginecologista ou, de preferência, um endocrinologista especializado em ginecologia. Se ela estiver muito acima do peso normal ou for particularmente grande para a idade dela, isso pode explicar as mudanças, mas, mesmo assim, 7 anos é muito cedo. Marque uma consulta para sua filha o mais rápido possível.

P Minha filha de 10 anos tem, quase sempre, um odor genital pronunciado. Ela toma banho com frequência, mas, lá pelo meio-dia, ou depois de brincar fora de casa, o odor volta. Tenho medo que ela se torne alvo de piadas e comentários maldosos de outras crianças. Minha esposa disse que não sabe o que está causando o odor, mas que pode ser hormonal. Minha filha está se desenvolvendo cedo. Ela não tem excesso de peso, mas é uma das maiores meninas do ministério de crianças na igreja. Esse desenvolvimento precoce faz parte do problema? O que o senhor aconselha?

R **Dr. Stringfellow:** O problema de sua filha é incomum e pode ter várias causas. Talvez se trate de uma infecção vaginal, uma ocorrência rara na idade dela. Outra possibilidade é um objeto estranho inserido na vagina. Algumas meninas notam que têm uma abertura "lá embaixo" e tentam ver até onde vai e o que cabe lá dentro. Pode acontecer de o objeto ficar preso e a menina ter vergonha de contar. Com o tempo, isso causa odor. Se ele é perceptível para a mãe e outras pessoas ao redor, é recomendável fazer um exame, especialmente se não há sangramento vaginal que indique a menarca (10 anos não é uma idade considerada precoce demais para o início da puberdade). Mesmo que sua filha tenha começado a se desenvolver, não é normal ela apresentar esse odor persistente. Não existem "odores hormonais" propriamente ditos, embora mudanças hormonais acompanhadas de sangramento e alterações da secreção vaginal possam causar odor. Ainda assim, a higiene correta deve ser suficiente para eliminar qualquer odor perceptível. Ela deve se consultar com *uma médica ginecologista* (o exame vaginal é embaraçoso o suficiente para uma menina de 10 anos, mesmo que não seja feito por um homem), de preferência especializada em adolescentes.

* * *

P Gostaria que você (dr. Dobson) explicasse em mais detalhes o que disse sobre o início da puberdade ser relacionado à gordura corporal. Isso significa que meninas acima do peso ideal sempre amadurecem mais cedo que as meninas magras?

R Não, mas o peso parece ter influência sobre o desenvolvimento precoce ou tardio. Crianças que fazem ginástica regularmente e, portanto, são bem magras, costumam se desenvolver mais tarde. Caso você tenha assistido a uma competição de ginástica olímpica feminina, deve ter observado como as garotas normalmente têm seios menores, voz infantil e são imaturas em termos gerais. O desenvolvimento ocorre quando deixam de praticar esse esporte. Não é raro maratonistas do sexo feminino terem amenorreia, ou seja, ausência de menstruação.[13]

No passado, acreditava-se que treinos pesados eram extremamente prejudiciais para as meninas. Quando eu era menino, lembro-me de que as meninas não podiam fazer exercícios cansativos. Embora isso pareça tolice hoje em dia, as jogadoras de basquete não tinham nem permissão para correr de um lado ao outro na quadra; podiam apenas jogar na defesa ou no ataque. As regras exigiam que elas ficassem na linha central esperando a bola avançar até o lugar em que ocupavam na quadra.

As coisas mudaram, e muito! Hoje, algumas das melhores atletas do mundo, como as tenistas profissionais, ficam entre as cinco melhores do *ranking* aos 17 ou 18 anos de idade. Tracy Austin se tornou a tenista mais jovem a vencer um grande torneio quando obteve o título do Aberto dos Estados Unidos aos 16 anos, em 1979; Serena Williams estava a poucas semanas de completar 18 anos quando conquistou esse título, em 1999.[14] A favorita russa Maria Sharapova venceu o campeonato de Wimbledon de 2004 quando tinha apenas 17 anos.[15]

Quanto às meninas acima do peso ideal, acreditava-se, até pouco tempo atrás, que a obesidade adiantava o desenvolvimento sexual.[16] Hoje em dia, essa ideia é questionada. Em vez disso, o dr. William Lassek, da Universidade da Califórnia, em Santa Bárbara, afirma que o fator-chave é a parte do corpo em que a gordura está localizada. Ele escreve:

> Nossas constatações sugerem que a menarca tem maior probabilidade de ocorrer quando as meninas armazenam certa quantidade mínima de gordura nos quadris e coxas. Indicam ainda que em certas meninas com tendência de acumular mais gordura em volta da cintura — a chamada obesidade abdominal — existe maior probabilidade de a menarca ocorrer mais tarde.
>
> A gordura acumulada nos quadris e coxas é particularmente rica em ácidos graxos ômega-3, essenciais para o crescimento do cérebro do bebê no ventre materno. Essa gordura é protegida do uso diário como um investimento bancário. Só é possível "sacá-la" no final da gestação.17

P Estou bastante preocupada com o fenômeno de automutilação. Você pode explicar o que leva uma adolescente a fazer cortes nos braços, pernas e abdome? Deve ser doloroso e, com certeza, deixa cicatrizes feias. Não faz nenhum sentido para mim, mas minha filha e as amigas dela falam sobre o assunto o tempo todo. Uma dessas meninas usa blusas de manga comprida e saias longas para esconder os cortes que faz em si mesma, mas não consegue enganar ninguém. O que está acontecendo?

R Infelizmente, a automutilação entre adolescentes se tornou um transtorno extremamente comum e perturbador. Não é raro ouvirmos falar de meninas que estão recorrendo a essa prática e de pais e amigos preocupados com isso. Para ilustrar a amplitude do problema, gostaria de compartilhar a transcrição de alguns *e-mails* e telefonemas recentes recebidos pela organização Focus on the Family.

> Eu pratico automutilação. Estou infeliz e o problema está piorando. Não sei o que fazer. Não quero ajuda dos meus pais, porque eles não estão nem aí. Quero parar de me machucar, mas não sei como.

> Tenho uma amiga que anda se cortando. Ela pediu que eu guardasse segredo. Não quero perder minha amiga, mas estou preocupada com ela.

> Ainda não comecei a me cortar, mas tenho vontade. Vocês podem me ajudar?

> Minha melhor amiga se corta e, pouco tempo atrás, começou a transar com o namorado. Quero ajudá-la, mas não sei muito bem por onde começar.

> Só tenho 13 anos de idade, mas uma das minhas amigas mais próximas está lutando com o problema de automutilação. Tentei ajudá-la de todos os jeitos possíveis, mas ela continua se cortando. Os pais dela sabem disso há meses e não a fizeram parar nem a levaram a um conselheiro. Eu sei que eles a amam e têm um plano, mas estou preocupada com ela. Pouco tempo atrás, descobri que ela também tentou suicídio algumas vezes e não sei como ajudá-la. O mais chocante é que ela é cristã e vai à igreja com frequência. O pai dela é líder do ministério de música. Antes de minha amiga começar a se cortar, ela teve anorexia e bulimia. Até onde sei, ela superou esses dois problemas, mas agora está se cortando. O que posso fazer?

> Nas férias de verão, fiquei curiosa e quis saber se a automutilação faria eu me sentir melhor. Não senti nada quando cortei o braço. Cortei-me mais

quatro vezes depois disso e suspeito que vou continuar. Pedi a Deus que me desse forças para parar, mas me cortei de novo. Meu amigo sabe o que fiz, mas acha que eu parei e que os cortes no meu braço são porque eu sou desastrada. Detesto mentir pra ele, mas, se eu disser a verdade, ele vai contar pra minha mãe. O que devo fazer? Só preciso de oração. Quaisquer orações são bem-vindas, de coração.

Sou uma garota de 18 anos. Estou me cortando e não encontro um *site* que possa me ajudar. Estou com medo.

Observe que várias dessas meninas que telefonaram ou escreveram falaram, supostamente, de "uma amiga". Tenho suspeitas de que, na verdade, estavam se referindo a si mesmas, algo típico de quem se automutila. Estão desesperadas para receber ajuda, mas não querem correr o risco de ser identificadas por pais ou amigos. Em geral, se cortam quando estão sozinhas.

A automutilação se tornou um problema sério de saúde pública, especialmente entre adolescentes e jovens. Os instrumentos usados variam desde lâminas de barbear e facas até clipes de papel, tesouras e abridores de cartas. Cerca de 4% da população pratica alguma forma de automutilação.[18] Dentre os que sofrem da forma crônica desse problema, 72% se cortam, 35% se queimam, 30% se espancam, 22% interferem na cicatrização de feridas, 10% arrancam cabelos e 8% chegam a fraturar os próprios ossos. Cinquenta por cento de todas as pessoas que se automutilam tiveram pelo menos uma *overdose* de drogas.[19]

P Por que esses pobres adolescentes se mutilam dessa forma? E o que podemos fazer para ajudá-los?

R Como em todos os outros aspectos do comportamento humano, a motivação muitas vezes é complexa e variada. Hoje em dia, acredita-se que o ato de infligir ferimentos não letais a si mesmo é típico de pessoas do sexo feminino no final da infância ou no início da idade adulta. Quando não tratada, a pessoa pode continuar com esse comportamento até bem depois dos 20 anos ou início dos 30.[20] É provável que tenha sido vítima de abuso físico ou sexual e que pelo menos um dos pais sofra de alcoolismo ou depressão clínica. Como vimos anteriormente, existe maior probabilidade de iniciação sexual precoce e é possível que a experiência se repita. Sua maior dor nasce da sensação de rejeição e de circunstâncias que geram sentimentos de raiva, culpa e impotência. O resultado é o mais puro ódio de si mesma.

Em resumo, essas garotas foram seriamente magoadas por pessoas e pela vida em geral. Uma jovem, descrita no *Journal of Mental Health Counseling*, afirmou ter feito cortes nas coxas, onde foi abusada, para "se lembrar de que ela não havia apenas imaginado aquela experiência dolorosa".[21]

Judith Lewis Herman, pesquisadora da Universidade de Harvard, descobriu que as vítimas de abuso sexual apresentam maior probabilidade de se cortar. Quanto mais cedo começa o abuso, mas sério é o comportamento prejudicial.[22]

Henry L. Shapiro, pediatra especializado na avaliação e no tratamento de problemas de aprendizado, desenvolvimento e comportamento de crianças em idade escolar, relata: "Vítimas de abuso sexual muitas vezes culpam a si mesmas pelo abuso e, na idade adulta, ferem-se fisicamente como castigo por seu 'mau' comportamento. Ao perpetuarem o ciclo de abuso, pode acontecer de expressarem sentimentos de raiva intensa voltada contra elas próprias. É comum as vítimas não conseguirem se ver como seres humanos que podem ser amados. Ademais, uma vez que não têm como ferir o abusador fisicamente, acabam ferindo [...] a si mesmas".[23]

P É compreensível que as pessoas que se ferem tenham "ódio de si mesmas". Mas por que pioram a situação fazendo mal ao próprio corpo?

R Eis uma resposta bastante simplificada, mas que, mesmo assim, pode ser útil. Meninas que se cortam são desprovidas da capacidade de regular ansiedade, as lembranças dolorosas e os "sentimentos negativos" dentro delas.

Quando uma menina se corta, o cérebro libera endorfinas que produzem uma sensação de prazer e bem-estar. A experiência é passageira, mas as meninas sentem uma necessidade desesperada de alívio, mesmo que seja por apenas alguns momentos. Essa é a ideia que mais se aproxima da explicação do comportamento.

Há mais uma coisa que os pais devem saber. Não quero entrar em detalhes técnicos, mas convém mencionar que algumas pessoas que praticam a automutilação sofrem de transtorno de personalidade limítrofe.[24] Esse problema é caracterizado por distúrbios alimentares, instabilidade emocional, dificuldade de manter amizades, impulsividade e alta incidência de suicídios ou tentativas de suicídio, especialmente entre garotas adolescentes e mulheres jovens. De acordo com um estudo, 87% das meninas em tratamento haviam feito pelo menos uma tentativa de suicídio.[25] Indivíduos com transtorno de personalidade limítrofe também são suscetíveis a vícios como drogas e álcool.[26]

Por fim, os adolescentes apresentam níveis mais baixos de serotonina, um neurotransmissor no cérebro. Em outras palavras, o comportamento que "não faz nenhum sentido" para outras pessoas não é apenas um distúrbio emocional. Também é um transtorno químico e psicológico.

P É com muita tristeza que digo que minha filha de 15 anos se encaixa no perfil que você descreveu. O que posso fazer para ajudá-la? Já tivemos longas conversas sobre o assunto, mas, mesmo assim, ela vai para o quarto sem que ninguém perceba e se corta novamente. Acho que ela nem sequer sabe o porquê desse comportamento e, mais tarde, sente-se envergonhada do que fez. Preciso saber como posso ajudá-la.

R Recomendo que você procure ajuda médica e psicológica o mais rápido possível, de preferência um programa com uma equipe de profissionais treinados que entendam esse problema e saibam lidar com adolescentes. Sua filha precisa de ajuda, mas, sem cuidados especializados, você dificilmente conseguirá auxiliá-la na recuperação.

Agora que você sabe como ela provavelmente se sente, pode, sem dúvida, caminhar lado a lado com ela e oferecer-lhe incentivo e compaixão. Mas, como no caso da anorexia e de outros distúrbios alimentares, não adianta apenas conversar e arrazoar. Também não adianta se zangar ou dizer: "Eu exijo que você pare com isso". Os comportamentos visíveis são apenas parte daquilo que está se passando dentro de sua adolescente.

P Tenho 12 anos e logo vou fazer 13. Tenho um namorado, e nós queremos nos beijar. Gostaria de poder me casar com ele logo. Eu sei que casar com o namorado que está no segundo ciclo do ensino fundamental é uma coisa rara, mas sinto que ele é a pessoa certa pra mim. Em sua opinião, eu sou jovem demais para fazer o que acabei de explicar? Apaixonada, Jackie.

R Olá, Jackie. Obrigado por escrever para mim. Li sua carta com atenção e, para ser sincero, ela me deixou bem triste. Sei que você vai pensar que eu não entendo seus sentimentos, mas entendo, sim. Eu já tive 12, quase 13, anos de idade. Gostaria de deixar bem claro, para alguém tão jovem como você, que beijar um menino que está no segundo ciclo do ensino fundamental (ou um menino de qualquer idade) e querer se casar com ele é um grande erro. Pode até parecer que ele é "a pessoa certa pra você", mas posso garantir que não é. Você está se movendo rápido demais em direção ao comportamento adulto e, se continuar nesse caminho, vai ter muitas dores e decepções pela frente.

A vida tem um cronograma e quem tenta se adiantar causa a maior confusão. A pressa também leva você a fazer coisas das quais se arrependerá para o resto da vida. Olhe ao seu redor. Você sabe de alguém que tem 12 anos e está planejando se casar? O fato de a lei não permitir quer dizer alguma coisa.

O que você precisa mesmo é de uma pessoa adulta com quem possa se abrir. Quem sabe seus pais, o pastor de jovens da sua igreja ou um conselheiro na escola. Conte para essa pessoa o que você está pensando e preste atenção no que ela lhe dirá. Ela saberá orientar você.

Também é importante você conversar com Deus e perguntar o que ele quer que você faça, pois Deus não comete erros. Ele a ama, Jackie, e eu também. Dê tempo a si mesma para crescer. Vai ser rápido. Espero que tenha lhe ajudado.

P **Minha filha de 11 anos é madura e desenvolvida demais para a idade dela em termos físicos e em outros aspectos, não obstante os meus esforços intensos para que ela continue a ser criança. Não sei como lidar com sua atitude adolescente desrespeitosa. Parece que ela está sempre de castigo e eu estou sempre aflita e gritando, e isso tem afetado a família toda. Infelizmente, não temos condições financeiras de procurar ajuda profissional; já li vários livros, mas não adiantou nada. Socorro!**

R Onde foi parar a infância? Faço ideia de como seja a vida na sua casa, com uma filha que ainda é criança, mas que está lidando com as influências hormonais da puberdade.

Precisaria saber de vários aspectos e circunstâncias para poder ajudá-la nessa situação. Por exemplo, onde está o pai? Se eu estivesse aconselhando sua família, consideraria o pai um possível recurso. Nunca foi tão importante ele passar mais tempo com sua filha do que agora. Se você tiver um irmão adulto, pastor ou outro homem responsável, converse com ele sobre o que está acontecendo.

Você comentou que não tem condições de pagar por aconselhamento. Se alguém tivesse uma doença grave, porém, você pagaria pelos cuidados médicos? Suspeito que o tratamento seria uma prioridade, mesmo que você precisasse se endividar. De certa forma, sua filha está doente e a família inteira precisa de ajuda para obter mais harmonia.

Como você sabe, tudo que descreveu é causado por algo semelhante a uma TPM permanente. O cérebro de sua filha está a mil por hora, e o seu também. É contraproducente reagir com raiva às gritarias e aos acessos de birra dela. Deixe-me explicar.

Não há solução instantânea para o que está acontecendo, mas tudo indica que você vem cometendo alguns erros que agravam a situação. Gritar e ficar aflita só piora as coisas, e muito. Minha impressão é que a discussão desceu ao nível de sua filha e que você está reagindo como se tivesse a mesma idade dela. Você precisa agir e liderar como mãe.

Como fazê-lo? Você tem as chaves para tudo que sua garotinha deseja e necessita: permissão para fazer coisas, transporte, mesada (caso ela receba alguma), roupas cobiçadas (lavadas e passadas), alimentação e acesso à televisão. Tudo está sob sua supervisão, ou deveria estar. Sugiro que você converse com ela e lhe diga que entende a fase difícil pela qual ela está passando. Deixe claro, porém, que ela terá de se esforçar mais para controlar a raiva. Esse comportamento não está fazendo bem a ela e está prejudicando o resto da família; por isso, você deve ajudá-la a ser mais cortês no trato com as pessoas. De agora em diante, tudo que ela quiser dependerá da cooperação dela.

Ao conversar com sua filha, diga algo do tipo: "Quero que você saiba de algumas coisas. Em primeiro lugar, eu a amo mais do que você jamais será capaz de entender. Coloquei você no mundo e daria minha vida por você se fosse preciso. Tudo que vou lhe dizer vem desse amor. Segundo, por amá-la tanto, não posso permitir que você continue a agir de forma prejudicial a si mesma e ao restante da família. Vamos dar um basta nisso agora. Terceiro, tenho obrigação, diante de Deus, de fazer você respeitar a mim e aos seus irmãos. Se você não concordar, tenho várias formas de fazer você infeliz e pode crer que vou usá-las.

"Você escolheu dificultar as coisas e, enquanto não resolver cooperar, esta casa não vai ser um lugar agradável para você. Quando se cansar de não ter privilégios e não poder sair, voltaremos a conversar. Até lá, é melhor seguir as regras, pois vão ser aplicadas. Se, em algum momento, você quiser conversar comigo sobre coisas que, a seu ver, são injustas ou frustrantes, estou à disposição para ouvi-la. Mas não aceitarei que você grite, bata portas e [preencha a lacuna]. Entendeu? Há alguma coisa que você gostaria de dizer?".

Em seguida, crie coragem de gerenciar os privilégios e as consequências de forma coerente e com determinação. *Não* tente usar a raiva para controlar sua filha. Não funciona. Ela não liga se você se enfurecer e, quando você perde a calma, sua filha vence uma batalha estratégica. Em resumo, você precisa ser bem mais rígida do que tem sido, mas não agir como se fosse uma adolescente descontrolada. Quando ela estiver pronta para negociar, responda com respeito e firmeza.

Parece fácil de fazer, mas não é. Não obstante, você precisa assumir o controle de sua menina. Ela é jovem demais para aterrorizar a família inteira dessa forma. Como você indicou, há outros filhos em casa e eles estão observando esse conflito titânico. Aquilo que presenciarem no relacionamento com sua filha voltará para assombrá-la quando for a vez deles. Você pode perdê-los mesmo antes de entrarem na adolescência. Quanto à menina de 11 anos, você tem muito pouco tempo para mudar o rumo das coisas. Se não houver uma transformação, ela terá esses mesmos acessos quando for mais velha e, quem sabe, maior que você. Não estou sugerindo, de maneira nenhuma, que você recorra a algum tipo de abuso, mas é preciso assumir o controle. Nunca mais permita que sua filha veja você sair do sério. E, nunca, jamais, chore na frente dela!

Trata-se de uma batalha que você não pode se dar o luxo de perder. Você pode vencê-la! Que Deus a ajude!

P Agora que meus filhos são quase adultos, percebo que cometi erros enormes no modo como os eduquei. Meu marido e eu tivemos problemas conjugais que terminaram em divórcio, e havia bebidas alcoólicas demais em nossa casa. Também estávamos ocupados demais nos dedicando a nossas carreiras bem-sucedidas. Muitas vezes, estávamos fora de casa à noite e raramente fazíamos uma refeição juntos. Quando nossos filhos nasceram, eu não tinha ideia de que a educação deles seria tão difícil e tão importante. A adolescência deles foi extremamente desafiadora. Olho para esses jovens confusos que estão no limiar da vida adulta e choro. O que posso fazer agora que o tempo de consertar os estragos passou? Assinado: Mãe arrependida.

R Entendo seu remorso; é um sentimento presente em vários membros de sua geração. Permita-me oferecer algumas sugestões que talvez sejam proveitosas. Primeiro, o jogo ainda não acabou. Seus adolescentes serão bem distintos daquilo que são hoje. De algum modo, os adolescentes se tornam adultos e, felizmente, começam a amadurecer. Aquilo que, hoje, parece ser um fracasso de sua parte, pode adquirir um aspecto bem diferente daqui a alguns anos.

Segundo, suspeito que você foi uma mãe muito melhor do que imagina. Ser pai ou mãe sempre envolve culpa, e ninguém, absolutamente *ninguém*, é capaz de realizar essa tarefa com perfeição. Da mesma forma como é impossível ser uma pessoa perfeita, não há como ser uma mãe ou um pai perfeitos. A tarefa de educar filhos em um mundo onde tudo acontece em ritmo acelerado é extremamente complexa, e a própria vida acaba frustrando nossas melhores intenções. Mas as crianças são resilientes e, no fim das contas, saem melhor que a encomenda.

Lembre-se de que o Criador, no jardim do Éden, também teve "filhos" rebeldes. Adão e Eva não tinham televisão, pornografia, colegas de reputação duvidosa ou outras influências negativas que pudessem levá-los pelo mau caminho. E, no entanto, se rebelaram e resolveram fazer as coisas a sua maneira. Assim é a natureza humana. Quero dizer com isso que seria errado você se atormentar de culpa por tudo que seus filhos fazem de errado.

Como procurei explicar no capítulo 14 ("O rio da cultura"), as crianças são expostas a muitas influências prejudiciais hoje em dia. É impossível protegê-las de tudo que é negativo. Fazemos o melhor que podemos para guiá-las pelo rio da cultura e para tentar evitar que se afoguem. Culpar-se por todas as coisas decepcionantes que você vê em seus filhos não é bíblico, nem razoável, nem justo. Em contrapartida, é inapropriado os pais assumirem o *crédito* por todas as características boas dos filhos. Cada indivíduo é um agente moral livre, capaz de tomar decisões independentes. Algumas dessas escolhas se mostram acertadas, outras, nem tanto, mas você não é culpada de todas elas.

Ezequiel 18.2-4 diz:

> "O que vocês querem dizer quando citam este provérbio sobre Israel: 'Os pais comem uvas verdes, e os dentes dos filhos se embotam'? Juro pela minha vida, palavra do Soberano, o Senhor, que vocês não citarão mais esse provérbio em Israel. Pois todos me pertencem. Tanto o pai como o filho me pertencem. Aquele que pecar é que morrerá".

Como essa passagem bíblica indica, a "maldição hereditária" não existe. Cada um é responsável por suas escolhas e comportamentos. Os pais podem tentar incutir princípios morais nos filhos, mas, em última análise, os filhos terão de prestar contas de seus próprios atos. Faz sentido para você?

Você fez o melhor que pôde quando seus filhos eram pequenos e, sem dúvida, o fez com amor. Seu histórico está registrado. Não tenho dúvidas de que os erros que você e seu marido cometeram foram sérios e lamentáveis. Mas o que está feito, está feito. Deixe quieto. Seu trabalho agora é orar fervorosamente pelo bem-estar de seus filhos quase adultos. Peça que o Senhor sobrepuje todas as suas limitações e falhas e opere de modo a realizar o propósito dele na vida e no coração de seus filhos. Continue a demonstrar amor por eles e, quando pedirem seu conselho, ofereça-o com prudência. Mas não deixe a culpa tomar conta. Esse é o caminho mais curto para o desespero.

21 Como proteger sua filha da tecnologia invasiva

Como se não faltassem motivos para os pais se preocuparem, outro desafio que enfrentam é o universo virtual e midiático extremamente perigoso para seus filhos. Estava à procura de uma cartilha que pudesse ajudá-los a lidar com essa questão e creio que a encontrei. O conteúdo deste capítulo é essencial para mães e pais que estão tentando ajudar seus filhos a navegar pelo mundo confuso da tecnologia e do entretenimento.

Colocarei este capítulo nas mãos de Bob Waliszewski, diretor do departamento Plugged In [Conectado] da organização Focus on the Family. O premiado *site* de Bob e sua equipe (http://www.pluggedin.com) oferece críticas atuais de lançamentos de filmes e informações sobre música *pop*, programas de televisão, DVDs e vídeos em alta no momento e relevantes para a cultura jovem. A visão e as considerações de Bob a respeito do cenário da mídia são inigualáveis e agradeço por sua disposição de compartilhar seu conhecimento com meus leitores.

Devido às limitações de espaço e à amplitude do assunto a ser tratado, o conselho nestas páginas pode não satisfazer os *experts* consumados em tecnologia, mas creio que traz informações valiosas para pais angustiados diante do desafio de administrar o mundo da tecnologia e do entretenimento. A verdade é que as tentações para indivíduos de todas as idades são desnorteantes e assustadoras.

Se você tem motivo para se preocupar com imagens pornográficas que podem invadir seu lar, com predadores *on-line* à espreita de seus filhos, ou com pré-adolescentes curiosos e adolescentes explorando sabe-se lá o que na internet, continue a ler. Proteger a inocência de seus filhos é um trabalho hercúleo, mas estou certo de que as considerações e recomendações de Bob o ajudarão a preparar-se para realizá-lo.

Conselhos aos pais sobre mídia e tecnologia

Você sabia que jovens entre 8 e 18 anos gastam, em média, cerca de 44,5 horas por semana com algum tipo de mídia?[1] É o equivalente a um emprego de período integral e mais algumas horas extras! Com esse nível de consumo, não é de admirar que a mídia tenha se tornado uma espécie de "supercolega" que influencia comportamentos e forma valores.

No topo da lista de desafios encontra-se o problema generalizado da pornografia na internet. O fácil acesso combinado com o relativo anonimato do uso de computadores pessoais permite que qualquer um obtenha imagens de pornografia pesada com apenas alguns toques do teclado. Há tempos, a pornografia na internet é chamada de "crime sem vítimas", mas, na realidade, é exatamente o oposto.

Pais que estão tentando proteger os filhos têm uma tarefa árdua diante deles. A National Coalition for the Protection of Children and Families [Coalizão Nacional para a Proteção de Crianças e Famílias] calcula que existam mais de 300 mil *sites* pornográficos. De acordo com o National Center for Missing and Exploited Children [Centro Nacional para Crianças Desaparecidas e Abusadas], um dentre sete jovens de 7 a 17 anos que usam a internet recebeu alguma proposta sexual *on-line*, e 34% foram expostos, contra a própria vontade, a imagens de nudez.[2] Nos últimos dez anos, o CyberTipline, um disque-denúncia do governo federal, recebeu quase 740 mil denúncias de exploração sexual infantil.[3]

Imagens pornográficas estão se tornando, cada vez mais, parte do cotidiano, até mesmo no caso de jovens que nunca exploram o lado mais sombrio da internet. E os jovens cristãos não estão menos sujeitos que seus colegas à pressão da mídia. Quase um dentre cinco adolescentes segundo os quais crenças religiosas exercem influência "extremamente importante" sobre seu comportamento diz que a maioria ou todos os filmes aos quais assiste são proibidos para menores de 17 anos desacompanhados.[4] Esse número se torna ainda mais desconcertante quando levamos em consideração outro dado segundo o qual os adolescentes que regularmente consomem músicas, programas de televisão e filmes sexualizados são *duas vezes mais* propensos a ter relações sexuais antes dos 16 anos que os jovens menos expostos.[5] Até mesmo famílias que evitam esse tipo de filme correm o risco de deparar com imagens e diálogos pornográficos, pois muitos dos filmes classificados como inapropriados para menores de 13 anos (e, alguns classificados como "livres") são repletos de conteúdo sexual. Pode-se dizer o mesmo de músicas e *video games*.[6]

O que mães e pais podem fazer? Sugiro que, em nossa cultura saturada pela mídia, os pais procurem, de maneira mais deliberada, educar suas filhas (e filhos) para honrar a Cristo com suas escolhas de entretenimento. Não apenas porque filmes, músicas, *video games*, *sites* de internet e programas de televisão atuais se tornaram hipersexualizados, violentos e profanos e porque, muitas vezes, promovem o uso de drogas e álcool, mas pelo fato de ser possível, hoje, transmitir todas as formas de entretenimento em diversas plataformas e novos aparelhos, em um contexto no qual as transformações tecnológicas estão ocorrendo num passo mais acelerado que em qualquer outro período da história.

Controlar e limitar o uso desses dispositivos eletrônicos pela geração mais jovem pode criar conflito entre pais e filhos. As discussões sobre quanto tempo os jovens podem gastar em redes sociais (Facebook, MySpace, Orkut etc.) podem ser frequentes. Muitos dos colegas deles passam horas *on-line* todos os dias. Talvez sua filha exija mensagens de texto ilimitadas no celular ou costume andar pela casa com fones nos ouvidos, escutando horas de música no *MP3 player*. Talvez ela deseje competir contra outros jogadores de *video game* ao redor do mundo, sem falar na eterna discussão sobre filmes e televisão. O que é apropriado? Com internet sem fio e telefones que fazem as vezes de computadores, sua filha pode ser exposta a influências prejudiciais de todos os tipos, bem debaixo do seu nariz.

Não obstante sua situação, quer você tenha meninas adolescentes quer pré-adolescentes, é importante ajudá-las a conhecer bem a mídia para que não se tornem presa de seus elementos mais censuráveis, oferecidos como se fossem divertidos, inocentes e engraçados. Tenho convicção de que aquilo a que assistimos e o que ouvimos muitas vezes se tornam questões profundamente morais.

Como usar a tecnologia para beneficiar a família

Antes de minha filha se casar, tiramos nossas últimas férias em família. Uma noite, enquanto jantávamos, percebemos que as músicas de fundo do restaurante eram canções das décadas de 1960 e 1970. Desafiei a família a identificar os cantores. Não foi uma competição justa, pois meus filhos não conheciam a maior parte das canções e minha esposa nunca se interessou muito pelos grandes sucessos de nossa geração. A certa altura, empaquei em uma canção. Era conhecida, mas eu não conseguia me lembrar de quem a cantava. Meu filho tirou o celular do bolso e, depois de pressionar alguns botões, anunciou com orgulho o nome do grupo. Como ele fez isso? Usando um aplicativo do celular que identifica canções e cantores. Vai saber!

Produtos lançados com grande sucesso há apenas alguns anos agora juntam poeira nas lojas de equipamentos de segunda mão. Sem dúvida, a tecnologia está avançando a uma velocidade assustadora. Há profissionais que se dedicam exclusivamente a avaliar as implicações de novos equipamentos e tecnologias. A boa notícia é que não precisamos ficar obcecados com a tecnologia. Só precisamos saber o que nossos filhos estão fazendo e nos familiarizar com os benefícios, riscos e dispositivos de segurança. Isso porque, não importa onde você esteja na escala de conhecimento técnico, tenho a forte convicção de que proteger nossas filhas dos aspectos negativos da tecnologia requer o envolvimento ativo dos pais.

Considere o que diz Mikaela Espinoza, uma garota de 17 anos: "Quando eu ouvia meu telefone tocar, acordava para atendê-lo. Acho que tem uma porção de gente que envia mensagens de texto a noite toda".[7]

O médico de Mikaela concluiu que as dores de cabeça que ela sentia eram resultantes de privação de sono devido ao uso excessivo do serviço de mensagens de texto. Como a especialista em distúrbios do sono dra. Myrza Perez observa, "antes dos avanços tecnológicos, íamos dormir quando o sol se punha. Agora, com todas essas distrações, adolescentes que têm o próprio quarto ficam acordados até tarde, usando o celular ou o computador, e os pais nem fazem ideia disso".[8]

A conclusão da dra. Perez de que os pais podem não ter conhecimento do que está acontecendo é uma lembrança importante. O que você faria se Mikaela fosse sua filha? É uma boa pergunta. Eu começaria fazendo perguntas e me familiarizando com os equipamentos e sistemas que as meninas escolhem para obter informações, conversar com os outros e consumir entretenimento. Os pais de Mikaela poderiam ter tratado mais cedo das dores de cabeça da filha se simplesmente prestassem mais atenção na conta do telefone celular. Mas isso não é o mesmo que *bisbilhotar*? Eu não acho! Nessa era tecnológica, chama-se educar os filhos com sabedoria.

Avisei meus filhos que *e-mails*, mensagens de texto e históricos de navegação na internet seriam abertos para todos da família. Eles poderiam ler as minhas mensagens, e eu, as deles. Eu poderia verificar os *sites* que haviam visitado, e eles poderiam ver por onde eu navegara. Quando meus filhos moravam conosco, eu entrava com frequência no perfil deles nas redes sociais. Além de verificar como se expressavam, também entrava nas páginas dos amigos deles e via as fotos que publicavam, pesquisas a que respondiam e questionários que completavam. Alguns pais talvez hesitem em monitorar essas atividades por pensar que se trata de invasão de privacidade. Considere, porém, a seguinte situação: em 2008, 22% dos gerentes verificaram os perfis em redes sociais dos candidatos que estavam selecionando para uma vaga. Um ano depois, esse número subiu para 45%.[9] Se possíveis empregadores precisam fazer esse tipo de levantamento, o que dizer dos pais que desejam saber o que está acontecendo? Nunca nossas filhas foram bombardeadas com tantos elementos prejudiciais como são hoje. A meu ver, é imprudente não monitorar esses *sites*.

De acordo com Maggie Jackson, autora de *Distracted: The Erosion of Attention and the Coming Dark Age* [Distraídos: a erosão da atenção e a era de trevas vindoura], adolescentes vivem em "uma cultura institucionalizada de interrupção, na qual nosso tempo e atenção são fragmentados por uma série infindável de telefonemas, *e-mails*, mensagens instantâneas, mensagens de texto e *tweets*".[10] Os adolescentes precisam aprender a controlar esse fluxo intenso de informações e saber que terão de prestar contas das escolhas que fazem *on-line*.

Diante disso, você sabe que canções sua filha tem ouvido ultimamente no iPod? Ou ela prefere selecionar músicas de estações de rádio *on-line*? Você sabe quais *sites* ela frequenta? A empresa de segurança Symantec Corporation, em parceria com a OnlineFamily.Norton, identificou as cem buscas realizadas com mais frequência por crianças. O primeiro item da lista é o YouTube. Sexo é o quarto. Pornografia é o sexto.[11]

Evidentemente, nem tudo que é oferecido a nossos filhos é problemático. Existem vídeos educativos, alguns deles bastante divertidos. Além disso, cristãos têm usado cada vez mais a ferramenta de vídeos *on-line* para propósitos do Reino. Não há nada inerentemente errado com a tecnologia que permite às pessoas ver e ouvir vídeos na internet. Mas acredite em mim quando digo que, apesar de inúmeros *sites* afirmarem que não permitem pornografia ou violência, há um bocado de conteúdo desprezível no YouTube e em *sites* semelhantes.

A pornografia "*light*" é corriqueira. Por vezes, imagens pornográficas pesadas se infiltram no meio das quase vinte horas de vídeo carregadas no YouTube *por minuto*.[12] Sem orientação dos pais, o YouTube pode, em um piscar de olhos, deixar de ser benéfico para a família e tornar-se prejudicial, especialmente quando levamos em consideração que até mesmo crianças de 2 a 11 anos de idade passam, em média, onze horas na internet toda semana, o que significa um aumento de 63% nos últimos cinco anos.[13]

Embora o telefone celular possa ser uma excelente ferramenta, também pode abrir as portas para um mundo de dor. Um dentre cinco adolescentes, por exemplo, admite que enviou fotos sensuais de si mesmo por celular ou *e-mail*, e 11% deles enviaram essas fotos para pessoas desconhecidas.[14] "*Sexting*" também pode ser um meio de assédio e *bullying*, especialmente quando colegas menos amigáveis usam as câmeras do telefone em vestiários e academias de ginástica. Em julho de 2008, uma foto comprometedora enviada para outras pessoas resultou em mais do que apenas humilhação. Jessica Logan, de 18 anos, se enforcou depois que uma foto dela nua, que ela havia enviado para o namorado, foi encaminhada para outras meninas de sua escola de ensino médio. De acordo com Cynthia Logan, mãe de Jessica, a filha começou a sofrer assédio de colegas que a rotularam de "vadia" e "prostituta" e até atiraram objetos nela.[15] A intimidação e a humilhação foram tão dolorosas que Jessica perdeu a vontade de viver.

Os limites de espaço não permitem uma análise mais profunda das diversas formas e sistemas em uso atualmente para transmitir informações e entretenimento. (Artigos, notícias e citações sobre esse assunto são atualizados com frequência em <www.pluggedin.com>.). Volto a dizer que sua filha não deve se aventurar pelo campo minado da tecnologia sem supervisão e envolvimento constantes dos pais.

Use a tecnologia para ajudar a proteger
Embora a tecnologia possa ser uma inimiga, também pode ser uma grande aliada da família. Gostaria de destacar algumas das maravilhas tecnológicas de hoje que, a meu ver, são essenciais para o lar. São recursos que têm facilitado em muito a vida dos pais em sua tarefa de proteger os filhos. Eis alguns itens que você deve considerar:

Gravador de DVD: Atualmente, apenas 31% dos domicílios norte-americanos possuem esse equipamento para gravar programas de televisão. Acredito que os pais devem considerar a possibilidade de adquiri-lo. O gravador de DVD pode ser usado para gravar apenas *bons* programas que estejam dentro dos padrões saudáveis da família. Ademais, permite que as famílias assistam a programas nos horários que lhes forem mais convenientes, e não quando passam na televisão. Pessoalmente, gosto de usar a velocidade acelerada e assistir em uma hora um jogo de futebol americano que dura quatro horas. Economiza um bocado de tempo! E quem não precisa de umas horinhas a mais no dia?

Filtros de internet: A internet pode ajudar sua filha a estudar para as provas finais. Também pode expô-la, contudo, a *sites* de conteúdo inapropriado. Por isso, cada vez mais famílias estão recorrendo a produtos que filtram o conteúdo. Esses *softwares* realizam buscas na rede e bloqueiam o acesso a *sites* com conteúdo violento ou pornográfico. Vários produtos também avisam os pais quando alguém tenta acessar esses *sites* ou trocar *e-mails* inapropriados.

Algumas considerações prudentes acerca da influência da mídia

Alguns anos atrás, o apresentador de *game show* Pat Sajak disse o seguinte a respeito de filmes e televisão: "Quem trabalha com programas de televisão (bem como quem trabalha com cinema) coloca antolhos e se recusa a admitir que exerce influência negativa em nossa sociedade. Você conhece o argumento: 'Só refletimos aquilo que está acontecendo; não perpetuamos nada'. No entanto, não se passa uma semana nesta cidade [Hollywood] sem uma cerimônia de premiação na qual parabenizamos uns aos outros, dizendo: 'Você contribuiu para a conscientização sobre a aids' [ou] 'Graças ao seu excelente programa, não haverá mais abuso infantil'. De acordo com essa linha de argumentação, só temos capacidade de exercer influência positiva; não conseguimos influenciar de forma negativa. Não faz sentido nenhum".[16]

Sajak acertou em cheio. O entretenimento pode ser extremamente influente. Os sistemas que transmitem informações e conteúdo de mídia hoje em dia também são poderosos. Felizmente, é possível manter o rumo correto na interação com a cultura quando os pais se valem de princípios práticos a respeito da mídia para ajudar a conduzir os filhos.

Devemos considerar ainda que, embora muitos produtos de entretenimento sejam voltados para ambos os sexos, nossas filhas enfrentam desafios singulares quando Hollywood, a indústria da música e os executivos da televisão as escolhem como público-alvo específico.

Todos os dias, quando estou sentado diante do computador, meus olhos se desviam para uma citação de Bill Cosby de que gosto bastante e que recortei de algum lugar e preguei em um quadro de avisos ao lado de minha escrivaninha: "As redes de televisão dizem que não influenciam ninguém. Se isso é verdade, por que elas têm comerciais? Por que estou sentado aqui comendo pudim da marca Jell-O?".[17]

Parabéns ao sr. Cosby. Ele sabe do que está falando. Entende que a mídia tem enorme potencial para o bem ou para o mal. Se meros trinta segundos conseguem nos convencer a comprar produtos da marca Jell-O, dirigir determinado modelo de carro, usar certa pasta de dente ou beber este ou aquele refrigerante, a rede de televisão que anuncia esses produtos também pode influenciar comportamentos com seus seriados, novelas e filmes.

Quando, por exemplo, essas emissoras retratam a dádiva divina da intimidade sexual como um ato *banal*, não causa espanto ver alguns jovens imitarem o que viram e ouviram. Em maio de 2008, o noticiário da rede ABC citou uma jovem de 22 anos que explicou como o programa de televisão *Sex and the City* a levou a seguir o exemplo de seus personagens principais. "Quando você é [adolescente], tenta imitar as pessoas da televisão", disse a moça identificada pelo pseudônimo Lisa. "Uma vez que Carrie fumava, comecei a fumar. Samantha não tinha problema nenhum em se envolver com qualquer pessoa, de modo que eu fiz o mesmo".[18] Agora que percebeu como a postura de *Sex and the City* em relação ao sexo promíscuo é um mito, Lisa se arrepende de suas escolhas. Mas não adianta chorar sobre o leite derramado. Ela caiu na armadilha de uma série de mentiras.

Vários estudos recentes confirmam que a experiência de Lisa é uma ocorrência bastante comum. Em 2004, a RAND Corporation entrevistou 1.792 adolescentes e descobriu que quem assistia a programação de televisão com mais conteúdo sexual era duas vezes mais propenso a iniciar relações sexuais do que seus colegas que assistiam a menos programas desse tipo.[19] Dois anos depois, a RAND confirmou uma tendência semelhante em relação a músicas. Quem relatou ouvir música sexualizada era quase duas vezes mais propenso a ter relações do que os colegas que ouviam poucas músicas desse tipo.[20] Vários outros estudos corroboram essas constatações. Os jovens são, com frequência, influenciados por aquilo a que assistem e ouvem.

Passos práticos que os pais devem tomar

Tendo em vista o poder tremendo da mídia de ensinar e influenciar pensamentos e comportamentos, como educar sua filha para encontrar um caminho seguro no meio do campo minado da tecnologia e entretenimento de hoje? Eis algumas sugestões:

1. *Tome decisões relacionadas à mídia com base na perspectiva divina de entretenimento.* Pouco tempo atrás, estava conversando com alguns amigos cristãos e começamos a falar sobre filmes recentes. Um dos filmes mencionados era proibido para menores de 17 anos. Meus amigos me mandaram tapar os ouvidos para não me ofender com a crítica positiva de um deles sobre o filme, ao que eu simplesmente respondi: "Minha opinião não importa; o importante é a opinião de Deus". Felizmente, esse amigo interpretou meu comentário tal como eu pretendia, isto é, como algo que o fizesse refletir. Mais tarde, ele me contou que minha observação o ajudou a mudar seus hábitos em relação a filmes.

Nossas ideias sobre consumo de mídia devem ser determinadas pelos padrões de Deus, e não da cultura. Quando sua filha internalizar esse conceito, ele a ajudará a recusar produtos problemáticos oferecidos pela mídia, mesmo que as amigas dela os aceitem.

2. *Ensine o princípio OQJF.* Creio que é apropriado pessoas de todas as idades fazerem a pergunta popularizada mais de uma década atrás pelas pulseiras com as letras OQJF (O que Jesus faria?). Embora esses acessórios tenham saído de moda, o princípio por trás deles nunca se tornará obsoleto. Na verdade, prefiro uma versão expandida da pergunta, algo do tipo: Se Jesus estivesse aqui na terra hoje, com seus doze discípulos, o que ele diria se Pedro, João ou Mateus lhe perguntasse: "Devemos assistir ou ouvir [preencha a lacuna]?".

A resposta afirmativa ou negativa de Cristo a essa pergunta teria como base o seu *amor* pelos discípulos, e não o desejo de acabar com a diversão deles!

3. *Instile princípios bíblicos relacionados à mídia.* A Bíblia adverte acerca de muitas ciladas da vida, mas parece não se pronunciar de forma significativa em relação ao entretenimento. Afinal, Pedro, Tiago, João, Abraão e Moisés não precisavam se preocupar com os filmes a que os filhos poderiam assistir, as músicas que tocariam no baile da escola ou os programas de televisão que acompanhariam pelo celular. Embora a Bíblia não diga nada como "Não ouvirás *rap*", ela é repleta de passagens que nos ajudam a encontrar o rumo correto dentro da cultura.

Provérbios 4.23, por exemplo, diz: "Acima de tudo, guarde o seu coração, pois dele depende toda a sua vida". Colossenses 2.8 trata do perigo de ser enganado pelas mentiras do mundo: "Tenham cuidado para que ninguém os escravize a filosofias vãs e enganosas, que se fundamentam nas tradições humanas e nos princípios elementares deste mundo, e não em Cristo". O salmo 1 adverte para ninguém andar na companhia de ímpios, pecadores e zombadores. Talvez todos nós devêssemos colocar Salmos 101.3 em cima da televisão: "Repudiarei todo mal. Odeio a conduta dos infiéis; jamais me dominará!".

Em se tratando do entretenimento atual, temos formas de nos associar à "conduta dos infiéis" que Davi jamais poderia imaginar!

4. *Dê o exemplo.* Nada enfraquece mais a autoridade do seu ensino sobre retidão do que sua filha observar que você não está aplicando os mesmos princípios em suas escolhas de entretenimento.

5. *Peça ajuda do pastor de jovens ou do pastor titular.* Incentive o pastor de jovens a ter uma reunião com adolescentes e pais para tratar da questão de honrar a Cristo com as decisões acerca de entretenimento. Você também pode considerar a possibilidade de sugerir, respeitosamente, que o pastor titular de sua igreja trate desse assunto em púlpito ou em aulas apropriadas da escola dominical.

6. *Redija com sua família um pacto sobre a mídia.* Uma coisa é falar de discernimento acerca da mídia, outra bem diferente é detalhar expectativas e limites por escrito. Um pacto escrito sobre a mídia colocado em lugar bem visível serve de lembrança constante da sua importância. Programe-se para tratar desse assunto pelo menos duas vezes por ano em seu momento devocional com a família.

7. *Incentive alternativas positivas.* Existem excelentes filmes e programas disponíveis para os jovens de hoje. Os filmes *Desafiando gigantes, À prova de fogo, Maravilhosa graça* e *A paixão de Cristo* são bons exemplos. (Antes de escolher filmes, porém, considere sempre a idade e o nível de maturidade de seus filhos.) As produções de vídeo e áudio Odissey [em inglês], do Focus on the Family, são exemplos extraordinários de mídia centrada em Cristo. E, em se tratando da obra do Reino, é provável que nenhuma produção supere o filme *Jesus* (1979), da Cruzada Estudantil, que, segundo estimativas da organização, resultou na conversão de mais de 225 milhões de pessoas a Cristo. Além disso, há inúmeras opções de entretenimento que não são explicitamente cristãs, mas cujos temas e abordagens são coerentes com a perspectiva bíblica.

Raramente as tentativas de banir todo tipo de mídia e dispositivos eletrônicos no ambiente doméstico são bem-sucedidas. Alguns dos que adotam essa estratégia acabam apenas incentivando seus filhos a se munirem de um comportamento rebelde, sobretudo quando eles deixam o lar para cursar a faculdade. Estou convencido de que a abordagem mais eficaz para a maioria de nós é encontrar alternativas de entretenimento construtivas.

8. *Incentive sua filha a ter uma companheira a quem possa prestar contas.* Minha filha aguçou suas aptidões de discernimento ao lecionar sobre o assunto para crianças do primeiro ao quarto ano na escola dominical de nossa igreja. Antes de ir à frente, porém, no ensino médio, ela desenvolveu uma amizade estreita com uma garota que compartilhava de seu compromisso de honrar ao Senhor. As duas sentiram que era bem mais fácil trilhar esse caminho juntas do que sozinhas. Como lemos em Provérbios 27.17, "Assim como o ferro afia o ferro, o homem afia o seu companheiro". Embora nem sempre seja fácil encontrar esse tipo de amiga, sua filha também deve procurar alguém que seja como "ferro" na vida dela.

9. *Ensine o ódio divino.* Sim, você leu certo. Claro que, como cristãos, somos chamados, acima de tudo, a *amar*. Romanos 12.9, porém, nos ensina: "Odeiem o que é mau". Jesus fez exatamente isso: Hebreus 1.9 nos diz que ele "odeia a iniquidade". Em Provérbios 8.13 vemos que "temer o Senhor é *odiar* o mal" (ênfase minha). Devemos seguir o exemplo de Cristo e praticar o ódio divino, desprezando todas as coisas das quais fomos salvos por sua morte na cruz, o que, logicamente, nos ajudará a manter distância do tipo de entretenimento que exalta essas mesmas coisas.

Saiba que se trata de um alvo atingível
É possível ensinar discernimento, manter-se informado sobre tecnologia e valer-se dela com sabedoria e critério. De todas as cartas e *e-mails* que recebi ao longo dos anos, minha mensagem predileta é de Caroline, de Atlanta, Geórgia: "Uso suas avaliações de filme e aprecio sua disposição de aguentar catástrofes cinematográficas de toda espécie para que eu não precise vê-las. Há vários anos, estou aprendendo a praticar discernimento por meio de suas críticas [...]. Talvez você fique um pouco surpreso ao saber que não sou mãe nem maior de idade. Ainda estou no ensino médio e, sem dúvida, você sabe que poucas pessoas da minha idade, ou

mesmo adultas, reconhecem ou agem em função do fato de que aquilo a que assistimos e as coisas com as quais saturamos nossa mente fazem diferença".

Portanto, mães e pais, animem-se. O sucesso é possível. Como vocês podem ver, Caroline se orgulha de suas convicções em relação à mídia. Não há nenhum motivo para sua filha não fazer o mesmo.

* * *

Obrigado pelos conselhos, Bob. Devemos proteger nossos filhos e ensiná-los a discernir entre certo e errado. Deixá-los navegar desprotegidos e sem supervisão pelo mundo virtual e pela cultura de entretenimento de hoje é sinônimo de negligência dos pais.

22 Palavra final

Chegamos ao fim deste estudo sobre como educar meninas. Há tantas outras coisas que eu poderia escrever, mas os pais de hoje estão ocupados demais para ler livros volumosos. Suspeito que alguns talvez pensem: "De onde eu tiraria tempo para ler uma obra extensa?". Quem sabe algum dia eu trate daquilo que foi omitido sobre esse assunto praticamente inesgotável...

Não obstante, para ajudar a encerrar nossa discussão, voltarei às palavras tocantes de John e Stasi Eldredge:

> Como todos já ouvimos, a mulher fica mais linda do que nunca quando está apaixonada. É verdade. Você deve ter visto com seus próprios olhos. Quando uma mulher sabe que é amada, e amada profundamente, ela brilha de dentro para fora. Esse esplendor nasce de um coração que recebeu resposta para suas dúvidas mais recônditas: "Sou linda? Sou digna de ser conquistada? Despertei e continuarei a despertar interesse romântico?". Quando essas perguntas são respondidas com um *sim*, um espírito sereno e tranquilo descansa no coração da mulher.
>
> E toda mulher pode receber uma resposta afirmativa para essas perguntas. Você despertou e continuará a despertar interesse romântico a vida toda. Sim. Aos olhos de nosso Deus, você é linda. Jesus moveu céu e terra para conquistar você. Ele não descansará enquanto você não for inteiramente dele. O Rei se encanta com sua beleza. Para ele, você é fascinante.[1]

Além de inspiradoras, essas palavras são absolutamente verdadeiras. Como vimos no capítulo 3, existe dentro da natureza das meninas um anseio por saber que são preciosas para alguém que as ama de todo o coração. Enquanto os meninos fantasiam sobre conquistas, as garotinhas sonham com a chegada do príncipe encantando que tirará seu fôlego. Esperam se casar e viver em um ninho de amor só para dois. Como sabemos, porém, a vida nem sempre cumpre essa promessa. Às vezes, o príncipe acaba se mostrando volúvel ou imperfeito, ou nem sequer aparece.

Mesmo que o casamento de conto de fadas se torne realidade, como aconteceu com Shirley e eu, e milhões de outros casais, as mulheres muitas vezes desejam algo mais. Esse *algo mais* não é de natureza romântica. É o anseio por um relacionamento com o Deus compassivo e carinhoso, cujo amor é constante e seguro. Ele nunca decepciona e nunca esquece. Está presente nos momentos de perda e tristeza e ouve até o clamor mais débil. Nas palavras do rei Davi: "O Senhor é refúgio para os oprimidos, uma torre segura na hora da adversidade" (Sl 9.9). Davi também disse: "O Senhor está perto dos que têm o coração quebrantado e salva os de espírito abatido" (Sl 34.18). Durante a fase formativa, todo menino e toda menina devem vir a conhecer de perto esse Amigo e Salvador.

Se for verdade que as crianças devem ser instruídas no conhecimento do Senhor, como a Escritura nos diz, há uma tarefa na educação dos filhos mais importante do que todas as outras. É a responsabilidade de mães e pais cristãos apresentarem os filhos a Jesus Cristo e cultivarem o entendimento acerca do Senhor sempre que tiverem oportunidade. O apóstolo Paulo falou dessa prioridade 2 mil anos atrás: "Pais, não irritem seus filhos; antes criem-nos segundo a instrução e o conselho do Senhor" (Ef 6.4).

Os jovens de hoje precisam encarecidamente dessa instrução e desse conselho. Inúmeras crianças e adolescentes de toda parte estão crescendo em um mundo que distorce suas crenças e comportamentos. Podemos observar essa influência perniciosa quando caminhamos pelo *shopping center* numa sexta-feira à noite. Olhe em volta. Você verá meninas e meninos que parecem emocionalmente perdidos e espiritualmente falidos. As roupas e palavras irreverentes desses jovens, bem como as formas extremas como se apresentam, revelam pobreza de alma. É um desfile de tristezas.

Quando já estava aposentado, o dr. Ken Taylor, patriarca piedoso que fundou a editora Tyndale House Publishers, foi convidado para assistir a um jogo de futebol americano numa escola de ensino médio. Aceitou o convite e sentou-se na arquibancada junto com os torcedores até o meio-tempo, quando saiu à francesa. Mais tarde, contou a um amigo que o jogo estava interessante, mas sentiu um peso tão grande pelos jovens ao seu redor que foi para casa orar por eles. Aquilo que o dr. Taylor viu naquele dia está diante dos olhos de todos que entram no mundo dos jovens.

Vemos evidências disso nas meninas que procuram aconselhamento na organização Focus on the Family. Essas garotas são bem diferentes das que escreviam para nós vinte anos atrás. Adolescentes costumavam perguntar o que era a coisa "certa" a se fazer, em geral como reflexo de alguma base cristã. Até mesmo quem não professava nenhuma fé parecia saber que algumas coisas simplesmente são erradas. Essa realidade mudou drasticamente. Muitos dos adolescentes que pedem nosso conselho não estão interessados naquilo que é moral, mas sim no que os ajudará a lidar com a situação caótica na qual se encontram. Também querem saber se devem agir de acordo com seus impulsos e desejos. Claro que nem todos os adolescentes pensam dessa forma, mas a maioria sim. Observamos um número crescente de jovens profundamente influenciados pelo relativismo moral. Para eles, a verdade absoluta não existe. Não há padrão confiável de certo e errado, pois não reconhecem um Deus que possa defini-lo.

O escritor russo clássico Fiódor Dostoievski refletiu sobre as consequências do relativismo moral em sua obra *Os irmãos Karamazov*. Escreveu: "Se Deus não existe, tudo é permitido". É isso que estamos vendo na cultura de hoje. Na falta de uma bússola moral, meninas e meninos imaturos se debatem em um mar tempestuoso de opções destrutivas.

Em meu livro *Educando meninos*, também trato dessa confusão espiritual no meio de quem vive em um mundo sem Deus. Vale a pena repetir:

> Os seres humanos tendem a lutar com perguntas perturbadoras às quais não podem responder. Assim como a natureza abomina um vácuo, o intelecto age para encher o vazio. É por isso que tantos jovens perseguem hoje "teologias" distorcidas e estranhas, tais como a insensatez da Nova Era, a busca do prazer, o uso de drogas e o sexo ilícito. Eles estão procurando inutilmente algo para satisfazer a "fome da alma" e, provavelmente, não irão encontrá-lo.

> [...] O significado da vida só é compreendido ao se responder às perguntas eternas [...] e só na fé cristã é que elas são adequadamente tratadas. Nenhuma outra religião pode dizer-nos quem somos, como chegamos aqui e para onde vamos depois da morte. Nenhum outro sistema de fé ensina que somos conhecidos e amados individualmente pelo Deus do Universo e por seu único Filho, Jesus Cristo. [...]
>
> No alto da lista [do que as crianças e adolescentes precisam da parte de seus pais] está a compreensão de quem é Deus e o que ele espera que façam. [...]
>
> Moisés leva essa responsabilidade um pouco adiante em Deuteronômio 6. Ele diz aos pais que devem falar sobre assuntos espirituais continuamente. A Escritura nos diz: "Estas palavras que hoje te ordeno estarão no teu coração; tu as inculcarás a teus filhos, e delas falarás assentado em tua casa, e andando pelo caminho, e ao deitar-te, e ao levantar-te. Também as atarás como sinal na tua mão, e te serão por frontal entre os olhos. E as escreverás nos umbrais de tua casa e nas tuas portas" (Dt 6.6-9).[2]

Observe que Moisés não deu apenas uma "sugestão" aos pais a respeito da instrução espiritual dos filhos. Ele *ordenou* que o fizessem. Há urgência em seu pronunciamento. Não basta murmurar as palavras da oração "Agora me deito para dormir..." com seu filho exausto no fim do dia. Cheguei à conclusão de que nossa incumbência principal como pais se resume a quatro elementos que nortearão nossos esforços, a saber:

1. Converse sempre com seus filhos sobre o Senhor e suas misericórdias.
Essa foi a instrução de Moisés aos filhos de Israel. Também foi o que o rei Davi e o profeta Joel, entre outros autores bíblicos, nos instruíram a fazer. Não há como interpretar incorretamente palavras claras como estas:

> Venham, meus filhos, ouçam-me; eu lhes ensinarei o temor do Senhor.
> Salmos 34.11

> Não os esconderemos dos nossos filhos; contaremos à próxima geração os louváveis feitos do Senhor, o seu poder e as maravilhas que fez. [...] de modo que a

geração seguinte a conhecesse, e também os filhos que ainda nasceriam, e eles, por sua vez, contassem aos seus próprios filhos.

Salmos 78.4,6

Uma geração contará à outra a grandiosidade dos teus feitos; eles anunciarão os teus atos poderosos.

Salmos 145.4

Contem aos seus filhos o que aconteceu, e eles aos seus netos, e os seus netos, à geração seguinte.

Joel 1.3

Minha bisavó era uma mulher santa e sabia que Deus exigia que ela transmitisse sua fé à família. Tenho a impressão de que ela conversava o tempo todo com o Senhor.

Quando eu tinha 5 anos, estava com ela no quintal de nossa casa quando vimos um avião cruzar o céu. Ela olhou para cima e disse:

— Precisamos orar pelo piloto desse avião.

— Por que, vozinha? O avião vai cair? — perguntei.

— Não — ela respondeu. — Mas há um homem lá em cima que Deus conhece e ama. Precisamos orar por ele e pela família dele.

Agora sei que minha bisavó estava se referindo à participação de nosso país na Segunda Guerra Mundial. Em breve, o rapaz naquele avião poderia morrer em combate. Mesmo sem ter ideia dessas implicações naquele dia no quintal, entendi a preocupação de minha bisavó com outros seres humanos e nossa obrigação de orar por eles.

Espero que você aproveite todas as oportunidades de dizer aos seus filhos que a fé em Deus é extremamente importante, e que Deus se importa com eles também.

Comece essa introdução às verdades espirituais quando seus filhos forem bem pequenos. Até crianças de 3 anos podem aprender que as flores, o céu, os pássaros e o arco-íris são presentes de Deus. Ele fez essas coisas maravilhosas, assim como criou cada um de nós. A primeira passagem bíblica que as crianças devem aprender é "Deus é amor" (1Jo 4.8). Devem ser ensinadas a agradecer a Deus antes de comer o alimento e pedir ajuda a ele quando se machucarem ou tiverem medo.

Em uma pesquisa de abrangência nacional realizada [nos Estados Unidos] em 2003, o pesquisador George Barna observou que crianças de 5 a 13 anos têm 32% de probabilidade de aceitar Cristo como Salvador. Esse número cai drasticamente para apenas 4% entre adolescentes de 14 a 18 anos. E, para aqueles que não se tornam cristãos até os 19 anos, há apenas 6% de probabilidade de serem convertidos ao longo do resto da vida.[3]

Não há tempo a perder!

2. Comece, quanto antes possível, a ensinar seus filhos a orar.

Meus pais e avós levaram essa responsabilidade muito a sério. A primeira palavra que aprendi a soletrar foi *Jesus*. E, acredite ou não, comecei a tentar orar antes mesmo de aprender a falar. Tinha ouvido meus pais orarem durante os momentos devocionais deles e comecei a imitar os sons que faziam. Minha mãe e meu pai ficaram espantados e se perguntaram como era possível uma criança de 13 meses fazer uma coisa dessa. A moral da história é que seus filhos também estão observando você e são influenciados por tudo que você faz.

É divertido ver as crianças começarem a compreender a arte de conversar com Deus. Pouco tempo atrás, recebi um bilhete encantador de um colega. Ele sabia que eu estava escrevendo este livro e comentou: "Toda noite, oramos com nosso filho de 4 anos e, para encerrar, pedimos que ele agradeça a Deus por qualquer coisa que queira. Essas orações costumam ser adoráveis. Na semana passada, ele disse: 'Obrigado, Deus, por *tudo*, exceto germes e pernilongos'".

Meu amigo prosseguiu: "Muitas vezes, Riley se prolonga, feito um senador tentando atravancar os trabalhos legislativos. Agradece a Deus pelo ar, pela grama, pelo beisebol, pelo seu cachorro, seus gizes de cera etc. Ontem à noite, porém, ele parecia cansado e, quando eu lhe pedi que orasse, ele respondeu: "Não, obrigado, papai. Acabaram as palavras da minha boca".

Lincoln, nosso neto de 3 anos, tem aversão à hora de dormir e pensa em todas as desculpas possíveis para evitá-la. Também acorda no meio da noite e tenta encontrar uma forma de se levantar. Algumas semanas atrás, Lincoln chamou os pais às 3 da manhã:

— Papi, tô dodói.

Ryan foi até a cama dele e perguntou:

— Onde está doendo, filho?

Lincoln apontou para os dentes e disse:

— Aqui.

Ryan explicou que ele não estava doente e que tinha de ficar na cama, ao que o garotinho respondeu, com toda a seriedade:

— Papi, vamo orar?

Você está orando com seus pequeninos? E com seus filhos mais velhos? Não desperdice oportunidades perfeitas.

3. **O terceiro elemento da instrução espiritual nos leva de volta aos escritos do rei Davi.**
Em Salmos 119.11, ele diz: "Guardei no coração a tua palavra para não pecar contra ti". Se você deseja que seus filhos tenham direção moral quando estiverem fora de seu alcance e depois que crescerem, deve começar a ensinar passagens prediletas da Bíblia para eles enquanto são pequenos. É impressionante como um texto bíblico relevante vem à tona no exato momento em que uma situação exige sabedoria e discernimento. Se esses versículos não forem "baixados" em nosso cérebro, teremos de tomar decisões com base em nosso próprio entendimento limitado.

Memorize passagens-chave das Escrituras com seus filhos. Transforme o processo em um jogo e recompense-os por aprenderem as passagens. Alguns trechos memorizados ficarão com eles para o resto da vida e, mesmo que se esqueçam das palavras exatas, as verdades neles contidas permanecerão vivas e serão lembradas.

A música é um recurso excelente para ensinar a Bíblia. Apresente a suas meninas e meninos uma variedade de cânticos que contenha histórias e conceitos bíblicos. Você pode começar com "Sei que Cristo me quer bem, pois a Bíblia assim o diz. Frágil sou, mas força tem; quer levar-me ao bom país". Uma vez que sou tradicionalista, prefiro canções que resistiram à prova do tempo. Gerações anteriores de crianças as entoaram com seus pais. É claro que você talvez prefira músicas mais contemporâneas, mas certifique-se de que seus filhos cresçam com letras e histórias da fé cristã. Leve suas meninas e seus meninos para uma igreja idônea, que prega a Palavra de Deus e que ajudará você a criá-los "segundo a instrução e o conselho do Senhor" (Ef 6.4).

4. "Orem continuamente" (1Ts 5.17).

A oração é uma das dádivas mais misteriosas e extraordinárias de Deus para nós. É nossa ligação vital com o céu, com o mais sagrado de todos os relacionamentos; é nossa oportunidade de expressar diretamente para o Criador do Universo nossos louvores e anseios. Esse ato simples tem um poder que não somos capazes de explicar inteiramente e que, no entanto, é inegável. E a oração é a maneira mais eficaz de contribuir para o bem-estar de nossos filhos.

Como talvez você saiba, minha esposa, Shirley, é diretora da National Day of Prayer Task Force [Comissão para o Dia Nacional de Oração]. A oração é a paixão da vida dela desde os 6 anos de idade, quando entregou o coração ao Senhor. Eis a mensagem de Shirley para mães e pais:

> Ao serem confrontados com as responsabilidades assustadoras da educação dos filhos, sem falar na maldade presente no mundo de hoje, não é de surpreender que muitos pais sintam necessidade urgente de orar sem cessar pelos filhos. Quando [nossa filha] Danae, tinha uns 3 anos, Jim e eu percebemos que precisávamos de socorro divino para realizar nosso papel de pais. Começamos a jejuar e a orar por ela, e, posteriormente por [nosso filho] Ryan, quase toda semana (uma prática que mantenho até hoje).
>
> Nossa oração era algo do tipo: "Senhor, dá-nos sabedoria para educar os filhos preciosos que o Senhor confiou a nós como empréstimo e, acima de tudo, ajuda-nos a conduzi-los aos pés de Cristo. Isso é mais importante para nós do que nossa saúde, trabalho ou finanças. Pedimos com todo o fervor que o círculo não se rompa, que permaneça intacto quando nos encontrarmos no céu".
>
> Deus não apenas ouviu essa oração, mas nos abençoou de maneiras inesperadas. Nosso tempo de oração se transformou em um projeto que Jim e eu

desfrutamos *juntos*, que nos aproxima um do outro à medida que nos achegamos a Deus. Ademais, o ato de jejuar toda semana é uma lembrança importante de nossas prioridades. É difícil nos esquecermos de nossos valores mais elevados quando focalizamos toda a atenção neles por um dia inteiro dentre sete. Por fim, nossos filhos foram influenciados por esses atos de disciplina. Quando nos viam orar e jejuar, isso nos dava a oportunidade de explicar para eles por que o fazíamos, quanto os amávamos e quanto amávamos e confiávamos no Senhor.

Deus ouve e honra, em seu tempo perfeito, nossas petições em favor de nossos filhos. Se você deseja o melhor para seus meninos e meninas, insto-o a clamar ao maior poder do Universo em oração frequente.[4]

As observações de Shirley expressam o cerne daquilo em que creio com todas as minhas forças. Por isso, ao longo de toda a minha vida profissional, incentivei pais cristãos a apresentarem seus meninos e suas meninas a Jesus Cristo e os colocarem continuamente diante de Deus em oração. Afinal, só poderemos estar com nossos filhos na vida por vir se eles conhecerem o Senhor como Salvador.

Quero concluir com as palavras bordadas em um quadro que temos em nossa casa. São de 3João 1.4: "Não tenho alegria maior do que ouvir que meus filhos estão andando na verdade". Graças a Deus, eles estão!

* * *

Nesse contexto de eternidade, encerro com uma história sobre uma garotinha que não tive o privilégio de conhecer. Seu nome é Delaney, e ela viveu aqui na terra apenas dezesseis meses antes de ir para junto de Jesus. Quem sabe por que essa criança tão preciosa recebeu tão pouco tempo para viver, amar e crescer? Só Deus. Meu coração se comove, porém, com os pais dela, Mark e Becky Waters, com os quais trabalhei vários anos na organização Focus on the Family. Mark me mandou uma foto inesquecível que ele chamou de "A cadeira vazia" e que se encontra reproduzida a seguir, juntamente com a carta que a acompanhava.

"A cadeira vazia", fotografado por Mark Waters.

Prezado dr. Dobson,

Hoje é o sexto aniversário do dia em que Delaney, minha garotinha querida, foi para casa viver com o Deus todo-poderoso. Nesses momentos em que minha família e eu nos lembramos dela com lágrimas, sorrisos e a certeza de que a veremos novamente algum dia, não posso deixar de pensar em você e no livro que está escrevendo, *Educando meninas*.

Embora tenhamos passado apenas dezesseis curtos meses com Delaney, ela é uma dádiva especial. Na época, eu era pai de um garotinho (hoje, de dois) e posso dizer que ela era um ser completamente diferente. Desde que meus meninos tinham idade para estender os braços e me abraçar, minha impressão era de que eles estavam treinando um golpe de luta livre que hoje eles aplicam em mim sempre que podem. Receber um abraço de Delaney, porém, era uma experiência bem diferente. Ela não cansava nunca de se derreter em meus braços e enterrar o rosto em meu pescoço. Era amor puro. Era minha Doce Delaney.

Ao compartilhar nossa história com outras pessoas, especialmente com pais e mães, faço sempre questão de transmitir a visão mais importante com a qual Deus nos abençoou (sim, abençoou) por meio dessa perda trágica. Sempre lhes digo: "Posso viver aqui na terra sem minha querida Delaney, mas não posso imaginar passar a eternidade sem qualquer um de meus filhos". Deus tornou a relevância dessa ideia bastante clara para minha esposa, Becky, e para mim, e somos (no sentido literal) eternamente gratos. É meu desejo que essa verdade fique clara para todos os pais sem que precisem passar por uma experiência trágica como a nossa.

Apesar de tudo que aprendemos, continuamos não sendo pais perfeitos, mas não precisamos ser perfeitos para transmitir a visão eterna de Deus. Nossos filhos falam com frequência e certeza da "nossa irmã Delaney, que mora no céu". Também sorriem quando falam sobre o que vão fazer juntos quando finalmente se encontrarem com ela. A fé das crianças é tão pura. Gosto demais disso.

Não sei qual será a aparência de Delaney quando a virmos novamente. Ainda será uma garotinha, ou terá crescido e se transformado em uma linda mulher? Não importa. Nós nos abraçaremos e derramaremos muitas lágrimas de alegria por um longo tempo. Eu chorarei porque a dor da morte dela terá desaparecido para sempre. Só restará a única coisa que importa de verdade: participaremos da eternidade juntos.

Que Deus o abençoe enquanto você escreve este livro, dr. Dobson. E que seus leitores levem a sério a responsabilidade de educar, proteger e amar essas dádivas especiais, essas garotinhas ternas, amorosas e preciosas que Deus lhes confiou.

Seu irmão em Cristo,

Mark

Obrigado, Mark. Você falou em nome de muitos outros pais entre meus leitores que, hoje, vivem com "uma cadeira vazia". Conheci muitos deles em seus momentos de angústia quando trabalhei na equipe do Hospital Infantil de Los Angeles. Alguns dos filhos deles agora estão no céu, onde correm e brincam com a "Doce Delaney". Mas seus dias na terra jamais serão esquecidos.

Talvez essas mães e pais, bem como Mark e Becky, encontrem consolo e inspiração no seguinte poema escrito por Edgar Guest:

Criança emprestada
"Uma criança minha,
Lhes emprestarei por um tempinho", Ele disse.
"Para amarem-na enquanto ela viver,
E chorarem quando ela morrer.
Seis ou sete anos,

Vinte e dois, ou três.
Até que eu a chame de volta ao lar,
Desejam cuidar dela para mim?
Ela terá encantos para alegrá-los,
E, se a estadia curta for,
Deixará memórias lindas,
E consolo para seu pesar.
Não posso prometer que ela vai ficar,
Pois todos que são da terra voltam.
Mas eu quero que essa criança aprenda
Lições que aí na terra são ensinadas.
Pelo mundo afora, procurei
Mestres que sejam fiéis.
E, das multidões que enchem os caminhos da vida,
Escolhi vocês.
Será que se dispõem a amá-la,
Com todo o seu amor,
Sem pensar que o esforço é em vão,
E sem me odiar quando eu chamá-la
E de volta a mim tomá-la?
Penso tê-los ouvido responder:
"Senhor amado, tua vontade seja feita,
Em toda a alegria
Que essa criança há de trazer,
Em todo risco de tristeza
Que havemos de correr.
Nós a protegeremos com ternura,
E a amaremos enquanto assim pudermos.
E pela alegria que irá trazer,
Eternamente gratos nós queremos ser.
Mas se os anjos a chamarem,
Muitos antes do que imaginávamos,
Suportaremos a amarga dor que vier,
E tentaremos compreender.

* * *

Eis, portanto, o que penso e sugiro sobre a educação de meninas. Foi um prazer escrever este livro para vocês. Venho trabalhando nele há mais de três anos, investigando uma quantidade enorme de pesquisas e textos técnicos. Algumas das meninas que eu tinha em mente no início estão crescidas, e algumas de suas jovens mães começaram a imaginar que já seriam avós quando eu terminasse. Agora que o livro está completo e vocês o leram, espero que considerem úteis os meus conselhos. As meninas que vocês estão educando merecem o seu melhor.

Notas

CAPÍTULO 2

[1] Disponível em: <http://www.ed.gov/about/reports/annual/osep/2003/25th-vol-1.pdf>, fig. 1-20, p. 26.

[2] Michael GURIAN. *The Wonder of Boys*, p. 17-18.

[3] Gennaro F. VITO, Jeffrey R. MAAH e Ronald M. HOLMES. *Criminology: Theory, Research, and Policy*, p. 38.

[4] Disponível em: <http://www.sciencenews.org/articles/20060415/mathtrek.asp>.

[5] Disponível em: <http://ojjdp.ncjrs.org/ojstatbb/nr2006/downloads/chapter6.ppt#264,10,Juvenile%20court%20caseload%20trends%20are%20different%20for%20males%20and%20females>.

[6] Peg TYRE. *The Trouble with Boys: A Surprising Report Card on Our Sons, Their Problems at School, and What Parents and Educators Must Do*. "Trends in Educational Equity of Girls and Women: 2004", *National Center for Education Statistics*, U. S. Department of Education; disponível em: <http://nces.ed.gov/pubs2005/equity/Section4.asp>. "Education at a Glance 2003", Organisation for Economic Co-Operation and Development; disponível em: <http://www.oecdwash.org>.

[7] Alaina Sue POTRIKUS. "Women Making Strides in Education, Grades, Attendance, Graduation Rate Higher than Men", *St. Paul Pioneer Press*, 28 de set. de 2003, p. A5.

[8] "Trends in Educational Equity of Girls and Women: 2004", *National Center for Education Statistics*, U. S. Department of Education; disponível em: <http://nces.ed.gov/pubs2005/equity/Section4.asp>. Kathleen DEVENY. "Girls Gone Bad", *Newsweek*, 12 de fev. de 2007, p. 40.

[9] "Trends in Educational Equity of Girls and Women: 2004", *National Center for Education Statistics*, U. S. Department of Education; disponível em: <http://nces.ed.gov/programs/projections/projections2015/sec4b.asp>.

[10] "Media's Effects on Girls: Body Image and Gender Identity", *National Institute of Media and the Family Fact Sheet*. Rev. 3 de abr. de 2009.

[11] Stacy WEINER. "Goodbye to Girlhood", *The Washington Post*, 20 de fev. de 2007; disponível em: <http://www.washingtonpost.com/wp-dyn/content/article/2007/02/ 16/AR2007021602263.html>.

[12] Ellen A. SCHUR, Mary SANDERS e Hans STEINER. "Body Dissatisfaction and Dieting in Young Children", *The International Journal of Eating Disorders*, vol. 27, dez. de 1999, p. 74-82. Judith DUFFY. "Revealed: The Children as Young as Five Years Old Suffering from Eating Disorders", *Sunday Herald*, 12 de nov. de 2006, p. 7.

[13] "Cutting Girls Down to Size: The Influence of the Media on Teenage Body Image", *Media & Values*, 3 de nov. de 2005, p. 2-3.

[14] National Institute of Mental Health Statistics, 2004; disponível em: <http://www.nimh.nih.gov/Publicat/eatingdisorders.cfm#supl>.

[15] Idem.

[16] Urmee KHAN. "Angelina Jolie Says Fidelity Not Essential for Relationships to Work", *Telegraph*, 23 de dez. de 2009; disponível em: <http://www.telegraph.co.uk/news/newstopics/celebritynews/6870917/Angelina-Jolie-says-fidelity-not-essential-for-relationships-to-work.html>.

[17] The Center on Alcohol Marketing and Youth, *Out of Control: Alcohol Advertising Taking Aim at America's Youth — A Report on Alcohol Advertising in Magazines*. Washington, DC: The Center on Alcohol Marketing and Youth, 2002.

[18] "Teenage Girls Targeted for Sweet-Flavored Alcoholic Beverages: Polls Show More Teen Girls See 'Alcopop' Ads than Women Age 21-44", AlcoholPolicyMd.com, 16 de dez. de 2004; disponível em: <http://www.alcoholpolicymd.com/press_room/Press_releases/girlie_drinks_release.htm>.

[19] Page HURWITZ e Alison POLLET. "Strip Till You Drop: Teen Girls Are the Target Market for a New Wave of Stripper-Inspired Merchandise", *The Nation*, 12 de jan. de 2004, p. 20.

[20] Idem.

[21] Steve LOPEZ. "A Scary Time to Raise a Daughter", *The Los Angeles Times*, 26 de out. de 2003, p. B1.

[22] Avenida em Nova York onde ficam algumas das maiores agências norte-americanas de publicidade. (N. do T.)

[23] Project Safe Childhood: A National Media Campaign; disponível em: <http://knowwheretheygo.org/DigitalFootprint/pornography>.

[24] Disponível em: <http://www.amazon.com/Barbie-Scene-Bling-Chelsea-Doll/dp/B000A7S5AU/ref=pd_sim_t_title_2>.

[25] Stacy WEINER. "Goodbye to Girlhood", *The Washington Post*, 20 de fev. de 2007; disponível em: <http://www.washingtonpost.com/wp-dyn/content/article/2007/ 02/16/AR2007021602263.html>.

[26] Bruce KLUGER. "Dolls Lose Their Innocence", *USA Today*, 11 de dez. de 2006, p. A23. [Raggedy Ann é uma referência a uma boneca de pano que foi personagem das histórias de Johnny Gruelle (1880-1938). (N. do T.)]

[27] Disponível em: <http://www.apa.org/pi/women/programs/girls/report-summary.pdf>.

[28] NPD Fashionworld Data, 2003, citado por Claudia WALLIS, "The Thing about Thongs", *Time magazine*, 28 de set.de 2003; disponível em: <http://www.time.com/time/magazine/article/0,9171,490711,00.html>.

[29] Michelle MALKIN. "Standing Up to the 'Girls Gone Wild' Culture", 27 de jul. de 2004; disponível em: <www.michelemalkin.com/2004/07/27/standing-up-to-the-girls-gone-wild-culture>.

[30] Idem.

CAPÍTULO 3

[1] *Good Housekeeping*, out. de 1990, p. 87-88.

[2] Lynn HIRSCHBERG. "The Misfit", *Vanity Fair*, abr. de 1991, p. 160-169, 196-202.

[3] Alan EBERT. "Oprah Winfrey Talks Openly about Oprah", *Good Housekeeping*, set. de 1991, p. 63.

[4] Deborah Starr SEIBEI. "Melissa Gilbert's Bittersweet Justice", *TV Guide*, 15 de out. de 1994, p. 12.

[5] Marcia CHELLIS. *Living with the Kennedys: The Joan Kennedy Story*, p. 39.

[6] Idem, p 45.

[7] P. 8-9, 18, 28.

[8] Angela KASET. "The Hopechest Song", *Purple Sun Music*, LLC, 1996. Interpretada por Stephanie Bentley no álbum *Hopechest*.

CAPÍTULO 4

[1] Adaptado do poema de Robert SOUTHEY (1774-1843), intitulado "What Folks Are Made Of", c. 1820.

[2] "Brainstorm: Neuroscientist Sandra Witelson Says Men's and Women's Brains Are Different", *Chatelaine*, dez. de 1995, p. 72-74.

[3] P. 29

[4] Idem.

[5] Michael Gurian e Kathy Stevens. *The Minds of Boys,* p. 140.

[6] Michael Gurian e Kathy Stevens. "With Boys and Girls in Mind", *Educational Leadership*, nov. de 2004, p. 21-26.

[7] Louann Brizendine. *Como as mulheres pensam*, p. 13.

[8] Idem.

[9] Idem.

[10] E. B. McClure. "A Meta-Analytic Review of Sex Differences in Facial Expression Processing and Their Development in Infants, Children, and Adolescents", *Psychology Bulletin* 126, n.º 3, 2000, p. 424-453.

[11] Idem.

[12] Louann Brizendine. *Como as mulheres pensam*, p. 14-15.

[13] M. J. Meaney e M. Szyf. "Environmental Programming of Stress Responses through DNA Methylation: Life at the Interface between a Dynamic Environment and a Fixed Genome", *Dialogues in Clinical Neuroscience* 7, n.º 2, 2005, p. 103-123.

[14] Louann Brizendine. *Como as mulheres pensam*, p. 21-22.

[15] Michael Gurian. *The Wonder of Girls*, p. 23.

[16] Idem, p. 53.

[17] Idem.

[18] Idem.

[19] Idem, p. 55.

[20] Idem.

[21] Allan Pease e Allan Garner. *Talk Language: How to Use Conversation for Profit and Pleasure.*

[22] Ron. G. Rosenfeld e Barbara C. Nicodemus. "The Transition from Adolescence to Adult Life: Physiology of the 'Transition' Phase and Its Evolutionary Basis", *Hormone Research*, n.º 60, 2003, p. 74-77.

[23] Idem.

CAPÍTULO 5

[1] John Adams e Charles Francis Adams. *The Works of John Adams, Second President of the United States*. Boston: Little, Brown & Company, 1865, p. 171.

[2] John Adams, citado em seu discurso às Forças Armadas dos Estados Unidos, 11 de out. de 1798; disponível em: <http://oll.libertyfund.org/?option=com_

staticxt&staticfile=show.php%3Ftitle=2107&chapter=161247&layout=html&Itemid=27%3chttps://fofmail.fotf.org/exchweb/bin/redir.asp?URL=http://oll.libertyfund.org/?option=com_staticxt%26staticfile=show.php%253Ftitle=2107%26chapter=161247%26layout=html%26Itemid=27>.

[3] Abraham Lincoln. Discurso de Gettysburg, 19 de nov. de 1863.

[4] Horace Mann. *The Common School Journal: For the Year 1847*, vol. 9. Boston: William B. Fowle, 1847, p. 181.

[5] Citado em E. D. Hill. *I'm Not Your Friend, I'm Your Parent: Helping Your Children Set the Boundaries They Need... and Really Want*. Nashville: Thomas Nelson Publishers, 2008, p. 16.

[6] Venice Buhain. "Young Students Learn How, Why to Use Good Manners", *Olympian*; disponível em: <http://www.finaltouchschool.com/article_yslearn.htm>.

[7] Virginia De Leon. "You Could Call Her Our Very Own Ms. Manners", *Spokesman-Review*, 7 de abr. de 2008.

[8] Zehra Mamdani. "Charm Schools Making a Comeback", *Chicago Tribune*, 29 de jun. de 2008, p. 6.

[9] Caroline Mansfield, Suellen Hopfer e Theresa M. Marteau. "Termination Rates after Prenatal Diagnosis of Down Syndrome, Spina Bifida, Anencephaly, and Turner and Klinefelter Syndromes: A Systematic Literature Review", *Prenatal Diagnosis* 19, n.º 9, 1999, p. 808-812; disponível em: <http://www3.interscience.wiley.com/cgi-bin/abstract/65500197/ABSTRACT>. Semelhante a 90% dos resultados constatados por David W. Britt, Samantha T. Risinger, Virginia Miller, Mary K. Mans, Eric L. Krivchenia e Mark I. Evans. "Determinants of Parental Decisions after the Prenatal Diagnosis of Down Syndrome: Bringing in Context". *American Journal of Medical Genetics* 93, n.º 5, 1999, p. 410-416.

[10] "Meet Pro-Life Governor Sarah Palin", *National Right to Life News*, 1º de set. de 2008.

[11] "Building Moral Character in Kids", *Focus on the Family* (programa diário de rádio), 7 de nov. de 2005.

[12] Wendy Shalit. *Girls Gone Mild: Young Women Reclaim Self-Respect and Find It's Not Bad to Be Good*.

[13] John Adams e Charles Francis Adams, *The Works of John Adams*, p. 171.

[14] Essa conversa ocorreu no *campus* do Instituto Focus on the Family, em out. de 2008.

CAPÍTULO 6

[1] Peggy Noonan. "Embarrassing the Angels: Or, That's No Way to Treat a Lady", *The Wall Street Journal*, 2 de mar. de 2006; disponível em: <http://www.opinionjournal.com/columnists/pnoonan/?id=110008034>.

CAPÍTULO 7

[1] John Bowlby. *Attachment and Loss 1: Attachment*. Jeffry A. Simpson e William Steven Rholes. *Attachment Theory and Close Relationships*, p. 167. Inge Bretherton. "The Origins of Attachment Theory: John Bowlby and Mary Ainsworth", *Developmental Psychology*, vol. 28, n.º 5, set. de 1992, p. 759-775.

[2] Disponível em: <http://www.zerotothree.org/site/PageServer?pagename=key_brain>.

[3] Lucy M. Osborn e outros. *Pediatrics*, p. 494.

[4] John Bowlby. *Attachment and Loss 1*. Jeffry A. Simpson e William Steven Rholes. *Attachment Theory and Close Relationships*, p. 167. Inge Bretherton. "The Origins of Attachment Theory", p. 759-775.

[5] C. F. Weems e V. G. Carrion. "The Association between PTSD Symptoms and Salivary Cortisol in Youth: The Role of Time since the Trauma", *Journal of Traumatic Stress* 20, n.º 5, 2007, p. 903-907. A. N. Schore, "The Effects of Early Relational Trauma on Right Brain Development, Affect Regulation, and Infant Mental Health", *Infant Mental Health Journal* 22, n.º 1-2, 2001, p. 201-269. A. N. Schore. *Affect Regulation and the Origin of the Self: The Neurobiology of Emotional Development*.

[6] Terry M. Levy, ph.D. "Understanding Attachment Disorder"; disponível em: <http://www.4therapy.com/consumer/conditions/article/6578/507/Understanding+Attachment+Disorder>.

[7] M. Mäntymaa, K. Puura, I. Luoma, R. Salmelin, H. Davis, J. Tsiantis, V. Ispanovic-Radojkovic, A. Paradisiotou, T. Tamminen. "Infant-Mother Interaction as a Predictor of Child's Chronic Health Problems", *Child Care Health Development*, vol. 29, n.º 3, mai. de 2003, p. 181-191.

[8] Ruth Feldman e outros. "Relations between Cyclicity and Regulation in Mother-Infant Interaction at 3 and 9 Months and Cognition at 2 Years", *Journal of Applied Developmental Psychology*, vol. 17, 1996, p. 347-365.

[9] Salmos 139.13-18.

[10] Lauren Lindsey Porter. "The Science of Attachment: The Biological Roots of Love", *Mothering*, jul.-ago. de 2003.

[11] Cálculos do *National Women's Law Center*, com base em dados sobre características empregatícias no âmbito familiar em 2006, tabelas 5 e 6.

[12] Dados do censo de 2002 nos Estados Unidos; disponível em: <http://www.census.gov/prod/2008pubs/p70-113.pdf+Census+and+%22mothers%22+and+2002+and+maternity&cd=1&hl=en&ct=clnk&gl=us>.

[13] *Maternal Desire: On Children, Love, and the Inner Life*, p. 9.

[14] Idem, p. 22.

[15] Ellyn Spragins. "Love & Money: Is My Mom Better than Yours?" *The New York Times*, 1º de jul. de 2001.

[16] Idem.

[17] Idem.

[18] "Fewer Mothers Prefer Full-Time Work: From 1997 to 2007", *Pew Research Center*, 12 de jul. de 2007; disponível em: <http://pewresearch.org/pubs/536/working-women>.

[19] Idem.

[20] Idem.

[21] Idem.

[22] Carol Platt LIEBAU. *Prude: How the Sex-Obsessed Culture Damages Girls (and America, Too!)*, p. 208-211.

[23] Citado por Mary Ann FERGUS. "Author Looks at Mom-Daughter Tensions", *Houston Chronicle*, 25 de mar. de 2002, p. 1.

CAPÍTULO 8

[1] Disponível em: <http://www.focusleadership.org>.

[2] Provérbios 18.24.

[3] Salmos 34.18.

[4] William J. GAITHER e Gloria GAITHER. "Something Beautiful", 1980.

CAPÍTULO 9

[1] Tanya S. SCHEFFLER e Peter J. NAUS. "The Relationship between Fatherly Affirmation and a Woman's Self-Esteem, Fear of Intimacy, Comfort with Womanhood and Comfort with Sexuality", *Canadian Journal of Human Sexuality* 8, n.º 1, primavera de 1999, p. 39-45. Margaret J. MEEKER. *Strong Fathers, Strong Daughters: 10 Secrets Every Father Should Know*.

[2] *National Vital Statistics*, v. 52, n.º 10, 2002; disponível em: <http://www.cdc.gov/nchs/data/nvsr/nvsr52/nvsr52_10.pdf>.

[3] P. 35-36.

[4] John LENNON. "Beautiful Boy" (1980). Ao longo dos anos, versões dessa mesma citação foram atribuídas a vários indivíduos, como Betty Talmadge, Thomas La Mance, Margaret Millar, Lily Tomlin, William Gaddis e Allen Saunders.

[5] Margareth J. MEEKER. *Strong Fathers, Strong Daughters*, p. 96. Debra HAFFNER. *Beyond the Big Talk: A Parent's Guide to Raising Sexually Healthy Teens — from Middle School to High School and Beyond*.

[6] Rebekah Coley. "Children's Socialization Experiences and Functioning in Single-Mother Households: The Importance of Fathers and Other Men", *Child Development*, vol. 69, fev. de 1998, p. 219-230.

[7] A. Morcoen e K. Verschuren. "Representation of Self and Socioemotional Competence in Kindergartners: Differential and Combined Effects of Attachment to Mothers and Fathers", *Child Development*, vol. 70, 1999, p. 183-201.

[8] Michael D. Resnick e outros. *Journal of the American Medical Association*, vol. 10, 19 set. de 1997, p. 823-832.

[9] Diann Ackard e outros. *American Journal of Preventive Medicine*, vol. 1, 30 de jan. de 2006, p. 59-66.

[10] U. S. Department of Health and Human Services, National Center for Health Statistics, "Survey on Child Health", Washington, DC: GPO, 1993.

[11] Greg J. Duncan, Martha Hill e W. Jean Yeung. "Fathers' Activities and Children's Attainments". Estudo apresentado numa conferência sobre envolvimento paterno, Washington, DC.

[12] Joseph E. Schwartz e outros. "Sociodemographic and Psychosocial Factors in Child as Predictors of Adult Mortality", *American Journal of Public Health*, vol. 85, 1995, p. 1237-1245.

[13] Claudette Wassil-Grimm. *Where's Daddy? How Divorced, Single and Widowed Mothers Can Provide What's Missing When Dad's Missing*.

[14] N. Zill e Carol Schoenborn. "Child Development, Learning and Emotional Problems: Health of Our Nation's Children", U. S. Department of Health and Human Services, National Center for Health Statistics, Advance Data 1990. Washington, DC: GPO, 1990.

[15] E. M. Hetherington e Barbara Martin. "Family Interaction", *Psychopathological Disorders of Childhood*. New York: Wiley, 1979.

[16] F. Horn e Tom Sylvester. *Father Facts*.

[17] Agnieszka Wiszewska e outros. "Father-Daughter Relationship as a Moderator of Sexual Imprinting: A Facialmetric Study", *Evolution and Human Behavior*, publicado *on-line* por Elsevier, 2007.

CAPÍTULO 11

[1] Em alguns países, é possível que os pais optem por cuidar pessoalmente dos estudos dos filhos. (N. do T.)

[2] Disponível em: <http://generationsoflight.myicontrol.com>.

[3] Neela Banerjee. "Dancing the Night Away, with a Higher Purpose", *The New York Times*, 19 de mai. de 2008, p. A13.

[4] Steven Curtis Chapman. "Cinderella", lançado em 28 de mai. de 2008.

CAPÍTULO 12

[1] "The Princess Effect: Fascination with Princesses Could Be Unhealthy", *Good Morning America*, ABC News, 22 de abr. de 2007.

[2] Peggy ORENSTEIN. "What's Wrong with Cinderella", *The New York Times*, 24 de dez. de 2006, p. 34.

[3] Beth THAMES. "Pretty in Pink but Powerful, Too", *Huntsville Times*, 2 de jan. de 2005, p. F2.

[4] Jennifer DOWD. "The Princess Debate: Are Fairy Tale Princesses Really Bad for Our Girls?"; disponível em: <http://parenting.kaboose.com/behavior/emotional-social-development/the-princess-debate.html>.

[5] Personagem de uma história infantil. (N. do T.)

[6] De uma canção popular norte-americana. (N. do T.)

[7] Atriz, produtora e ativista social. (N. do T.)

[8] Canção da trilha sonora do desenho animado *Cinderela*. (N. do T.)

[9] Peggy ORENSTEIN. "What's Wrong with Cinderella", p. 34.

[10] Idem.

[11] Beth THAMES. "Pretty in Pink, but Powerful, Too", p. F2.

[12] "Princess Image for Girls Debated", United Press International, 23 de abr. de 2007.

[13] P. 34-35.

[14] Skip HOLLANDSWORTH. "Vanity Farrah", *Texas Monthly*, jan. de 1997, p. 71.

[15] Donna FREYDKIN. "TV Angel's Story Comes to a Sad Ending", *USA Today*, 26 de jun. de 2009, p. D10.

[16] "Remembering Farrah: Her Life in Pictures", *People*, 13 de jul. de 2009.

[17] Donna FREYDKIN. "TV Angel's Story Comes to a Sad Ending", p. D10.

[18] Sue Anne PRESSLEY. "From Courting to Court: A Love Story", *Los Angeles Times*, 7 de set. de 1995, p. E1.

[19] Abby GOODNOUGH and Margalit Fox. "Anna Nicole Smith Is Found Dead in Florida", *The New York Times*, 9 de fev. de 2007, p. A12.

[20] Marc GELLMAN. "Women as Meat: Reflections on the Death of Anna Nicole Smith", *Newsweek*. Exclusivamente na versão *on-line*, 14 de fev. de 2007; disponível em: <http://www.newsweek.com/id/61487?tid=relatedcl>.

[21] Nancy ETCOFF, Susie ORBACH, Jennifer SCOTT e Heidi D'AGOSTINO. "The Real Truth about Beauty: A Global Report", relatório da pequisa global sobre mulher, beleza e bem-estar, feita pelaUnilever Beauty Brand, set. de 2004.

[22] Idem.

[23] Idem.

[24] "Real Women Bare Their Curves as Part of Dove's Global Campaign to Widen the Definition of Beauty". Informativo da Unilever para a imprensa, 23 de jun. de 2005; disponível em: <http://www.unileverusa.com/mediacenter/pressreleases/2005_Press Releases/Real_Women.aspx>.

[25] Idem.

CAPÍTULO 13

[1] P. 120-121.

[2] Estudo do NICHD sobre cuidados na primeira infância e desenvolvimento juvenil: "Does Amount of Time Spent in Child Care Predict Socioemotional Adjustment during the Transition to Kindergarten?"; disponível em: <http://www.researchforum.org/project_printable_185.html>. Brian ROBERTSON, *Day Care Deception: What the Child Care Establishment Isn't Telling Us*, p. 85-86.

[3] Jay BELSKY. "The Dangers of Day Care", *Wall Street Journal*, 16 de jul. de 2003.

[4] Karl ZINSMEISTER. "Longstanding Warnings from Experts", *The American Enterprise*, maio-jun. de 1998, p. 34-35.

[5] P. 85-86

[6] Disponível em: <http://www.pollyklaas.org/about/pollys-story.html>.

[7] Assembleia Estadual de Colorado SB200; disponível em: <http://www.leg.state.co.us/clics/clics2008a/csl.nsf/fsbillcont3/BD7A295EB6F4460E872573F5005D0148?open&file=200_enr.pdf>

[8] Relatório final da Comissão sobre Pornografia da Procuradoria-Geral da União Norte-Americana, jul. de 1986; disponível em: <http://www.porn-report.com>. G. ABLE e outros. "Self-Reported Sex Crimes of Nonincarcerated Paraphiliacs", *Journal of Interpersonal Violence*, vol. 2, 1987, p. 3-25; disponível em: <http://www.mayoclinicproceedings.com/content/82/4/457.full#sec-3>. Patrick GOODENOUGH, "Online Porn Driving Sexually Aggressive Children", CNSNews.com, 26 de nov. de 2003.

[9] *New York v. Ferber*, 458 U.S. 747; disponível em: <http://straylight.law.cornell.edu/supct/html/historics/USSC_CR_0458_0747_ZS.html>.

[10] Disponível em: <http://www.charleyproject.org/cases/c/culver_lynette.html>; <http://www.time.com/time/2007/crimes/14.html>.

[11] *Uma garota genial*, dirigido por William Wyler. Columbia Pictures, 1968. Letra de Bob Merrill.

CAPÍTULO 14

[1] "Is God Dead?" *Time*, 8 de abr. de 1966; disponível em: <http://www.time.com/time/covers/0,16641,19660408,00.html>.

[2] Laura MANSNERUS. "Timothy Leary, Pied Piper of Psychedelic 60's, Dies at 75", *The New York Times*, 1º de jun. de 1996.

[3] Com base em dados relatados pelo Alan Guttmacher Institute.

[4] "Court Tosses FCC 'Wardrobe Malfunction' Fine", *Associated Press*, 21 de jul. de 2008.

[5] Michael BURLEIGH. *The Third Reich: A New History*, p. 235.

[6] William Lawrence SHIRER. *Ascensão e queda do Terceiro Reich*.

[7] Wendy SHALIT. "A Ladies' Room of One's Own", *Commentary*, ago. de 1995.

[8] *Prude: How the Sex-Obsessed Culture Damages Girls (and America, Too!)*, p. 17.

[9] Idem, p. 31.

[10] Idem. *2002 National Survey of Family Growth, Advance Data* n.º 362, 15 de set. de 2005.

[11] B. E. WELLS e J. M. TWENGE. "Changes in Sexual Behavior and Attitudes, 1943-1999: A Cross-Temporal Meta-Analysis", *Review of General Psychology*, vol. 9, 2005, p. 249-261.

[12] Lydia SAAD. "Americans Have Complex Relationship with Marriage: Many Supportive of Unwed Families, but Most Still Seek Marriage", *Gallup Poll News Service*, 30 de mai. de 2006.

[13] "Most Americans Believe in Sin, but Differ Widely on Just What It Is," *Ellison Research*, 11 de mar. de 2008; disponível em: <http://ellisonresearch.com/releases/ 20080311.htm>.

[14] Family Research Council, *Washington Update*, mar. de 2008.

[15] Florence KING. "In All, Modesty". *National Review*, 5 de jan. de 1999.

[16] *Prude*, p. 186.

[17] Christopher KELLY (Ed.). *Rousseau on Women, Love, and Family*, p. 30.

[18] "Sex and Tech: Results from a Survey of Teens and Young Adults", National Campaign to Prevent Teen and Unplanned Pregnancy, dez. de 2008.

[19] Modelo e atriz norte-americana conhecida por seus papéis de menina ingênua e inocente em filmes de Hollywood. (N. do T.)

[20] Jim JACOBS e Warren CASEY. "Look at Me, I'm Sandra Dee", 1978.

[21] Randal KLEISER. *Grease: nos tempos da brilhantina*. Paramount Pictures, 1978.

[22] Simpósio da Conferência sobre Assuntos Mundiais, realizado na Boulder High School em 10 de abr. de 2007. Transcrição.

[23] "School Employees Reprimanded for Sex, Teens, Drugs Assembly", *Denver News*, 23 de maio de 2007.

[24] Simpósio da Conferência sobre Assuntos Mundiais, 10 de abr. de 2007, p.38.

[25] P. 38.

[26] Idem, p. 36, 33.

[27] Idem, p. 6.

[28] Idem, p. 7.

[29] Carol Platt LIEBAU. *Prude*, p. 191-192.

CAPÍTULO 15

[1] "Girls' Suicide Rates Rise Dramatically: CDC Advises Prevention Programs to Focus on Gender and Age Groups Most at Risk", *Associated Press*, 6 de set. de 2007.

[2] Martha W. WALLER, Denise Dion HALLFORS, Carolyn Tucker HALPERN, Bonita IRITANI, Carol A. FORD e Guang GUO. "Gender Differences in Associations between Depressive Symptoms and Patterns of Substance Use and Risky Sexual Behavior among a Nationally Representative Sample of U. S. Adolescents", *Archives of Women's Mental Health*, vol. 9, n.º 3, mai. de 2006, p. 139-150.

[3] Idem.

[4] Idem.

[5] Denise D. HALLFORS, Martha W. WALLER, Daniel BAUER, Carol A. FORD e Carolyn T. HALPERN. "Which Comes First in Adolescence: Sex and Drugs or Depression?" *American Journal of Preventive Medicine*, vol. 29, n.º 3, out. de 2005, p. 163-170.

[6] Robert E. RECTOR, Kirk A. JOHNSON e Lauren R. NOYES. "Sexually Active Teenagers Are More Likely to Be Depressed and to Attempt Suicide", Center for Data Analysis Report n.º 3-4, *Heritage Foundation*, 3 de jun. de 2003.

[7] Idem.

[8] Idem.

[9] Idem.

[10] Idem.

[11] Idem.

[12] Stephanie DUNNEWIND. "Teens, Drugs and Gender Roles: Markers for Cutting", *Seattle Times*, 24 de set. de 2003.

[13] Pesquisa sobre doenças sexualmente transmissíveis feita em 2007 pelos Centros de Controle e Prevenção de Doenças (EUA). O relatório completo encontra-se disponível em: <http://www.cdc.gov/std/stats07>.

[14] E. JOHANNISSON. "STDs, AIDS and Reproductive Health", *Advances in Contraception*, jun. de 2005.

[15] Idem.

[16] Lawrence K. ALTMAN. "Sex Infections Found in Quarter of Teenage Girls", *The New York Times*, 12 de mar. de 2008. "Teens Unaware of Sexually Transmitted Diseases until They Catch One, Carnegie Mellon Study Finds", *Medical News Today*, 3 de jan. de 2006.

[17] Genital HPV Infection: CDC Fact Sheet, 2009; disponível em: <http://www.cdc.gov/STD/HPV/STDFact-HPV.htm>.

[18] Idem.

[19] Idem.

[20] Idem.

[21] Christine MARKHAM. "Middle School Youth as Young as 12 Engaging in Risky Sexual Activity", *Journal of School Health*, abr. de 2009; disponível em: <http://www.uthouston.edu/media/newsreleases/nr2009/index.htm?id=1214820>.

[22] Duberstein LINDBERG, Rachel JONES e John S. SANTELLI. "Non-Coital Sexual Activities among Adolescents", *Journal of Adolescent Health*, jul. de 2008, p. 231-238.

[23] *National Center for Health Statistics*, 2005. Laura Sessions STEPPS. "Study: Half of All Teens Have Had Oral Sex", *The Washington Post*, 16 de set. de 2005.

[24] Pesquisa sobre sexo entre adolescentes realizada por Princeton Survey Research Associates International, 2004; disponível em: <http://www.msnbc.msn.com/id/6839072>.

[25] Idem. *Contraceptive Technology Update*, vol. 22, n.º 5, mai. de 2001.

[26] Joel A. ERNSTER, Cosimo G. SCIOTTO, Maureen M. O'BRIEN, Jack L. FINCH, Linda J. ROBINSON, Thomas WILLSON e Michael MATHEWS. "Rising Incidence of Oropharyngeal Cancer and the Role of Oncogenic Human Papilloma Virus", *The Laryngoscope*, vol. 117, n.º 12, jan. de 2009, p. 2115-2128

[27] "Studies Tie Oral Sex to Throat Cancer in Some Men", *Colorado Springs Gazette*, 22 de out. de 2007.

[28] Pesquisa sobre doenças sexualmente transmissíveis feita em 2007 pelos Centros de Controle e Prevenção de Doenças (EUA). O relatório completo encontra-se disponível em: <http://www.cdc.gov/std/stats07>.

[29] Simpósio da Conferência sobre Assuntos Mundiais, realizado na Boulder High School em 10 de abr. de 2007. Transcrição.

[30] Steve JORDAHL. "House Subcommittee Cuts Funds for Abstinence Education", *Citizenlink*, 14 de jul. de 2009; disponível em: <http://www.citizenlink.org/content/A000010497.cfm>.

[31] P. 3-4.

[32] Idem.

[33] Idem.

CAPÍTULO 16

[1] Danice K. Eaton e outros. "Youth Risk Behavior Surveillance: United States, 2007", *Surveillance Summaries, Morbidity and Mortality Weekly Report* 57, n.º SS-4; disponível em: <http://www.cdc.gov/mmwr/preview/mmwrhtml/ss5704a1.htm>.

[2] Centros de Controle e Prevenção de Doenças (EUA), resumos de pesquisas, dados de 1991, YRBSS, "Youth Online: Comprehensive Results".

[3] Centros de Controle e Prevenção de Doenças (EUA), "Youth Online: Comprehensive Results, Alcohol and Other Drug Use", 2007; disponível em: <http://apps.nccd.cdc.gov/yrbss/CategoryQuestions.asp?Cat=3&desc=AlcoholandOtherDrugUse>.

[4] "Zipping It" (entrevista realizada por Katelyn Beaty), *Christianity Today*, 26 de ago. de 2008.

[5] Idem.

[6] Wendy Shalit. *Good Girl Revolution: Young Rebels with Self-Esteem and High Standards*, p. 233.

[7] Wendy Shalit. "Modest Extremes: Why an Observant Jew Understands Sexuality Better than Hugh Hefner", *In Character*; disponível em: <http://www.incharacter.org/article.php?article=55>.

[8] Wendy Shalit. *Girls Gone Mild*, p. 11.

[9] Idem, p. 9.

[10] Idem, p. 21.

[11] Idem, p. 75.

[12] Idem, p. 149.

[13] Robert E. Rector, Kirk A. Johnson e Lauren R. Noyes. "Sexually Active Teenagers Are More Likely to Be Depressed and to Attempt Suicide", *Center for Data Analysis Report* n.º 3-4, *Heritage Foundation*, 3 de jun. de 2003.

[14] Michelle Malkin. "Standing Up to the 'Girls Gone Wild' Culture", 27 de jul. de 2004; disponível em: <www.michelemalkin.com/2004/07/27/standing-up-to-the-girls-gone--wild-culture>.

[15] Trocadilho com o inglês *boy-cott*, isto é, "boicote". (N. do R.)

[16] "Abercrombie & Fitch Target of 'Girlcott'". *Pittsburgh Tribune Review*, 26 de out. de 2005.

[17] "The Girlcott Story", *Regional Change Agents: A Program of Women and Girls Foundation*; disponível em: <http://www.wgfswpa.org/girl2girlgrants/section_girls OurVoices/girlcott.htm>.

[18] "'Girlcott' Leaders Meet A & F Execs", *Pittsburgh Business Times*, 6 de dez. de 2005.

[19] "Abercrombie & Fitch Pitches New Trashy T-Shirts to America's Youth". Informe à imprensa publicado pela American Family Association, 1º de set. de 2009.

[20] Christine C. KIM. "Teen Sex: The Parent Factor", *Backgrounder*, Heritage Foundation, n.º 2194, 7 de out. de 2008.

[21] Idem.

[22] Laura BILLINGS. "Best Birth Control for Teens Is Mom", *Saint Paul Pioneer Press*, 8 de set. de 2002, p. C1.

[23] Idem.

[24] Bill ALBERT. "With One Voice 2007: America's Adults and Teens Sound Off about Teen Pregnancy", *National Campaign to Prevent Teen Pregnancy*, fev. de 2007; disponível em: <http://www.thenationalcampaign.org/resources/pdf/pubs/WOV2007_fulltext.pdf>.

[25] Mark D. REGNERUS e Laura B. LUCHIES. "The Parent-Child Relationship and Opportunities for Adolescents' First Sex", *Journal of Family Issues*, vol. 27, n.º 2, fev. de 2006, p. 159-183.

[26] Os Centros de Controle e Prevenção de Doenças (EUA) calculam que cerca de 19 milhões de novos casos de doenças sexualmente transmissíveis ocorrem todos os anos nos Estados Unidos, quase metade deles entre jovens de 15 a 24 anos. Nos Estados Unidos, 10 mil adolescentes são infectados com doenças sexualmente transmissíveis (DSTs) todos os dias; um dentre quatro adolescentes sexualmente ativos é portador de alguma DST.

[27] James JACCARD, Patricia J. DITTUS e Vivian V. GORDON. "Parent-Adolescent Congruency in Reports of Adolescent Sexual Behavior and in Communications about Sexual Behavior", *Child Development*, vol. 69, n.º 1, fev. de 1998, p. 247-261.

[28] Mihaly CSIKSZENTMIHALYI e Reed LARSON. *Being Adolescent: Conflict and Growth in the Teenage Years*.

[29] Idem.

[30] *Hurt: Inside the World of Today's Teenagers*, p. 21.

[31] Morton DACOSTA. *The Music Man*. Warner Bros., 1962.

CAPÍTULO 17

[1] Sarah KISTLER. "The Charm Bracelet".

CAPÍTULO 18

[1] Ron G. Rosenfeld e Barbara C. Nicodemus. "The Transition from Adolescence to Adult Life: Physiology of the 'Transition' Phase and Its Evolutionary Basis", *GHD During Critical Phases of Life*, VI Encontro de Especialistas em Hormônio do Crescimento e Distúrbios de Desenvolvimento KIGS/KIMS, Florença, Itália, 8-9 de nov. de 2002.

[2] Idem.

[3] Alecia D. Schweinsburg, Bonnie J. Nagel e outros. "FMRI Reveals Alteration of Spatial Working Memory Networks across Adolescence", *Journal of International Neuropsychological Society*, vol. 11, n.º 5, 2005, p. 631-644. B. Luna, K. E. Garver e outros. "Maturation of Cognitive Processes from Late Childhood to Adulthood", *Child Development*, vol. 75, n.º 5, 2004, p. 1357.

[4] Michael Gurian. *The Wonder of Girls*, p. 70.

[5] "What Is the Pituitary Gland?", University of Pittsburgh, Department of Neurological Surgery; disponível em: <http://www.neurosurgery.pitt.edu/minc/skullbase/pituitary/index.html>.

[6] Michael Gurian. *The Wonder of Girls*, p. 75.

[7] Louann Brizendine. *Como as mulheres pensam*.

[8] Idem.

[9] Idem.

[10] D. Rubinow, C. Roca e outros. "Gonadal Hormones and Behavior in Women: Concentrations versus Context", *Hormones, Brain and Behavior*, vol. 5, 2002, p. 37-74.

[11] Idem.

[12] Nancy Snyderman. *Girl in the Mirror*, p. 20.

[13] Michael Gurian trata de uma ideia semelhante em seu livro *The Wonder of Girls*, p. 83-84.

[14] Michael Gurian. *The Wonder of Girls*, p. 83.

[15] I. F. Bielsky e L. J. Young. "Oxytocin, Vasopressin, and Social Recognition and Reduction in Anxiety-Like Behavior in Vasopressin V1a Receptor Knockout Mice", *Neuropsychopharmacology*, vol. 29, n.º 3, 2004, p. 483-493. C. S. Carter, "Developmental Consequences of Oxytocin", *Physiology and Behavior*, vol. 79, n.º 3, 2003, p. 383-397.

[16] Idem.

[17] Louann Brizendine. *Como as mulheres pensam*.

[18] Jeffrey Kluger. "The Science of Romance: Why We Love", *Time*, 28 de jan. de 2008, p. 54.

CAPÍTULO 19

[1] Curt Anderson. "Women's Crime Rate on Increase", Associated Press, 28 de out. de 2003.

[2] James GARBARINO. *See Jane Hit: Why Girls Are Growing More Violent and What We Can Do about It*. Deborah PROTHROW-STITH e Howard R. SPIVAK. *Sugar and Spice and No Longer Nice: How We Can Stop Girls' Violence*.

[3] "As I See It: Strategic Ways to Stop Bullying", *Kansas City Star*, 14 de fev. de 2008.

[4] Joanne RICHARD. "Terrorists in the Schoolyard", *Ottawa Sun*, 14 de out. de 2004, p. 56.

[5] Vanessa O'CONNELL. "Fashion Bullies Attack — in Middle School", *Wall Street Journal*, 25 de out. de 2007, p. D1.

[6] Rosalind WISEMAN. *Queen Bees and Wannabes: Helping Your Daughter Survive Cliques, Gossip, Boyfriends, and Other Realities of Adolescence*, p. 119, 162-163.

[7] DeWitt WILLIAMS, "The Friendship Factor", *College and University Dialogue*; disponível em: <http://dialogue.adventist.org/articles/15_2_williams_e.htm>.

[8] Wendy SHALIT. *Girls Gone Mild: Young Women Reclaim Self-Respect and Find It's Not Bad to Be Good*, p. 254.

[9] Essa festa, observada em 14 de fevereiro em países de fala inglesa, celebra não apenas o amor romântico, mas também a amizade e o companheirismo. Portanto, não corresponde exatamente ao nosso Dia dos Namorados. (N. do T.)

[10] Helena OLIVIERO. "Bully Girls: Intimidating Practices Grow among Female Teens", *Atlanta Journal-Constitution*, 26 de ago. de 2004, p. B1.

[11] P. 148–162. (N. do T.)

CAPÍTULO 20

[1] O professor emérito Norbert Kluge, da Universidade de Koblenz-Landau, comentou, na revista *on-line Beiträge zur Sexualwissenschaft und Sexualpädagogik* que, em 1992, a primeira menstruação das meninas ocorria, em média, aos 12,2 anos e, em 2010, ficará em torno dos 10 ou 11 anos.

[2] William Cameron CHUMLEA, Christine M. SCHUBERT, Alex F. ROCHE, Howard E. KULIN, Peter A. LEE, John H. HIMES e Shumei S. SUN. "Age at Menarche and Racial Comparisons in U. S. Girls", *Pediatrics*, vol. 111, n.º 1, jan. de 2003, p. 110-113. J. L. H. EVERS e M. J. HEINEMAN. *Gynecology: A Clinical Atlas*, p. 80.

[3] B. J. ELLIS, S. McFADYEN-KETCHUM, K. A. DODGE, G. S. PETTIT e J. E. BATES. "Quality of Early Family Relationships and Individual Differences in the Timing of Pubertal Maturation in Girls: A Longitudinal Test of an Evolutionary Model", *Journal of Personality and Social Psychology*, vol. 77, 1999, p. 387-401.

[4] "Father-Daughter Relationship Crucial to When Girls Enter Puberty, Researchers Say", *Science Daily*, 27 set. 1999; disponível em: <http://www.sciencedaily.com/releases/1999/09/990927064822.htm>.

[5] B. Ellis, J. Bates, K. Dodge, D. Fergusson, J. Horwood, G. Pettit e L. Woodward. "Does Father Absence Place Daughters at Special Risk for Early Sexual Activity and Teenage Pregnancy?" *Child Development*, vol. 74, 2003, p. 801-821.

[6] Mairi Macleod. "Her Father's Daughter", *New Scientist*, 10 de fev. de 2007, p. 38-41.

[7] Diana Zuckerman. "When Little Girls Become Women: Early Onset of Puberty in Girls", National Research Center for Women and Families. O artigo foi publicado pela primeira vez em *The Ribbon*, um boletim do Cornell University Program on Breast Cancer and Environmental Risk Factors (BCERF), vol. 6, n.º 1, 2001.

[8] Idem.

[9] Diana Zuckerman. "When Little Girls Become Women". V. G. Phinney e outros. "The Relationship Between Early Development and Psychosexual Behaviors in Adolescent Females", *Adolescence*, vol. 25, 1990, p. 321-332.

[10] Zuckerman. "When Little Girls Become Women".

[11] Mairi Macleod. "Her Father's Daughter".

[12] R. L. Matchock e E. J. Susman. "Family Composition and Menarcheal Age: Anti-Inbreeding Strategies", *American Journal of Human Biology*, vol. 18, n.º 4, 2006, p. 481-491.

[13] A. R. Glass, P. A. Deuster, S. B. Kyle, J. A. Yahiro, R. A. Vigersky e E. B. Schoomaker. "Amenorrhea in Olympic Marathon Runners", *Fertility and Sterility*, vol. 48, n.º 5, nov. de 1987, p. 740-745.

[14] Lista de campeões do U. S. Open; disponível em: <http://www.usopen.org/en_US/about/history/wschamps.html>.

[15] Ladies' Singles Finals 1884-2008, Wimbledon Rolls of Honour; disponível em: <http://www.wimbledon.org/en_GB/about/history/rolls/ladiesroll.html>.

[16] Aviva Must. "Back to School: Child and Adolescent Health", *Pediatrics*, set. de 2005. E. J. Mundell. "Puberty Comes Sooner for Overweight Girls", *Health Day*, 11 de ago. de 2005.

[17] Mairi Macleod. "Her Father's Daughter".

[18] J. Briere e E. Gil. "Self-Mutilation in Clinical and General Population Samples: Prevalence, Correlates, and Functions", *American Journal of Orthopsychiatry*, vol. 68, n.º 4, out. de 1998, p. 609-620.

[19] Mel Whalen. "Self-Mutilation", *Self-Injury Information and Support*; disponível em: <http://www.psyke.org/articles/en/selfmutilation>. A. R. Favazza e K. Conterio. "Female Habitual Self-Mutilators", *Acta Psychiatrica Scandinavica*, vol. 79, 1989, p. 283-289.

[20] Idem.

[21] Judy A. STONE e Shari M. SIAS. "Self-Injurious Behavior: A Bi-Modal Treatment Approach to Working with Adolescent Females", *Journal of Mental Health Counseling*, vol. 25, n.º 2, abr. de 2003, p. 112.

[22] B. A. van der KOLK, J. C. PERRY e J. L. HERMAN. "Childhood Origins of Self-Destructive Behavior", *American Journal of Psychiatry*, vol. 148, 1991, p. 1665-1672.

[23] Citado por Judy A. STONE e Shari SIAS. "Self-Injurious Behavior", p. 112.

[24] "Borderline Personality Disorder: A Brief Overview That Focuses on the Symptoms, Treatments, and Research Findings"; disponível em: <http://www.nimh.nih.gov/health/publications/borderline-personality-disorder-fact-sheet/index.shtml>.

[25] Anthony BATEMAN e Peter FONAGY. "8-Year Follow-Up of Patients Treated for Borderline Personality Disorder: Mentalization-Based Treatment versus Treatment as Usual", *American Journal of Psychiatry*, vol. 165, 2008, p. 631-638.

[26] "Borderline Personality Disorder".

CAPÍTULO 21

[1] "Generation M: Media in the Lives of 8-18 Year-Olds", *Kaiser Family Foundation*, mar. de 2005; disponível em: <http://www.kff.org/entmedia/7250.cfm>.

[2] Janis WOLAK, Kimberly MITCHELL e David FINKELHOR. "Online Victimization of Youth: Five Years Later", *National Center for Missing and Exploited Children*, 2006.

[3] Idem.

[4] Christian SMITH e Melinda Lundquist DENTON. *Soul Searching: The Religious and Spiritual Lives of American Teenagers*, p. 222.

[5] Christine E. KAESTLE, Carolyn T. HALPERN, William C. MILLER e Carol A. FORD. "Young Age at First Sexual Intercourse and Sexually Transmitted Infections in Adolescents and Young Adults", *American Journal of Epidemiology*, vol. 161, n.º 8, 2005, p. 774-780.

[6] Idem.

[7] Marissa LANG. "Night Texting Putting Teen Health at Risk", *Miami Herald*, 21 de jul. de 2009.

[8] Idem.

[9] Jenna WORTHAM. "More Employers Use Social Networks to Check Out Applicants", *The New York Times*, 20 de ago. de 2009; disponível em: <http://bits.blogs.nytimes.com/2009/08/20/more-employers-use-social-networks-to-check-out-applicants>.

[10] Patrick WELSH. "Txting Away Ur Education", *USA Today*, 23 de jun. de 2009; disponível em: <http://blogs.usatoday.com/oped/2009/06/txting-away-ur-education.html>.

[11] "School's Out and Your Kids Are Online: Do You Know What They've Been Searching for This Summer?"; disponível em: <http://www.symantec.com/about/news/release/article.jsp?prid=20090810_01>.

[12] Disponível em: <http://www.youtube.com/t/fact_sheet>.

[13] "Growing Up, and Growing Fast: Kids 2-11 Spending More Time Online", *Nielsenwire*, 6 de jul. de 2009; disponível em: <http://blog.nielsen.com/nielsenwire/online_mobile/growing-up-and-growing-fast-kids-2-11-spending-more-time-online>.

[14] Brenda RINDGE. "Teen 'Sexting' Risky Behavior", *Post and Courier*, 26 de jan. de 2009, p. D1.

[15] Mike CELIZIC. "Her Teen Committed Suicide Over 'Sexting'", *MSNBC*, 6 de mar. de 2009; disponível em: <http://www.msnbc.msn.com/id/29546030>.

[16] John SMYNTEK. "Names and Faces", *Detroit Free Press*, 9 de abr. de 2001, p. C1.

[17] Disponível em: <http://www.goodfight.org/a_v_hollywoodsmission.html>.

[18] Sheila MARIKAR. "Sex and the City Fiend: Show Turned Me into Samantha", *ABC News*, 21 de mai. de 2008; disponível em: <http://abcnews.go.com/Entertainment/story?id=4895398&page=1>.

[19] Rebecca L. COLLINS, Marc N. ELLIOTT, Sandra H. BERRY, David E. KANOUSE, Dale KUNKEL, Sarah B. HUNTER e Angela MIU. "Watching Sex on Television Predicts Adolescent Initiation of Sexual Behavior", *Pediatrics*, vol. 114, n.º 3, set. de 2004, p. E280-E289.

[20] Steven C. MARTINO, Rebecca L. COLLINS, Marc N. ELLIOTT, Amy STRACHMAN, David E. KANOUSE e Sandra H. BERRY. "Exposure to Degrading versus Nondegrading Music Lyrics and Sexual Behavior among Youth", *Pediatrics*, vol. 118, n.º 2, ago. de 2006, p. E430-E441.

CAPÍTULO 22

[1] *Em busca da alma feminina*.

[2] P. 240-241.

[3] John W. KENNEDY. "The 4-14 Window", *Christianity Today*, jul. de 2004; disponível em: <http://www.christianitytoday.com/ct/2004/july/37.53.html>.

[4] *Night Light for Parents*, p. 22.

Bibliografia

ADAMS, John e ADAMS, Charles Francis. *The Works of John Adams, Second President of the United States*. Boston: Little, Brown & Company, 1865.

and Policy. Sudbury, MA: Jones and Bartlett Publishers, 2006.

BOWLBY, John. *Attachment and Loss 1: Attachment*. New York: Basic Books, 1969/1982.

BRIZENDINE, Louann. *Como as mulheres pensam*. Rio de Janeiro: Elsevier, 2006.

BURLEIGH, Michael. *The Third Reich: A New History*. New York: Hill & Wang, 2001.

CHELLIS, Marcia. *Living with the Kennedys: The Joan Kennedy Story*. New York: Simon and Schuster, 1985.

CLARK, Chap. *Hurt: Inside the World of Today's Teenagers*. Grand Rapids, MI: Baker Academic, 2004.

CSIKSZENTMIHALYI, Mihaly e LARSON, Reed. *Being Adolescent: Conflict and Growth in the Teenage Years*. New York: Basic Books, 1984.

DELLASEGA, Cheryl e NIXON, Charisse. *Girl Wars: 12 Strategies That Will End Female Bullying*. New York: Fireside, 2003.

DOBSON, James C. *Adolescência feliz: como enfrentar as mudanças no corpo e na mente*. São Paulo: Mundo Cristão, 1981.

_____. *Educando crianças geniosas*. São Paulo: Mundo Cristão, 2006.

_____. *Educando meninos: como vencer o desafio de criar a nova geração de homens*. São Paulo: Mundo Cristão, 2003.

_____. *Ouse disciplinar*. São Paulo: Vida, 1994.

_____e Dobson, Shirley. *Night Light for Parents*. Carol Stream: Tyndale House Publishers, 2002.

_____. *The New Hide or Seek: Building Confidence in Your Child*. Grand Rapids, MI: F. H. Revell, 2008.

Eberly, Sheryl. *365 Manners Kids Should Know: Games, Activities, and Other Fun Ways to Help Children Learn Etiquette*. New York: Three Rivers Press, 2001.

Eldredge, John e Eldredge, Stasi. *Em busca da alma feminina*. Rio de Janeiro: Thomas Nelson Brasil, 2007.

Evers, J. L. H. e M. J. Heineman, M. J. *Gynecology: A Clinical Atlas*. St. Louis: Mosby, 1990.

Garbarino, James. *See Jane Hit: Why Girls Are Growing More Violent and What We Can Do about It*. New York: Penguin Books, 2006.

Gilder, George F. *Men and Marriage*. New York: Gretna, Pelican Pub. Co., 1986.

Grossman, Miriam. *Unprotected: A Campus Psychiatrist Reveals How Political Correctness in Her Profession Endangers Every Student*. New York: Penguin Group, 2007.

Gurian, Michael e Stevens, Kathy. *The Minds of Boys*. San Francisco: Jossey-Bass, 2005.

_____. *The Wonder of Boys*. New York: Jeremy P. Tarcher/Putnam, 1996.

_____. The Wonder of Girls. New York: Simon and Schuster, 2002.

Haffner, Debra. *Beyond the Big Talk: A Parent's Guide to Raising Sexually Healthy Teens — from Middle School to High School and Beyond*. New York: Newmarket Press, 2001.

Harrison, Harry H. *Father to Daughter: Life Lessons on Raising a Girl*. New York: Workman, Publishing Co., 2003.

Hill, E. D. *I'm Not Your Friend, I'm Your Parent: Helping Your Children Set the Boundaries They Need... and Really Want*. Nashville: Thomas Nelson Publishers, 2008.

Horn, F. e Sylvester, Tom. *Father Facts*. Gaithersburg, MD: National Fatherhood Initiative, 2002.

Kelly, Christopher (Ed.). *Rousseau on Women, Love, and Family*. Sudbury, MA: Dartmouth Publishing, 2009.

Kindlon, Dan. *Alpha Girls: Understanding the New American Girl and How She Is Changing the World*. New York: Rodale, 2006.

Liebau, Carol Platt. *Prude: How the Sex-Obsessed Culture Damages Girls (and America, Too!)*. New York: Center Street, 2007.

Luntz, Frank. *What Americans Really Want... Really: The Truth about Our Hopes, Dreams, and Fears*. New York: Hyperion, 2009.

Marneffe, Daphne de. *Maternal Desire: On Children, Love, and the Inner Life*. New York: Little, Brown and Company, 2004.

McIlhaney Jr, Joe S. e Bush, Freda McKissic. *Hooked: New Science on How Casual Sex Is Affecting Our Children*. Chicago: Northfield Publishing, 2008.

Meeker, Margaret J. *Strong Fathers, Strong Daughters: 10 Secrets Every Father Should Know*. Washington, DC: Regnery Publishing, 2008.

Osborn, Lucy M. e outros. *Pediatrics*. Philadelphia: Elsevier Mosby, 2005.

Pease, Allan e Garner, Allan. *Talk Language: How to Use Conversation for Profit and Pleasure*. London: Simon and Schuster, 1985.

Prothrow-Stith, Deborah e Spivak, Howard R. *Sugar and Spice and No Longer Nice: How We Can*

Robertson, Brian. *Day Care Deception: What the Child Care Establishment Isn't Telling Us*. San Francisco: Encounter Books, 2003.

Rue, James J. e Shanahan, Louise. *Daddy's Girl, Mama's Boy*. Indianapolis: Bobbs-Merrill, 1978.

Santorum, Karen. *Everyday Graces: A Child's Book of Good Manners*. Wilmington: ISI Books, 2003.

Schore, A. N. *Affect Regulation and the Origin of the Self: The Neurobiology of Emotional Development*. Mahwah, NJ: Lawrence Erlbaum, 1994.

Shalit, Wendy. *A Return to Modesty: Discovering the Lost Virtue*. New York: Simon & Schuster, 2000.

_____. *Girls Gone Mild: Young Women Reclaim Self-Respect and Find It's Not Bad to Be Good*. New York: Random House, 2007.

_____. *Good Girl Revolution: Young Rebels with Self-Esteem and High Standards*. New York: Ballantine, 2008.

SHIRER, William Lawrence. *Ascensão e queda do Terceiro Reich*. Rio de Janeiro: Agir, 2008.

SIMMONS, Rachel. *Garota fora do jogo: a cultura oculta da agressão entre meninas*. Rio de Janeiro: Rocco, 2004.

SIMPSON, Jeffry A. e RHOLES, William Steven. *Attachment Theory and Close Relationships*. New York: Guilford Press, 1998.

SMITH, Christian e DENTON, Melinda Lundquist. *Soul Searching: The Religious and Spiritual Lives of American Teenagers*. New York: Oxford University Press, 2005.

SNYDERMAN, Nancy. *Girl in the Mirror*. New York: By the Bay Productions, 2002.

Stop Girls' Violence. San Francisco: Jossey-Bass, 2005.

TYRE, Peg. *The Trouble with Boys: A Surprising Report Card on Our Sons, Their Problems at School, and What Parents and Educators Must Do*. New York: Crown Publishers, 2008.

VITO, Gennaro F. MAAH, Jeffrey R. e HOLMES, Ronald M. *Criminology: Theory, Research, and Policy*. Sudbury: Jones and Bartlett Publishers, 2006.

WASSIL-GRIMM, Claudette. *Where's Daddy? How Divorced, Single and Widowed Mothers Can Provide What's Missing When Dad's Missing*. New York: Overlook Press, 1994.

WISEMAN, Rosalind. *Queen Bees and Wannabes: Helping Your Daughter Survive Cliques, Gossip, Boyfriends, and Other Realities of Adolescence*. New York: Three Rivers Press, 2002.

WRIGHT, H. Norman. *Always Daddy's Girl*. Ventura, CA: Regal, 2001.